Code Nederlands

Basisleergang Nederlands voor volwassen anderstaligen

Oefenboek 1

Alice van Kalsbeek

Folkert Kuiken

Revisie:

Erna van Bekhoven

Marijke Huizinga

Alice van Kalsbeek

Janneke van der Poel

Afdeling Nederlands Tweede Taal, Vrije Universiteit Amsterdam

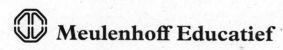

Meulenhoff Educatief

Inhoud

1 Hoe heet u?

A   **1 Vraag vooraf**
Hoe heet u?

A   **2** Luister naar Tekst 1.

A   **3** Luister nog een keer naar Tekst 1 en lees mee.

A   **4** Kies de goede reactie.

> **Voorbeeld**
> Ik ben Harry Witteman.   ☒ Dag, Rob Jansen.
>   ☐ En jij?

1 Dag, ik ben Anke de Graaf.   ☐ Nee, ik ben Karin van Zetten.
                                      ☐ Arthur Prins.

2 Hoe heet je?   ☐ Anna.
                                      ☐ Mevrouw Overmeer.

3 Bent u mevrouw Jansen?   ☐ Nee, ik ben Harry.
                                      ☐ Nee, ik ben mevrouw De Graaf.

4 Ik heet Oscar. En jij?   ☐ Carolien.
                                      ☐ Mevrouw De Graaf.

5 Mag ik me even voorstellen?   ☐ Nee, ik ben Karin.
Mijn naam is Overmeer.   ☐ Ik ben mevrouw Jansen.

6 Veldman.   ☐ Jos de Beer.
                                      ☐ Oscar. En jij?

7 Ben jij Rob Jansen?   ☐ Ja, ik ben Rob Witteman.
                                      ☐ Nee, ik ben Rob Witteman.

A   **5** Zijn de dialogen formeel of informeel?

Voorbeeld		
Bent u mevrouw Overmeer? Ja.	☒ formeel	☐ informeel

1a Hoe heet je?   ☐ formeel   ☐ informeel
 b Anke, en jij?

2a Ik ben Jos. En jij?   ☐ formeel   ☐ informeel
 b Mariska.

3a Mevrouw Jansen.   ☐ formeel   ☐ informeel
 b Meneer Andersen.

4a Mag ik me even voorstellen?   ☐ formeel   ☐ informeel
   Mijn naam is Prins.
 b De Graaf.

5a Bent u meneer Veldman?   ☐ formeel   ☐ informeel
 b Nee, ik ben meneer Overmeer.

6a Ik ben Linda.   ☐ formeel   ☐ informeel
 b Dag, Rob.

7a Ben jij Jos de Beer?   ☐ formeel   ☐ informeel
 b Ja.

A   **6** Wat hoort bij elkaar? Er zijn meerdere mogelijkheden.

Voorbeeld		
Veldman.	Van Zetten	*b*

1 Hoe heet je?	a Nee, ik ben mevrouw Lindeman.	1 _____
2 Ik ben Harry. En jij?	b Van Zetten.	2 _____
3 Ben jij Maria?	c Anna.	3 _____
4 Veldman.	d Nee, ik ben Mariska.	4 _____
5 Bent u mevrouw Van der Linden?	e Dag, Rob Jansen.	5 _____
6 Arthur Prins.	f Ik ben Karin.	6 _____

A   **7** Wat hoort bij elkaar? Er zijn meerdere mogelijkheden.

1 Ik ben Paula.	a Dag, ik ben Rob Jansen.	1 _____
2 Overmeer.	b Nee, Arthur de Beer	2 _____
3 Bent u Arthur Prins?	c Ik ben Arthur Prins.	3 _____
4 Dag, ik ben Linda Veldman.	d Anna.	4 _____
5 Mijn naam is Rob Jansen.	e Van Zetten.	5 _____

A   **8** Vul in: *heet, hoe, ja, jij*

Voorbeeld	
Jos de Beer	*Hoe* heet u?

1 *Agnes Prins* Hoe _____ je?

2 *Rob Andersen* Rob. En _____ ?
   Agnes Prins Agnes.
   Rob Andersen Agnes?

3 *Agnes Prins* _____ , Agnes.

A   **9** Vul in: *ik, mevrouw, nee, u, voorstellen*

1 *Oscar de Graaf* Mag ik me even _____ ?

2 _____ ben De Graaf, Oscar de Graaf.

3 Bent _____ _____ Witteman?

4 *Linda Veldman* _____ , ik ben mevrouw Veldman.

A   **10** Vul in: *ben, even, mag, mijn, prettig*

1 *Arthur de Beer* _____ ik me _____ voorstellen?

2 _____ naam is De Beer.

3 *Anke Overmeer* _____ met u kennis te maken.

4 Ik _____ mevrouw Overmeer.

A   **11** Vul in: *dag, en, hoe, ik, is, naam*

1 *Harry van Zetten* _____ , _____ heet je?

2 *Karin Jansen* _____ heet Karin. _____ jij?

3 *Harry van Zetten* Mijn _____ _____ Harry.

B   **12 Vragen vooraf**

    1 Komt u wel eens in een bar?
    2 Waar zijn loketten?

B   **13** Lees de vragen. Luister naar Tekst 2 en 3.
        Kies het goede antwoord.

Voorbeeld		
Spelt Anouschka de naam?	☒ ja	☐ nee

    1 Hoeveel personen hoort u in Tekst 2?   ☐ één   ☐ twee
    2 Hoeveel personen hoort u in Tekst 3?   ☐ twee   ☐ drie

B   **14** Lees de vragen. Luister nog een keer naar Tekst 2 en 3.
        Zijn de zinnen waar of niet waar?

Voorbeeld		
Hendrik-Jan spelt de naam.	☐ waar	☒ niet waar

Tekst 2 1 Hendrik-Jan en Anouschka zijn in een bar.   ☐ waar   ☐ niet waar
          2 Hendrik-Jan zegt u tegen Anouschka.   ☐ waar   ☐ niet waar
Tekst 3 3 Mevrouw de Jong zegt u tegen Mark Fischer.   ☐ waar   ☐ niet waar
          4 Mark Fischer spelt zijn naam.   ☐ waar   ☐ niet waar

B   **15** Luister nog een keer naar Tekst 2 en 3.
        Welke zinnen hoort u?

Voorbeeld		
Ben jij Anouschka?	☐ ja	☒ nee

    1 Wie ben je?   ☐ ja   ☐ nee
    2 Hoe heet je?   ☐ ja   ☐ nee
    3 Hoe spel je dat?   ☐ ja   ☐ nee
    4 Wat is uw naam?   ☐ ja   ☐ nee
    5 Kun je dat spellen?   ☐ ja   ☐ nee

B   **16** Wat hoort bij elkaar?

    1 Hoe heet je?   a Nee, Visser.   1 _____

    2 Wat is uw naam?   b Nee, ik ben Jos.   2 _____

    3 Bent u meneer Fischer?   c Rob.   3 _____

    4 Hoe spel je dat?   d Dag, ik heet Anouschka.   4 _____

    5 Ben jij Oscar?   e De Jong.   5 _____

    6 Dag, ik ben Mark.   f V, I, S, S, E, R.   6 _____

B **17** Staan de volgende woorden in alfabetische volgorde?

★ **A**rmani	★ **K**rizia
★ **A**llegri	★ **K**ramer
★ **B**ertone	★ **M**ontana
★ **C**abirio	★ **N**anni
★ **C**alugie **G**iannelli	★ **U**mberto **G**inocchietti
★ **D**oris **H**artwich	★ **V**otum
★ **I**stante	★ **S**eldom
★ **O**tto **K**ern	★ **Z**imbello

☐ ja   ☐ nee

B **18** Zet de woorden in alfabetische volgorde.

spellen – heten – voorstellen – kennismaken – zijn

_____

B **19** Zet de namen van de landen in alfabetische volgorde.

1 Liberia – Togo – Somalië – Egypte – Sudan – Sierra Leone

_____

2 Guatamala – Colombia – Peru – Argentinië – Haïti – Cuba

_____

3 Israël – India – Iran – Jordanië – Indonesië – Irak

_____

4 Spanje – Zweden – Italië – Turkije – Nederland – Frankrijk

_____

B **20** Vul in: *kunt, mag, spellen, uw*

1 A _____ ik _____ naam?

  B Witteman.

2 A _____ u dat _____?

B   21 Vul in: *ben, met, naam, nee, spel, wat*

1 A _____ is uw _____?

2 B Ik _____ Van Setten.

3 A Hoe _____ je Van Setten?

4 _____ een Z?

5 B _____, met een S.

B   22 Beantwoord de vragen.

1 Hoe stelt u zich voor?   _____

2 Kunt u uw naam spellen?   _____

B   23 Stel deze vragen nu aan vier cursisten. Schrijf de namen op.
Zijn de namen goed?

Cursist 1: _____

Cursist 2: _____

Cursist 3: _____

Cursist 4: _____

B   24 Wat is de naam van uw docent(en)?

Docent 1: _____

Docent 2: _____

B   📼 25 Luister naar Tekst 2 en 3. Herhaal de zinnen.

C   26 Vragen vooraf

1 Waar woont u?
2 Waar is Brussel?
3 Wat is een receptie?

C   📼 27 Lees de vragen. Luister naar Tekst 5 en 6.
Kies het goede antwoord.

1 Hoeveel personen hoort u in Tekst 5?   ☐ twee   ☐ drie

2 Hoeveel personen hoort u in Tekst 6?   ☐ twee   ☐ vier

C 28 Lees de vragen. Luister nog een keer naar Tekst 5 en 6.
Zijn de zinnen waar of niet waar?

Tekst 5 1 Marjolijn en Willem zeggen hun namen. ☐ waar ☐ niet waar

2 Marjolijn en Willem zeggen u tegen elkaar. ☐ waar ☐ niet waar

Tekst 6 3 Ruud en Magda zeggen hun namen. ☐ waar ☐ niet waar

4 Ruud en Magda zeggen u tegen elkaar. ☐ waar ☐ niet waar

C 29 Lees de vragen. Luister nog een keer naar Tekst 5 en 6.
Kies het goede antwoord.

Tekst 5 1 Woont Willem in Utrecht? ☐ ja ☐ nee

2 Woont Willem in de Fabriekstraat? ☐ ja ☐ nee

3 Woont Marjolijn in Utrecht? ☐ ja ☐ nee

4 Woont Marjolijn in de Fabriekstraat? ☐ ja ☐ nee

Tekst 6 5 Woont Ruud Geerts in Amsterdam? ☐ ja ☐ nee

6 Woont Magda de Smet in de Wetstraat? ☐ ja ☐ nee

7 Woont Magda de Smet op nummer 23? ☐ ja ☐ nee

8 Woont Ruud Geerts ook op nummer 23? ☐ ja ☐ nee

C 30 **Vraag vooraf**
Uit welk land komt u?

C 31 Lees de vraag. Luister naar Tekst 7.
Kies het goede antwoord.

Hoeveel personen hoort u? ☐ één ☐ twee ☐ meer dan twee

C 32 Lees de vragen. Luister nog een keer naar Tekst 7.
Kies het goede antwoord.

1 Waar zijn Pamela, Aicha, Joao en Jamila?
    a op een feestje
    b op de Nederlandse les
    c in een bar

2 Waar praten Pamela, Aicha, Joao en Jamila over?
    a over landen
    b over de Nederlandse les
    c over namen
    d over Nederland

C 33 Lees de vraag. Luister nog een keer naar Tekst 7.
Kies het goede antwoord.

Uit welke landen komen de cursisten?
De cursisten komen uit:
a Marokko, Nederland en Brazilië
b Marokko, Nederland, Engeland en Brazilië
c Marokko, Engeland, Brazilië en India
d Marokko, Nederland, Brazilië en India

C 34 Kies de goede reactie.

1 Kom je uit België?   ☐ Nee, uit Nederland.   ☐ Nee, op 23.
2 Waar kom je vandaan?   ☐ Ik ben Magda de Smet.   ☐ Ik kom uit India.
3 Woont u in Rotterdam?   ☐ Nee, in Marokko.   ☐ Nee, uit Amsterdam.
4 Waar woon je?   ☐ Ik kom uit Engeland.   ☐ In Utrecht.
5 Woont u in de Wetstraat?   ☐ Hé, ik ook.   ☐ Nee, in de Fabriekstraat.
6 Uit welk land komt u?   ☐ Uit Canada.   ☐ Ik woon in Lelystad.
7 Op welk nummer woont u?   ☐ In de Brugstraat.   ☐ Op 23.
8 Wat is uw naam?   ☐ Karin Witteman.   ☐ Nee, Karin Witteman.

35 Wat betekent ongeveer hetzelfde?

| **Voorbeeld** | | |
| Bent u meneer Geerts? | Is uw naam Geerts? | d |

1 Hoe heet u?   a Wat is uw adres?   1 _____
2 Bent u meneer Geerts?   b Wat is uw naam?   2 _____
3 Waar woont u?   c Uit welk land komt u?   3 _____
4 Mag ik me voorstellen?   d Is uw naam Geerts?   4 _____
5 Waar komt u vandaan?   e Kan ik even kennismaken?   5 _____

C 36 Vul het formulier in.

AANVRAAGFORMULIER

voorletters   naam

adres   huisnummer

postcode   woonplaats

geboortedatum   ☐ vrouw   telefoonnummer
                                 ☐ man   0
dag   maand   jaar

C | **37** Wat betekent ongeveer hetzelfde?

P.P.

1 de bar	a het adres	1 _____
2 zich voorstellen	b het café	2 _____
3 je	c het feest	3 _____
4 de receptie	d jij	4 _____
5 de straat + de woonplaats	e kennismaken	5 _____

C | **38** Maak de tekst compleet.

1 Waar kom je _____?

2 Wat is je telefoon_____?

3 _____ woon je?

4 Uit _____ land kom je?

5 _____ is je achternaam?

C | **39** Luister naar de docent. Let op het accent.

1 <u>Mag</u> ik me even <u>voor</u>stellen?
2 <u>Ik</u> heet …. En <u>jij</u>?
3 Wat is uw <u>naam</u>?
4 Hoe <u>spel</u> je dat?
5 Waar <u>woon</u> je?
6 Waar kom je van<u>daan</u>?

C | **40** Maak zinnen.

Hoe	woon	
Waar	heet	u?
Op welk nummer	woont	je?
Uit welk land	kom	

Voorbeeld
Hoe heet je?

1 _____?

2 _____?

3 _____?

4 _____?

Ben   je   uit India?
Komt   in Brussel?
Woon   u   op nummer zestien?
Woont   Arthur Prins?

5 _____?

6 _____?

7 _____?

8 _____?

U   woont   Karin
Je   woon   op nummer achttien
Ik   bent   in Utrecht
*   komt   uit Engeland*

9   _____?

10 _____?

11 _____?

12 _____?

Waar   spel   naam?
Hoe   is   je   vandaan?
Wat   kom   dat?

13 _____?

14 _____?

15 _____?

C   **41** Beantwoord de vragen.

1 Wat is uw naam?   _____

2 Waar woont u?   _____

3 Op welk nummer woont u?   _____

4 Wat is uw postcode?   _____

5 Wat is uw telefoonnummer? _____

6 Wat is uw geboortedatum?   _____

7 Uit welk land komt u?   _____

C **42** Stel deze vragen nu aan twee cursisten. Schrijf de antwoorden op.
Zijn de namen en adressen goed? Van hoeveel cursisten kent u de naam?

Cursist 1:
naam _____

adres _____

nummer _____

postcode _____

telefoonnummer _____

geboortedatum _____

land _____

Cursist 2:
naam _____

adres _____

nummer _____

postcode _____

telefoonnummer _____

geboortedatum _____

land _____

C **43** Luister naar Tekst 5 en 7. Maak de tekst compleet.

Voorbeeld
Marjolijn Waar *woon* je?

Tekst 5 *Marjolijn* Waar _____ je?

Willem In Utrecht.

Marjolijn _____ in Utrecht?

Willem In de Fabriekstraat.

En _____?

Marjolijn _____ woon in Lelystad.

_____ de Brugstraat.

Tekst 7   *Pamela*   Waar kom je _____?

           Aicha   _____ Marokko.

                  En jij?

           Pamela   Ik kom uit Engeland.

                  Kom jij _____ uit Marokko?

           Joao   Nee, uit Brazilië.

           Pamela   En uit _____ land kom jij?

           Jamila   Ik _____ uit India.

C   🔊 **44**   Luister naar Tekst 5, 6 en 7.
Herhaal de zinnen.

D   **45**   Oefening bij Tekst 9.
Kies het goede woord.

Voorbeeld		
Ramón woont in	☒ Amsterdam	☐ Amstelveen

1 Dit is   ☐ Monique   ☐ Angela

2 Monique komt uit   ☐ Gent   ☐ Antwerpen

3 Monique woont in   ☐ België   ☐ Nederland

4 Monique   ☐ is werkloos   ☐ werkt

5 Dit is   ☐ Richard   ☐ Ramón

6 Ramón komt uit   ☐ Nederland   ☐ Spanje

7 Ramón woont in   ☐ Nederland   ☐ Spanje

8 Ramón is   ☐ kapper   ☐ student

D **46** Kies het goede woord.

1 Abdel komt *in / uit* Marokko.
Abdel is mijn *woord / vriend*.
Hij is mijn *prettige / beste* vriend.

2 *Welk / Dit* is Hakim.
Hakim komt *ook / waar* uit Marokko.
Hij is mijn *buurman / achternaam*.

3 Abdel en Hakim *wonen / komen* uit Marokko, *nog / maar* Jamila komt uit India.
Jamila is *student / mevrouw*.
Hij / Ze is mijn vriendin.

4 Abdel, Hakim en Jamila *wonen / mogen* in Nederland.
Abdel en Jamila wonen *in / op* Arnhem.
Hakim *heet / woont* in Apeldoorn.

D **47** Oefening bij Tekst 9. Kies: hij of zij.

Voorbeeld
(*Hij*) / *Zij* is kapper.

1 *Hij / Zij* is een vriend van Monique.
2 *Hij / Zij* woont in Purmerend.
3 *Hij / Zij* komt uit België.
4 *Hij / Zij* is een vriendin van Monique.
5 *Hij / Zij* woont in Gent.

D **48** Maak de tekst compleet.

Voorbeeld
prins Claus
Dit is prins Claus.
Hij komt uit Duitsland.
Hij woont in Den Haag.

Oscar Labarca

1 _____ Oscar Labarca.

2 _____ uit Chili.

3 _____ in Nederland.

Aicha Latif

4 _____ Aicha Latif.

5 _____ in België.

6 _____ uit Marokko.

D **49** Luister naar de docent. Schrijf de adressen op.

Adres 1 _____

_____

Adres 2 _____

_____

Adres 3 _____

_____

Adres 4 _____

_____

D **50** Lees Tekst 11.
Schrijf in uw schrift: *woord, leren, schrijven, schrift, kaart*

D **51** Vul in: *en, kaart, met, nog, schrift, schrijven*

1 A Waar is uw _____?

2 B Welke kaart?

3 A De kaart _____ uw naam _____ adres.

4 B O, de kaart is _____ in het café.

5 A Wilt u dan uw naam in dit _____ _____?

E **52** Vul het formulier in.

POSTBANK

1 Gegevens aanvrager	Een gehuwde vrouw moet ook haar meisjesnaam vermelden.
Achternaam	
Voornamen (voluit)	
Adres	
Postcode en plaats	
Telefoon privé	
Telefoon werk	
Geslacht en geboortedatum	☐ Man ☐ Vrouw *Geboortedatum*
Nationaliteit	☐ Nederlandse ☐ Andere *Namelijk*
Andere rekeningen bij de Postbank	☐ Easy Blue Rekening *Nummer*
	☐ Pennie-, of Junior Blauw Spaarrekening *Nummer*
	☐ Andere Giro- of spaarrekening *Nummer*

2 Hoe gaat het ermee?

A **1 Vragen vooraf**

1 Welke Nederlandse groeten kent u?
2 Wanneer gebruikt u die groeten?

A **2** Lees de vragen. Luister naar Tekst 1, 2, 3 en 4.
Kies het goede antwoord.

1 *Op straat* hoort bij Tekst: 1 2 3 4

2 *Op school* hoort bij Tekst: 1 2 3 4

3 *In het park* hoort bij Tekst: 1 2 3 4

4 *Op het werk* hoort bij Tekst: 1 2 3 4

5 Wie zeggen *u* tegen elkaar? **a** Meneer Klein en mevrouw Van Dale.
b Meneer Vandenputte en mevrouw Vandijke.
c Paul en John.

A **3** Lees de vragen. Luister nog een keer naar Tekst 1, 2, 3 en 4.
Kies het goede antwoord.

1 Hoe gaat het met mevrouw Van Dale? **a** Goed.
b Ook goed.
c Het gaat wel.

2 Hoe gaat het met meneer Klein? **a** Goed.
b Uitstekend.
c Het gaat wel.

3 Hoe maakt mevrouw Vandijke het? **a** Uitstekend.
b Goed.
c Lekker.

4 Hoe maakt meneer Vandenputte het? **a** Ook goed.
b Uitstekend.
c Goed.

5 Hoe gaat het met meneer Potter? **a** Goed.
b Lekker.
c Ook goed.

6 Hoe gaat het met Edwin? **a** Lekker.
b Het gaat wel.
c Ook goed.

7 Hoe gaat het met John?   **a** goed
                                    b het gaat wel
                                    c lekker

8 Hoe gaat het met Paul?   **a** het gaat wel
                                    b lekker
                                    c uitstekend

A   **4** Wat hoort bij elkaar? Er zijn meerdere mogelijkheden.

1 Dag Edwin.	a Goed, en met jou?	1 _____	
2 Hallo John, hoe is het met jou?	b Goed, dank u.	2 _____	
3 Goedemorgen, mevrouw Peters, hoe maakt u het?	c Hé, Charles, hoe is het met jou?	3 _____	
4 Dag mevrouw Boon.	d Hallo, hoe gaat het ermee?	4 _____	
5 Hallo Paul.	e Dag meneer De Wit, hoe gaat het met u?	5 _____	

A   **5** Welk woord hoort er niet bij?

> **Voorbeeld**
> twee – <u>en</u> – honderd – vijftien

1 hallo – goed – het gaat wel – uitstekend

2 buurman – kapper – meneer – mevrouw

3 hoe gaat het ermee – hoe gaat het met jou – hoe maakt u het – hoe is het ermee

4 dag – goedemiddag – goedenavond – nou

5 les – park – school – student

A   **6** Zet de woorden in de goede volgorde.

> **Voorbeeld**
> naam – Wat – uw – is – ?   *Wat is uw naam?*

1 met – gaat – Hoe – het – u – ?   _____

2 het – is – ermee – Hoe – ?   _____

3 is – Hoe – met – het – jou – ?   _____

4 maakt – het – Hoe – u – ?   _____

5 nummer – Op – woont – u – welk – ?   _____

6 dat – Hoe – je – spel – ?   _____

A   ▣ **7** Luister naar Tekst 1 en 3. Maak de tekst compleet.

Tekst 1 *Meneer Klein*   Goedemorgen, mevrouw Van Dale.

                             _____ gaat het met u?

        Mevrouw Van Dale   _____ meneer Klein.

                             Goed, en met _____?

        Meneer Klein   _____, dank u.

Tekst 3 *Meneer Potter*   Dag Edwin.

        Edwin   Dag _____ Potter.

                             Hoe gaat _____ met u?

        Meneer Potter   _____, en met jou?

        Edwin   Ook goed, _____ u.

A   ▣ **8** Luister naar Tekst 1, 3 en 4.
          Herhaal de zinnen.

A   **9** Loop door de klas. Groet alle cursisten.

B   **10** **Vragen vooraf**

    1 Gaat u wel eens uit?
    2 Wat is een markt?

B   ▣ **11** Lees de vragen. Luister naar Tekst 5, 6, 7 en 8.
          Kies het goede antwoord.

    1 *In de stad* hoort bij Tekst: 5   6   7   8

    2 *In de kantine* hoort bij Tekst: 5   6   7   8

    3 *Bij Wendy* hoort bij Tekst: 5   6   7   8

    4 *Op de markt* hoort bij Tekst: 5   6   7   8

B 🔊 **12** Lees de vragen. Luister nog een keer naar Tekst 5, 6, 7 en 8.
Zijn de zinnen waar of niet waar?

1 Hassan en Mirjam hebben trek in een broodje.   ☐ waar ☐ niet waar

2 Hassan en Mirjam willen naar de film.   ☐ waar ☐ niet waar

3 Wilma en Ellen willen een broodje.   ☐ waar ☐ niet waar

4 Wilma en Ellen gaan naar een café.   ☐ waar ☐ niet waar

5 David en Paula gaan naar de film.   ☐ waar ☐ niet waar

6 Paula bestelt de kaartjes.   ☐ waar ☐ niet waar

7 Wendy is morgen jarig.   ☐ waar ☐ niet waar

8 Wendy gaat naar Oscar.   ☐ waar ☐ niet waar

B   **13** Kies de goede reactie.

1 Ga je mee naar de markt?
   a Goed, dank je.
   b Nou, het gaat wel.
   c Ja, leuk.

2 Ik ga maandag naar mijn werk.
   a Ja, graag.
   b Ik ook.
   c Nee, dank je.

3 Zullen we naar de film gaan?
   a Tot morgenavond.
   b Uitstekend, dank u.
   c Ja, leuk.

4 Zal ik kaartjes bestellen?
   a Ja, graag.
   b Het gaat wel.
   c Ook goed, dank u.

5 Heb je zin om te komen?
   a Ik ook.
   b Ja, natuurlijk.
   c Tot morgen.

6 Wanneer zal ik komen?
   a Graag.
   b Ja, goed.
   c Zaterdagavond.

7 Hoe gaat het ermee?
   a Ja, en met jou?
   b En met u?
   c Het gaat wel.

8 Ga je mee naar het park?
   a O, het gaat wel.
   b Ja, leuk.
   c Leuk, dank je.

9 Zullen we naar Wendy en David gaan?
   a Okee.
   b Tot ziens.
   c En u?

B **14** Kies de goede reactie.

1 A Kom je morgen ook?   **a** Ja, goed.
  B Ja, leuk.   **b** Tot morgen dan.
  A Okee, ...   **c** Goedemorgen.

2 A Ga je vanavond mee naar de film?   **a** Goedenavond.
  B Ja, goed.   **b** Tot vanavond.
  A ...   **c** 's Avonds dan?

3 A Gaat u mee naar het park, meneer van Dale?   **a** Tot morgen.
  B Ja, goed. Wanneer?   **b** Morgenmiddag?
  A ...   **c** Tot ziens.

4 A Zullen we volgende week naar de markt gaan?   **a** Tot volgende week.
  B Okee.   **b** Ja, goed.
  A ...   **c** Volgende week?

5 A Ga je vanmiddag ook naar het café?   **a** Uitstekend.
  B Ja.   **b** Okee.
  A Leuk. ...   **c** Tot vanmiddag dan.

B **15** Wat hoort bij elkaar? Er zijn meerdere mogelijkheden.

Voorbeeld		
een broodje	kopen, bestellen	*a, f, h*

1 een broodje	a hebben	1 _____
2 naar de film	b spellen	2 _____
3 een kaartje	c komen	3 _____
4 zin	d gaan	4 _____
5 koffie	e wonen	5 _____
6 je naam	f kopen	6 _____
7 in Brazilië	g drinken	7 _____
8 uit Pakistan	h bestellen	8 _____

B **16** Kies het goede woord.

1 Ik heb *vandaag / de ochtend* Nederlandse les.

2 Op school zijn twee lessen: *ochtend / 's ochtends* en *middag / 's middags*.

3 Ik ga *ochtend / vanochtend* naar de les.

4 Mijn vriendin gaat *vanmiddag / middags* naar de les.

5 *De avond / Vanavond* gaan we naar de film.

6 *'s Avonds / 's Morgens* gaan veel mensen naar de film.

7 Ik zal *de middag / vanmiddag* kaartjes gaan kopen.

B **17** Vul in: *'s avonds, ergens, jarig, leuk, morgen, naar, nodigt … uit, stad, veel, werk*

A Wat ga je vandaag doen?

1 B Ik ga 's ochtends naar het _____.

2 's Middags koop ik _____ een broodje in de _____.

3 _____ ga ik _____ Oscar.

4 Oscar is _____.

5 B _____ hij veel vrienden _____?

6 A Ja, heel _____. Het is een _____ feest.

7 B Wat ga je _____ doen?

A Morgenmiddag ga ik misschien naar Stefan.

B **18** Vul de goede vorm van het werkwoord in.

Voorbeeld	
gaan	Hij *gaat* morgen naar de film.

gaan

1 *Angela* Ik _____ naar Oscar.

2 _____ je mee?

Richard Okee.

3 *Monique* _____ u vanochtend naar het park, meneer Potter?

4 *Meneer Potter* Nee, ik _____ vanmiddag.

hebben

5 *Angela*   _____ je zin om naar de stad te gaan?

6 *Monique*   Nee, Anna en ik _____ zin om naar de markt te gaan.

7 *Monique*   Paul _____ een vriendin.

8 *Ramón*   O, ik _____ vier vriendinnen.

                 Ankie woont in Amersfoort en José in Leiden en ...
Monique   Ja, ja.

zullen

9 *Ramón*   Richard, _____ we morgen naar de film gaan?

10 *Richard*   Goed. _____ ik de kaartjes bestellen?

  Ramón   Ik heb trek in koffie.

11   _____ we hier even koffie drinken?

12 *Angela*   Ja, lekker. _____ ik ook een broodje bestellen?

B   **19** Maak zinnen.

Zal	ik	een kopje koffie drinken.
Laten	we	een broodje kopen?
Zullen		naar Amsterdam gaan.
		Jessica uitnodigen?

1 _____

2 _____

3 _____

4 _____

5 _____

B   **20** Luister naar de docent. Let op het accent.
Herhaal de woorden.

1 uit<u>ste</u>kend	3 goede<u>mor</u>gen	5 <u>kaar</u>tjes	7 <u>thuis</u>blijven
2 me<u>neer</u>	4 wan<u>neer</u>?	6 be<u>stel</u>len	8 mis<u>schien</u>

B   21 Beschrijf nu uw dag.

's Ochtends: _____

_____

's Middags: _____

_____

's Avonds: _____

_____

B   22 Luister naar Tekst 8. Hoeveel woorden heeft elke zin?

Voorbeeld
Oscar   *4*

1 *Oscar*   _____   4   _____   7 *Oscar*   _____

2   _____   5 *Oscar*   _____   8 *Wendy*   _____

3 *Wendy*   _____   6 *Wendy*   _____   9 *Oscar*   _____

B   23 Luister naar Tekst 5 en 6.
Herhaal de zinnen.

C   24 Vragen vooraf

1 Wat doet u als u niet werkt?
2 Kent u de stad Groningen?
3 Gaat u het weekend naar Parijs?

C   25 Lees de vragen. Luister naar Tekst 9, 10 en 11.
Kies het goede antwoord.

1 Waar gaat Tekst 9 over?   **a** naar Groningen gaan
                                 b koffie drinken
                                 c afscheid nemen

2 Hoeveel personen hoort u?   **a** één
                                 b twee
                                 c drie

3 Waar gaat Tekst 10 over?   **a** thuisblijven
                                 b uitgaan
                                 c koffie drinken

4 Hoeveel personen hoort u?   **a** één
                                 b twee
                                 c drie

5 Waar gaat Tekst 11 over?   **a** naar de markt gaan
                                  b naar een concert gaan
                                  c naar Groningen gaan

6 Hoeveel personen hoort u?   **a** één
                                  b twee
                                  c drie

C   ▭ **26** Lees de vragen. Luister nog een keer naar Tekst 9, 10 en 11.
                  Kies het goede antwoord.

		ja	nee	ik weet het niet
Tekst 9	1 Gaan Stephan en Lucy naar Parijs?	☐ ja	☐ nee	☐ ik weet het niet
	2 Wil Stephan naar Groningen?	☐ ja	☐ nee	☐ ik weet het niet
	3 Wil Lucy volgende week naar Groningen?	☐ ja	☐ nee	☐ ik weet het niet
Tekst 10	4 Heeft Hélène zin om uit te gaan?	☐ ja	☐ nee	☐ ik weet het niet
	5 Wil Jacques graag naar een concert?	☐ ja	☐ nee	☐ ik weet het niet
	6 Wil Jacques vanavond thuisblijven?	☐ ja	☐ nee	☐ ik weet het niet
Tekst 11	7 Wil Maria vandaag naar de markt?	☐ ja	☐ nee	☐ ik weet het niet
	8 Wil Maria volgende week naar de markt?	☐ ja	☐ nee	☐ ik weet het niet
	9 Gaan Erik en Maria volgende week naar de markt?	☐ ja	☐ nee	☐ ik weet het niet

C   **27** Kies de goede reactie.

1 Ga je mee naar een concert?
   - ☐ Wat wil je dan?
   - ☐ Ja, leuk.

2 Blijf je 's middags thuis?
   - ☐ Het gaat wel.
   - ☐ Ja, goed.

3 Heb je zin om mee te gaan?
   - ☐ Tot ziens.
   - ☐ Nee, ik heb geen zin.

4 Wat ga je in het weekend doen?
   - ☐ Ik weet het niet.
   - ☐ Nee, liever niet.

5 Kom je morgen ook?
   - ☐ Nee, ik heb geen trek.
   - ☐ Ik zie wel.

6 Zullen we naar café Bos gaan?
   - ☐ Nee, ik heb geen zin.
   - ☐ Nee, niet zo goed.

7 Ga je mee naar Wendy en Oscar?
   - ☐ Wat wil je dan?
   - ☐ Wanneer, 's middags of 's avonds?

8 Heb je zin om vanmiddag naar de markt te gaan?
   - ☐ Ja, tot vanmiddag.
   - ☐ Nee, ik kan morgen niet.

9 Wat zullen we gaan doen?
   - ☐ Nou, misschien.
   - ☐ We zien wel.

C   **28**   Kies het goede woord.

1   A Wat ga je het weekend *doen / zullen / willen?*
    B Ik *heb / weet / wil* het nog niet.
    A *Blijf / Ga / Laat* je thuis?
    B Ja, *prettig / tot dan / misschien.*

2   A *Blijf / Ga / Heb* je vanavond ook naar Wim?
    B Nee, ik heb geen *jarig / zin / trek.*
       Ik blijf *nou / dan / maar* thuis.
       En *ik / jij / je?*
    A O, ik *weet / doe / zie* wel.

3   A *Zullen / Laten / Gaan* jullie vandaag uit?
    B Ja, we gaan naar een *concert / werk / adres.*
    A *Vanavond / Volgende week / Morgen?*
    B Ja. *Heb / Doe / Ga* je ook mee?
    A Nee, ik heb *niet / geen / wel* zin.

C   **29**   Kies het goede woord.

1   A Gaan we *zondag / herfst / februari* naar het concert?
    B Okee.

2   A *Waar / Wanneer / Hoe* ben je jarig?
    B 16 april.

3   A Waar is café Vocht?
    B O, *veel / ergens / wel* in de stad.

4   A Ga je zaterdag naar de markt?
    B Nee, *dan / heel / even* kan ik niet.

5   A Kom je morgen *veel / graag / ook?*
    B Ja, leuk.

6   A Waar kan ik een broodje kopen?
    B *In de kantine / 's Avonds / Bij de kapper.*

7   A Wil je koffie?
    B Ja, *veel / heel / lekker* graag.

8   A *Laat / Kom / Zal* ik het weekend komen?
    B Ja, leuk.

C   **30**   Zoek in een woordenboek het lidwoord van de woorden.

1	_____ week	6	_____ voornaam
2	_____ jaar	7	_____ telefoonnummer
3	_____ maand	8	_____ geboortedatum
4	_____ concert	9	_____ adres
5	_____ café	10	_____ tekst

C **31** Vul steeds in de antwoorden het woord 'niet' in.

> **Voorbeeld**
> A Ga je naar een concert?
> B Nee, ik ga ✓ naar een concert.

1 A Ga je naar Groningen?

B Nee, ik ga naar Groningen.

2 A Drinken Stephan en Lucy veel koffie?

B Nee, Stephan en Lucy drinken veel koffie.

3 A Werkt meneer Potter 's nachts?

B Nee, hij werkt 's nachts.

4 A Zie je veel mensen?

B Nee, ik zie veel mensen.

5 A Gaat het goed met Paul?

B Nee, het gaat goed met Paul.

6 A Ben je zondag thuis?

B Nee, ik ben zondag thuis.

7 A Is Monique bij Anne?

B Nee, ze is bij Anne.

8 A Komen Erik en John 's morgens?

B Nee, Erik en John komen 's morgens.

C **32** Vul in: *hoe, waar, wat, wie, wanneer, welk*
Er zijn meerdere mogelijkheden.

1 _____ is uw naam?

2 _____ kom je vandaan?

3 Uit _____ land komt u?

4 _____ kom je?

5 _____ gaat het ermee?

6 _____ gaat mee naar café Vocht?

7 _____ gaan we uit?

8 _____ woon je?

9 _____ ben je jarig?

C   **33**   Bedenk vragen bij de antwoorden.

> **Voorbeeld**
>
> *Wanneer ben je jarig?*   Ik ben woensdag jarig.

1 A _____?   B   Hij heet Charles.

3 A _____?   B   Dat is Eva, een vriendin.

2 A _____?   B   Hij woont in Luik.

4 A _____?   B   Laten we ergens gaan koffiedrinken.

C   **34**   Luister naar Tekst 9 en 10. Maak de tekst compleet.

Tekst 9   *Stephan*   _____ zullen we in het weekend doen?

             Lucy   Ik _____ het niet.

             Stephan   Zullen _____ naar Groningen gaan?

             Lucy   Nee, _____ we maar thuisblijven.

Tekst 10   *Hélène*   _____ we vanavond uitgaan?

             Jacques   Nou, misschien.

             Hélène   Naar _____ concert?

             Jacques   Ik heb _____ zin om naar _____ concert te gaan.

             Hélène   Wat _____ je dan?

             Jacques   Laten we naar Lucy en Stephan _____.

             Hélène   Goed.

C ▣ **35** Luister naar Tekst 11.
Welk woord is veranderd?

> **Voorbeeld**
> *Maria*   Erik, zullen we vanmiddag naar de <u>stad</u> gaan?

1 *Maria*   Erik, zullen we vandaag naar de markt gaan?

2 *Erik*   Nee, ik kan 's middags niet.

3 *Maria*   En morgenochtend?

4 *Erik*   Nee, dan wil ik ook niet.

5 *Maria*   Volgende week misschien?

6 *Erik*   Nou, misschien.

7   Ik zie wel.

C ▣ **36** Luister naar Tekst 9 en 11.
Herhaal de zinnen.

D **37** Welk woord hoort er niet bij?

1 winter – markt – zomer – herfst

2 ochtend – dinsdag – avond – middag

3 lente – uitgaan – bar – restaurant

4 park – kantine – straat – markt

5 woonplaats – adres – nummer – les

6 goed – jarig – leuk – graag

7 overdag – dinsdag – zondag – vrijdag

8 ik – jij – hij – wij

D **38** Wat duurt langer?

> **Voorbeeld**
> de dag   – <u>het jaar</u>

1 de dag   – de maand

2 het jaar   – de maand

3 de maand   – het seizoen

4 februari   – maart

5 de maand   – het weekend

6 het weekend   – de dag

D   **39** Welke dag is het?

Voorbeeld
1 januari is een   *zaterdag*

Januari						
M	D	W	D	V	Z	Z
					1	2
3	4	5	6	7	8	9
10	11	12	13	14	15	16
17	18	19	20	21	22	23
24	25	26	27	28	29	30
31						

Februari						
M	D	W	D	V	Z	Z
	1	2	3	4	5	6
7	8	9	10	11	12	13
14	15	16	17	18	19	20
21	22	23	24	25	26	27
28	29					

Maart						
M	D	W	D	V	Z	Z
		1	2	3	4	5
6	7	8	9	10	11	12
13	14	15	16	17	18	19
20	21	22	23	24	25	26
27	28	29	30	31		

April						
M	D	W	D	V	Z	Z
					1	2
3	4	5	6	7	8	9
10	11	12	13	14	15	16
17	18	19	20	21	22	23
24	25	26	27	28	29	30

2 0 0 0

Mei						
M	D	W	D	V	Z	Z
1	2	3	4	5	6	7
8	9	10	11	12	13	14
15	16	17	18	19	20	21
22	23	24	25	26	27	28
29	30	31				

Juni						
M	D	W	D	V	Z	Z
			1	2	3	4
5	6	7	8	9	10	11
12	13	14	15	16	17	18
19	20	21	22	23	24	25
26	27	28	29	30		

Juli						
M	D	W	D	V	Z	Z
					1	2
3	4	5	6	7	8	9
10	11	12	13	14	15	16
17	18	19	20	21	22	23
24	25	26	27	28	29	30
31						

Augustus						
M	D	W	D	V	Z	Z
	1	2	3	4	5	6
7	8	9	10	11	12	13
14	15	16	17	18	19	20
21	22	23	24	25	26	27
28	29	30	31			

September						
M	D	W	D	V	Z	Z
				1	2	3
4	5	6	7	8	9	10
11	12	13	14	15	16	17
18	19	20	21	22	23	24
25	26	27	28	29	30	

Oktober						
M	D	W	D	V	Z	Z
						1
2	3	4	5	6	7	8
9	10	11	12	13	14	15
16	17	18	19	20	21	22
23	24	25	26	27	28	29
30	31					

November						
M	D	W	D	V	Z	Z
		1	2	3	4	5
6	7	8	9	10	11	12
13	14	15	16	17	18	19
20	21	22	23	24	25	26
27	28	29	30			

December						
M	D	W	D	V	Z	Z
				1	2	3
4	5	6	7	8	9	10
11	12	13	14	15	16	17
18	19	20	21	22	23	24
25	26	27	28	29	30	31

1   19 juni is een   _____

2   15 december is een   _____

3   14 oktober is een   _____

4   30 april is een   _____

5   29 augustus is een   _____

D   **40**   Deze agenda is van Anna.
Beantwoord de vragen.

> **Voorbeeld**
> Gaat Anna dinsdag naar de film?
> *Nee, woensdag (gaat ze naar de film).*

1   Gaat Anna vrijdagochtend naar de kapper?

_____

2   Wanneer moet Anna naar de cursus Nederlands?

_____

3   Wanneer gaat ze koffiedrinken bij Monica?

_____

4   Wat moet ze donderdag doen?

_____

D   **41**   Beantwoord de vragen.

1   Wanneer bent u jarig? _____

2   In welk seizoen zijn de maanden juli en augustus in Nederland?

_____

3   In welk seizoen zijn de maanden januari en februari in Nederland?

_____

4   In welk seizoen bent u jarig? _____

5   Welk seizoen is het? _____

6   Welke maand is het? _____

7   Welke dag(en) gaat u naar de Nederlandse les?

_____

D   42 Spreekoefening. Luister naar de docent.

> **Voorbeeld**
> A Zullen we naar de markt gaan?
> B Goed. Wanneer?
> A Morgen?
> B Morgen kan ik niet. Is vrijdag ook goed?
> A Ja.

E   43 Oefening bij Tekst 13.
Beantwoord de vragen.

1 Wanneer danst Nahid Siddiqui in Amersfoort?

_____

2 Wat is de naam van de Chinese opera?

_____

3 Welk telefoonnummer geeft informatie over Di Gojim?

_____

4 Van wie is de regie van 'Klaagliederen'?

_____

5 Wanneer begint de kaartverkoop van 'Bon Jovi'?

_____

E   44 Uitspraakoefening. Luister naar de docent.

3 Ja, lekker!

A **1 Vragen vooraf**

1 Wat drinkt u 's ochtends?
2 En 's avonds?
3 Drinkt u koffie? Vindt u dat lekker?

A **2** Lees de vragen. Luister naar Tekst 1, 2 en 3.
Kies het goede antwoord.

Tekst 1 1 Hoeveel personen hoort u?

    a één
    b twee
    c drie

2 Wat zeggen de mensen tegen elkaar?

    a u
    b je

Tekst 2 3 Hoeveel personen hoort u?

    a één
    b twee
    c drie

4 Waar zijn de mensen?

    a thuis
    b op een terras
    c op de markt

Tekst 3 5 Hoeveel personen hoort u?

    a twee
    b drie
    c meer dan drie

6 Kent de ober de mensen?

    a ja
    b nee

A **3** Lees de vragen. Luister nog een keer naar Tekst 1, 2 en 3.
Kies het goede antwoord.

Tekst 1 1 Wat wil Mariska drinken?

    a koffie
    b thee
    c suiker en melk

Tekst 2 2 Wat willen Juan en Lies?

    a iets eten
    b iets drinken
    c iets eten en iets drinken

3 Wie zegt: 'een tonic en een appelsap'?

    a de ober
    b Juan
    c Lies

Tekst 3 4 Wie heeft honger?

    a Carla heeft honger, Sjef niet
    b Sjef heeft honger, Carla niet
    c Carla en Sjef hebben honger

5 Wie heeft dorst?

    a Carla heeft dorst, Sjef niet
    b Sjef heeft dorst, Carla niet
    c Carla en Sjef hebben dorst

6 Wie wil een pilsje?

    a Sjef
    b Tineke
    c Carla

A   **4** Kies de goede reactie. Er zijn meerdere mogelijkheden.

Vraag	*Reactie*	
1 Wil je iets eten?	a Ik wil een broodje.	1 _____
2 Wilt u koffie?	b Nee, dorst!	2 _____
3 Wat wil je drinken?	c Ja, graag.	3 _____
4 Heb je honger?	d Een pilsje, graag.	4 _____
5 Mogen we bestellen?	e Nee, geef mij maar een appelsap.	5 _____
6 Hebt u broodjes?	f Natuurlijk, meneer.	6 _____
7 Wat wil je eten?	g Nee, liever thee.	7 _____
8 En wat wil jij?	h Geef mij maar een tosti, alsjeblieft.	8 _____
9 Wil jij ook cola?	i Ja, zegt u het maar.	9 _____

A   **5** Maak acht dialogen van twee zinnen.
Schrijf de dialogen op.

> **Voorbeeld**
> *Wil je koffie? Ja, lekker!*

Vraag	*Reactie*
1 Wil je koffie?	a Alsjeblieft.
2 Wil je iets eten?	b Heb je spa?
3 Wil je koffie of thee?	c Geef maar een broodje ham.
4 Wat wil je drinken?	d Ja, lekker!
5 Melk en suiker?	e Ja, graag.
6 Wat wil je eten?	f Ik heb liever thee.
7 Wil je iets drinken?	g Nee, ik heb dorst.
8 Wil je een broodje ham of een broodje kaas?	h Een broodje kaas, graag.

1 _____? _____

2 _____? _____

3 _____? _____

4 _____? _____

5 _____? _____

6 _____ ? _____

7 _____ ? _____

8 _____ ? _____

A   **6** Spreekoefening.
Luister naar de docent.

A   **7** Vul in: _honger, iets, kaas, liever, mij, nemen, thuis_

1 A Ik heb _____ .

2   Ik wil _____ eten. Eten we in de stad of _____ ?

3 B Ik eet _____ in de stad.

4 A Okee. Zullen we een broodje _____ ?

5 B Lekker. Voor jou een broodje _____ en voor _____ een broodje ham.

A   **8** Vul in: _alstublieft, ijs, melk, natuurlijk, neem, suiker_

1 _Carla_   Wat _____ jij?

2 _Tineke_   Koffie _____ .

3 _Carla_   Met _____ en _____ ?

    Tineke   Ja, graag.

4 _Carla_   Ober, mag ik een koffie en een spa met _____ ?

5 _Ober_   _____ , mevrouw.

A   **9** Vul in: _citroen, dorst, maken, of, thee, voor, zeg_

1 A Wil je iets _____ me doen?

  B Wat?

2 A Ik heb _____ .

3   Wil je _____ voor me _____ ?

  B Met citroen?

4 A Wat _____ je?

5 B Thee met citroen _____ met suiker?

6 A Thee met _____ én suiker, graag.

A   10 Maak zinnen.

Wat	wil	je		drinken?
Waar	willen	jullie	iets	eten?
Wanneer	kan	we		bestellen?
	mag	ik		doen?
	zullen			kopen?
	gaan			

1 _____

2 _____

3 _____

4 _____

5 _____

6 _____

7 _____

8 _____

9 _____

10 _____

A   11 Luister naar Tekst 2. Hoeveel woorden heeft elke zin?

1 *ober* _____

2 *Juan* _____

3 *ober* _____

4 *Juan* _____

5 *ober* _____

6 *Lies* _____

7 *ober* _____

8 *Lies* _____

9 *ober* _____

A ▢ **12** Luister naar Tekst 3. Maak de tekst compleet.

Carla   Mogen we _____?

ober   Ik kom zo bij _____, mevrouw.

Carla   Wat nemen _____?

Tineke   Een spa.

Carla   En _____?

Sjef   Ik _____ een broodje.

    Of nee, _____ een tosti.

Carla   Heb je _____?

Sjef   Ja, jij _____?

Carla   Nee, ik heb _____.

    _____ mij maar een pilsje.

ober   Zegt u het _____.

Carla   Een spa, een tosti en een _____, alstublieft.

ober   Tosti ham/_____?

Sjef   Alstublieft.

A ▢ **13** Luister naar Tekst 1, 2 en 3. Herhaal de zinnen.

B ▢ **14 Vragen vooraf**

1 Waar eet u vandaag?
2 Bent u in Nederland wel eens naar een restaurant geweest?

B ▢ **15** Lees de vragen. Luister naar Tekst 4 en 5.
Kies het goede antwoord.

1 Hoeveel mannen hoort u?	▢ twee	▢ drie	▢ vier
2 Wat zegt de ober tegen de mensen?	▢ u	▢ je	
3 Waar zijn de mensen?	▢ op school	▢ thuis	▢ aan de bar

B   ⬚ **16** Lees de vragen. Luister nog een keer naar Tekst 4 en 5.
                Zijn de zinnen waar of niet waar?

  1 Max, Willy, Daan en Olga hebben een tafel gereserveerd.   ☐ waar ☐ niet waar

  2 Max, Willy, Daan en Olga wachten aan de bar.   ☐ waar ☐ niet waar

  3 Max, Willy, Daan en Olga eten iets aan de bar.   ☐ waar ☐ niet waar

  4 Max, Willy, Daan en Olga bestellen een fles rode wijn.   ☐ waar ☐ niet waar

B   **17** Kies het goede antwoord.

  1 Woon je liever in Europa of in Amerika?
                      a Ik woon liever in Europa.
                      b Ik woon liever in Amerika.
                      c Het maakt me niet uit.

  2 Eet je liever in een restaurant of thuis?
                      a Liever in een restaurant.
                      b Liever thuis.
                      c Het maakt me niet uit.

  3 Heb je liever een broodje ham
    of liever een broodje kaas?
                      a Liever een broodje ham.
                      b Liever een broodje kaas.
                      c Het geeft niet.

  4 Ga je liever 's middags naar de film
    of liever 's avonds?
                      a 's Middags.
                      b 's Avonds.
                      c Het maakt me niet uit.

  5 Wil je wijn of cola?
                      a Liever wijn.
                      b Liever cola.
                      c Het geeft niet.

  6 Ga je liever 's ochtends of liever 's avonds
    naar school?
                      a Ik ga liever 's avonds naar school.
                      b Ik ga liever 's ochtends naar school.
                      c Het geeft niet.

  7 Heb je liever de herfst of de lente?
                      a Liever de herfst.
                      b Liever de lente.
                      c Het geeft niet.

  8 Wil je een tosti ham of een tosti kaas?
                      a Ik heb liever een tosti ham.
                      b Ik heb liever een tosti kaas.
                      c Het maakt me niet uit.

  9 Ga je liever naar een concert
    of liever naar een film?
                      a Naar een concert.
                      b Naar een film.
                      c Het maakt me niet uit.

  10 Drink je liever koffie of liever thee?
                      a Ik heb liever koffie.
                      b Ik heb liever thee.
                      c Het maakt me niet uit.

B   **18** Spreekoefening.
                Luister naar de docent.

B **19** Maak dialogen.
Schrijf de dialogen op.

Vraag
1 Wil je iets eten?
2 Wil je koffie of thee?
3 Wat wil je drinken?
4 Wat wil je eten?
5 Mag ik bestellen?
6 Wil je iets drinken?
7 Met suiker en melk?

Reactie
a Ja, lekker.
b Ja, alstublieft.
c Koffie, graag.
d Mag ik de dagschotel?
e Natuurlijk.
f Ja, graag.
g Cola, alsjeblieft.

1 _____? _____

2 _____? _____

3 _____? _____

4 _____? _____

5 _____? _____

6 _____? _____

7 _____? _____

8 _____? _____

B **20** Luister naar Tekst 4. Let op het accent.

Max	Goeden<u>a</u>vond, kunnen we hier <u>e</u>ten?
ober	<u>Hebt</u> u gereser<u>ve</u>erd?
Max	<u>Nee</u>.
ober	<u>Dan</u> moet u even <u>wach</u>ten.
Max	Wat <u>doen</u> we?
Willy	Het maakt <u>mij</u> niet uit. Zeggen <u>jullie</u> het maar.
Daan	Zullen we <u>wach</u>ten?
Olga	<u>Ja</u>, <u>goed</u>.
ober	<u>Gaat</u> u maar even aan de <u>bar</u> zitten.

B **21** **In een café**
Kies het goede woord.

1 *ober*   *Bent / Zegt / Wilt* u het maar.

2 *Carla*   Voor mij een pils *graag / misschien / goed*.

3 *Sjef*   Ja lekker, voor mij *ook / wel / misschien*.

4 *Tineke* Ik heb *maar / ook / liever* spa.

5 *ober*   Twee pils *of / en / in* een spa.

B   **22 In een restaurant**

Kies het goede woord.

1 *Max*   *Wat / Hoe / Waar* nemen jullie?

2 *Daan*   Ik *neem / moet / zeg* de dagschotel.

   Max   En jij?

3 *Willy*   Ik *weet / vind / heb* liever vis. En jij?

4 *Max*   Nee, ik houd niet *voor / van / op* vis.

5   Ik neem *even / nog / ook* de dagschotel.

6 *Willy*   Ober, *hebben / moeten / mogen* wij twee dagschotels en één vis, alstublieft?

B   **23** Vul in en zet in de vakjes: *appelsap, eten, flesje, hier, iets, moeten, restaurant, thuis, wacht, zit.*
Welk woord leest u verticaal?

Max en Daan 2 _____ het weekend naar Engeland.

Max 8 _____ op Schiphol.

Maar waar is Daan? Is hij nog 6 _____?

Max koopt een 3 _____ spa. Hij drinkt niet. Waar is Daan?

Max koopt een broodje. Maar hij kan niet 9 _____. Waar is Daan?

Max gaat naar het 7 _____.

Is Daan 1 _____?

Ja! Daar 4 _____ hij.

Daan   Hé Max, wil je ook 10 _____ drinken?

Max   Ja, een 5 _____ graag.

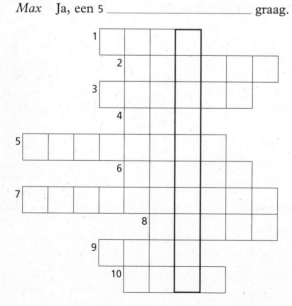

B 🔲 **24** Luister naar Tekst 4. Maak de tekst compleet.

Max   Goedenavond k_____ we hier eten?

ober   Hebt u gereserveerd?

Max   Nee.

ober   Dan moet u even wachten.

Max   Wat d_____ we?

Willy Het m_____ me niet u_____.

         Zeggen jullie het maar.

Daan   Z_____ we wachten?

Olga   Ja, goed.

ober   Gaat u maar e_____ aan de bar zitten.

B   **25** Maak de zinnen af.

> **Voorbeeld**
> Morgen *ga ik naar de kapper.*

1 Morgen _____.

2 Dan _____.

3 Zaterdag _____ naar Amsterdam.

4 Daar _____.

5 Op de markt _____.

6 Daar _____.

7 's Avonds _____.

8 Dan _____.

B 📻 **26** Luister naar Tekst 5. Maak de tekst compleet.

ober   Wilt u _____ iets drinken?

Olga   _____ we een fles wijn nemen?

Willy   Ja, _____.

ober   Rood _____ wit?

Olga   Eh, wit, _____.

          Max, wit, hè?

Max   O, dat ~~_____ niet, hoor.~~   Ja, dat is goed.

Olga   Ja, doet u _____ wit.

Daan   _____ we ook de kaart?

ober   Alstublieft, de _____ en de menukaart.

Daan   Dank u.

B 📻 **27** Luister naar Tekst 4 en 5. Herhaal de zinnen.

C   **28** **Vragen vooraf**

   1 Houdt u van vis?
   2 Wat is een menu?
   3 Wanneer drinkt u wijn?

C 📻 **29** Lees de vragen. Luister naar Tekst 6 en 7.
          Kies het goede antwoord.

   1 Wat willen Max, Willy, Daan en Olga?   **a** rode wijn kopen
                                               b even wachten
                                               c een menu kiezen

   2 Waar zijn Max, Willy, Daan en Olga?   **a** in het restaurant aan de bar
                                               b in het restaurant aan een tafel
                                               c in een café aan de bar

   3 Wat doen Max, Willy, Daan en Olga?   **a** thee drinken
                                               b wijn drinken

C 📼 **30** Lees de vragen. Luister nog een keer naar Tekst 6 en 7.
Kies het goede antwoord.

1 Wat bestellen Max, Willy, Daan en Olga?
    a de dagschotel
    b wijn
    c koffie en thee

2 Wat is de dagschotel?
    a vis met friet en sla
    b vis met friet en kabeljauw
    c kabeljauw met friet

3 Wat vinden Max en Daan van de wijn?
    a niet lekker
    b zoet
    c heerlijk

C **31** Kies de goede reactie.

1 Wat vind je van kabeljauw?
    a Het geeft niet.
    b Lekker.

2 Vind je de thee lekker?
    a Ik vind de thee te zoet.
    b Ik vind de thee leuk.

3 Zullen we in een restaurant eten?
    a Het maakt me niet uit.
    b Het is heerlijk.

4 Drinkt hij veel wijn?
    a Nee, hij houdt niet van wijn.
    b Ja, goed.

5 Is het eten lekker?
    a Ik heb honger.
    b Het is heerlijk.

6 Houd je van uitgaan?
    a Ja, ik vind uitgaan leuk.
    b Ja, ik ga liever uit.

7 Wat vind je van de koffie?
    a Ik vind de koffie heerlijk.
    b Ik vind de koffie leuk.

8 Een tosti met ham en kaas, is dat lekker?
    a Het maakt me niet uit.
    b Nee, ik vind het niet zo lekker.

9 Heb je liever koffie of thee?
    a Ik vind thee heerlijk.
    b Ik vind het heerlijk.

10 Wat vind je van de lente in Nederland?
    a Het maakt me niet uit.
    b Ik houd niet van de lente.

11 Zullen we een fles wijn nemen?
    a Goed.
    b Bedankt.

C | **32** Maak zeven dialogen van twee zinnen.
Schrijf de dialogen op.

Vraag	*Reactie*
1 Wil je koffie?	a Niet zo goed.
2 Wat vind je van de vis?	b Ja, maar ik houd wel van zoet.
3 Houd je van wijn?	c Nee, ik houd niet zo van thee.
4 Is de koffie lekker?	d Ik vind hem niet zo lekker.
5 De thee is zoet hè?	e Nee, niet zo.
6 Hoe vind je de film?	f Ja, de koffie is heerlijk.
7 Houd jij ook zo van thee?	g Ja, lekker.

1 _____? _____

2 _____? _____

3 _____? _____

4 _____? _____

5 _____? _____

6 _____? _____

7 _____? _____

C | **33** Bedenk vragen bij de antwoorden.

Voorbeeld

Smaakt de vis?   Erg lekker, dank u.

1 _____? Ja, erg zoet.

2 _____? Ik vind de vis lekker.

3 _____? Nee, ik houd niet zo van wijn.

4 _____? Liever morgen.

5 _____? Ja graag.

6 _____? Natuurlijk!

7 _____? Ja, alsjeblieft.

8 _____? Doe maar thee.

9 _____? Met suiker graag.

10 _____? Het maakt me niet uit.

11 _____? Lekker, dank u.

C **34** Kies het goede woord.

	Daan	Wat vinden jullie van de wijn?
1	Max	*Zoet / Zout / Zuur* vind je niet?
2	Daan	Nee, ik vind de wijn *lekker / wel / graag.*
	Olga	Daar komt het eten aan.
	ober	Alstublieft, vier dagschotels.
3	Olga	*Zegt u het maar / Bedankt / Het gaat wel.*
4	ober	*Proost / Eet u smakelijk / Uitstekend.*
5	Willy	*Dank u / Alstublieft / Goedenavond.*

C **35** Luister naar de docent. Let op het accent.

1 Mogen we bestellen?
2 Geef mij maar een pilsje.
3 Wat nemen jullie?
4 Ik weet het niet.
5 Zullen we een fles wijn nemen?
6 Ja, lekker.

C **36** Rubriceer: wat kun je eten en wat kun je drinken?
appelsap, broodje, citroen, friet, kaas, melk, pils, sla, spa, suiker, thee, tonic, tosti, vis, wijn

eten   drinken

_____   *appelsap*

_____   _____

_____   _____

_____   _____

_____   _____

_____   _____

_____   _____

_____

C   37 Vul in: *bedankt, kiezen, vind, vraagt, wel, zoet*

1 A Hij _____ hoe je heet.

   B Ik heet Wendy.

2 A Dat _____ ik _____ een leuke naam.

   A Wat wil je drinken?

3   Je kunt _____ uit spa en appelsap.

4 B Spa alsjeblieft. Appelsap is veel te _____.

   A Alsjeblieft.

5 B _____.

C   38 Vul in: *daar, eet smakelijk, eten, heerlijk, hem, komt ... aan, restaurant, tafel*

   A Waar is de menukaart?

1   Ik zie _____ niet.

2 B _____ is hij!

   A Waar?

3 B Op _____ natuurlijk.

4 A Is dit een goed _____?

5 B Ja, het _____ is hier _____.

   A Waar is de ober nou?

6 B Kijk, daar _____ hij _____.

7 A _____.

   B Dank je.

C   **39**   Zet de woorden in de goede volgorde.

1   bestellen – wij – Kunnen – ?

_____

2   willen – drinken – Wat – jullie – ?

_____

3   eten – Kunnen – we – hier – ?

_____

4   dat – Zullen – we – doen – ?

_____

5   kopen – een broodje – even – we – Laten – .

_____

6   we – wijn – nemen – een – Zullen – fles – ?

_____

7   Zal – vis – kopen – ik – ?

_____

8   iets – drinken – Ik – wil – .

_____

9   Gaan – een restaurant – we – in – eten – ?

_____

10 bar – U – wachten – aan – kunt – de – .

_____

11 iets – Wil – drinken – je – ?

_____

40   Luister naar Tekst 7. Welke woorden hoort u niet?

1 _Daan_   Wat vinden jullie van de wijn?
2 _Max_   Zoet, vind je niet?
3 _Daan_   Ja, ik vind hem veel te zoet.
4 _Willy_   O, maar ik houd wel van zoet.
5 _Olga_   Kijk, daar komt het eten aan.
6 _Ober_   Alstublieft, vier dagschotels.
7 _Olga_   Dank u wel hoor.
8 _Ober_   Eet u smakelijk.
9 _Willy_   Bedankt.

C 🔊 **41** Luister naar Tekst 6 en 7. Herhaal de zinnen.

D **42** Oefening bij Tekst 8.
Kies het goede antwoord.

1 Wie houdt van bitter? ☐ Monique
☐ Richard
☐ Ramón
☐ Angela

2 Wie houdt van zoet? ☐ Monique
☐ Richard
☐ Ramón
☐ Angela

3 Wie houdt van zout? ☐ Monique
☐ Richard
☐ Ramón
☐ Angela

Vul in: *appelsap, bier, chips, cola, haring, ijs, kaas, tonic, vlees*

4 Wat vindt Monique lekker? _____

5 Wat vindt Richard lekker? _____

6 Waar houdt Ramón van? _____

7 Waar houdt Angela van? _____

D **43** Wat vindt u van ...?

	niet lekker	het gaat wel	lekker	heerlijk	ik weet het niet
Voorbeeld Wat vindt u van vis?	☐	☒	☐	☐	☐
1 En van friet?	☐	☐	☐	☐	☐
2 Wat vindt u van kaas?	☐	☐	☐	☐	☐
3 Van kabeljauw?	☐	☐	☐	☐	☐
4 En van wijn?	☐	☐	☐	☐	☐
5 Wat vindt u van ijs?	☐	☐	☐	☐	☐
6 Van haring?	☐	☐	☐	☐	☐
7 En van pils?	☐	☐	☐	☐	☐

D **44** Welk woord hoort er niet bij?

1 cola – glas – thee – appelsap
2 zout – heerlijk – lekker – goed
3 kaas – kabeljauw – water – chips
4 ijsje – borrel – boterham – zoet
5 zuur – jong – zoet – zout
6 haring – smaak – kabeljauw – vis
7 zuur – rood – bitter – zoet
8 meneer – buurman – kapper – kind

D **45** Rubriceer: wat is zuur, wat is bitter, wat is zoet, wat is zout?
appel, citroen, friet, ham, haring, ijs, kaas, suiker, tonic, wijn

zuur	bitter	zoet	zout
citroen			

D **46** Maak dialogen.
Doe deze oefening met een cursist. Cursist A stelt de vragen. Cursist B geeft antwoord.

1 A Houd je van wijn?

B _____.

2 A Heb je liever een broodje ham of een broodje kaas?

B _____.

3 A Wil je spa, koffie of thee?

B _____.

4 A Eet je graag sla?

B _____.

5 A Heb je liever vlees of vis?

B _____.

D **47** Wat hoort bij elkaar? Kies uit ieder rijtje twee of drie woorden.

> **Voorbeeld**
> bitter – alstublieft – reserveren – de stad – zoet

1 hier – lopen – menu – ober – restaurant
2 bedanken – dank je – fris – jarig – kiezen
3 honger – bier – eten – overdag – zeggen
4 heerlijk – jong – kopen – lekker – uitnodigen
5 brood – dorst – drinken – hoe – water
6 zomer – voornaam – bitter – mevrouw – zuur
7 geven – suiker – zitten – zoet – zullen
8 bier – pils – sla – week – straat

D **48** Vul in: *brood, dan, jonge, liever, loop, vlees*

1 A Oscar, heb jij _____?

  Ik heb zin in een broodje.

2 B Nee. Maar ik _____ even naar de stad.

3   Dan koop ik ook kaas. Of wil je _____?

4 A Ik heb _____ kaas _____ vlees.

5 B Houd je van _____ kaas?

  A Ja, lekker.

D **49** Vul in: *heerlijk, jong, lekker, leuk, rood, zoet, zout*

1 A Wat vind je van het ijs?

  B Ik vind dit _____ ijs.

2 A Hoe is de koffie?

  B Ik vind het geen _____ koffie.

3 A Welke wijn wil je?

  B Geef mij maar _____ wijn.

4 A Houdt u van kaas?

  B Ja, van _____ kaas.

5 A Hoe vinden jullie de film?

  B Dit was een _____ film.

6 A Houd je van chips?

B Nee, ik vind chips te _____.

7 A Wil je suiker in de thee?

B Graag, ik houd van _____.

D   50 Vul in elke zin het woord 'niet' in.

1 Richard houdt van zoet.   5 De les begint om 14.00u.

2 Wil je dit aan Oscar geven?   6 Wij wonen in Maastricht.

3 Carla gaat met mij mee.   7 Ik zal op je wachten.

4 Ik ga woensdag.   8 Sjef en Carla komen vanavond.

D   51 Beantwoord de vragen.

1 Vindt u appelsap lekker?

_____

2 Houdt u van Italiaans eten?

_____

3 Wat is uw lievelingseten?

_____

4 Wat is uw lievelingsdrank?

_____

5 Houdt u van vis of hebt u liever vlees?

_____

6 Is het eten in Nederland lekker of hebt u liever het eten van uw eigen land?

_____

D **52** Schrijf een tekst.

1 Geef een korte karakteristiek van uw volk.
Gebruik de vorm 'we'.

> **Voorbeeld**
> *We wonen in Italië.*
> *We eten veel pasta.*
> *We houden van opera.*
> Enzovoort.

_____

_____

_____

_____

_____

2 Geef een korte karakteristiek van de Nederlanders.
Gebruik de vorm 'jullie'.

_____

_____

_____

_____

_____

3 Geef een karakteristiek van uw buren.
Gebruik de vorm 'ze'.

_____

_____

_____

_____

_____

E 53 Oefening bij Tekst 9.
Beantwoord de vragen.

1 Wat kost de Spaghetti Napoletana? _____

2 Wat zit er op een Pizza Paradiso? _____

3 Wat kost een Tagliatelle alla Bolognese? _____

4 Wat voor saus heeft Spaghetti Roma? _____

5 U wilt eten in Pizzeria La Capanna. _____

Wat neemt u? _____

6 En wat drinkt u? _____

E 54 Boggle
Luister naar de docent.

Voorbeeld	T H E E	bar	is
	F R I S	hier	of
	O B E R	bier	.....
	D A A R	ei	

F	L	E	S
E	T	E	N
H	I	E	R
K	A	A	S

K	A	A	R	T
V	L	E	E	S
F	R	I	E	T
B	R	O	O	D

S	U	I	K	E	R
K	I	E	Z	E	N
H	A	R	I	N	G
M	O	E	T	E	N

4 Wat bedoelt u?

A 1 Vragen vooraf

1 Wanneer gaat u met de taxi?
2 U verstaat uw docent niet. Wat vraagt u?

A 2 Lees de vragen. Luister naar Tekst 1 en 2.
Zijn de zinnen waar of niet waar?

1 De taxichauffeur zegt *u* tegen Mieke Smeets. ☐ waar ☐ niet waar

2 De taxichauffeur verstaat Mieke Smeets niet. ☐ waar ☐ niet waar

3 Mieke Smeets moet naar de Schildersstraat. ☐ waar ☐ niet waar

A 3 Lees de vragen. Luister nog een keer naar Tekst 1 en 2.
Zijn de zinnen waar of niet waar?

1 Mieke Smeets wil naar de Van der Hoogstraat. ☐ waar ☐ niet waar

2 De Van Goghstraat ligt in de schildersbuurt. ☐ waar ☐ niet waar

3 Mieke Smeets wil naar de bioscoop. ☐ waar ☐ niet waar

4 Het adres van de bioscoop is Van Goghstraat 43. ☐ waar ☐ niet waar

5 Cinematic is de naam van de bioscoop. ☐ waar ☐ niet waar

A 4 Luister nog een keer naar Tekst 1 en 2.
Kies het goede antwoord.

1 In welke dialoog hoort u: *'Pardon?'* ? ☐ in dialoog 1 ☐ in dialoog 2

2 In welke dialoog hoort u: *'Ik versta u niet.'* ? ☐ in dialoog 1 ☐ in dialoog 2

3 In welke dialoog hoort u: *'Wat zegt u?'* ? ☐ in dialoog 1 ☐ in dialoog 2

4 In welke dialoog hoort u: *'Welke wijk?'* ? ☐ in dialoog 1 ☐ in dialoog 2

A 5 Luister naar Tekst 1.
Let op het accent.

Mieke Smeets	Ik wil graag naar de Van Goghstraat.
taxichauffeur	Pardon?
Mieke Smeets	De Van Goghstraat.
taxichauffeur	In welke buurt is dat?
Mieke Smeets	In de Schilderswijk.
taxichauffeur	Welke wijk?
Mieke Smeets	De Schilderswijk.
taxichauffeur	O ja, stapt u maar in.

A   **6** Kies de goede reactie.

1 Ik wil graag naar de Stationstraat.

    a Dat geeft niet.
    b Zegt u het maar.
    c Wat zegt u?

2 In welke buurt wonen Stephan en Lucy?

    a Ik versta je niet.
    b Op nummer 73.
    c Zou kunnen.

3 Op welk nummer woont u?

    a Zegt u het maar.
    b In de Stationstraat
    c Wat zegt u?

4 Is het café bij de bioscoop?

    a Ja, leuk
    b Wat zegt u?
    c Ja, naast de bioscoop, graag.

5 Ga je mee naar de bioscoop?

    a Op welk nummer is dat?
    b Bedankt.
    c Ja, leuk.

A   **7 Aan de telefoon**

Vul in: *bedoel, bioscoop, buurt, naast, sorry, taxi, versta*

    Wendy   Met Wendy.

    Paula   Hallo, met Paula. Zullen we vanavond naar de film gaan?

    Wendy   Naar Willem?

1 *Paula*   Naar de _____!

2 *Wendy*   Welke Joop? Wie _____ je?

    Paula   Naar de film!

3 *Wendy*   _____, ik _____ je niet.

    Paula   Naar de FILM! Ga je mee?

    Wendy   O, de film. Waar?

4 *Paula*   Bij mij in de _____.

5 *Wendy*   Okee. Ik kom met de _____.

6   Bedoel je de bioscoop _____ het park?

    Paula   Wie is Mark?

A   **8** Luister naar de docent. Welk woorddeel heeft accent?
Zet daar een streep onder.

> **Voorbeeld**
> *bios<u>coop</u>*

1 Nederlands   4 's morgens   7 achternaam

2 nummer   5 natuurlijk

3 telefoon   6 uitstekend

A   **9** Luister naar Tekst 1 en 2. Maak de tekst compleet.

Tekst 1   *Mieke*   Ik wil graag naar de Van Goghstraat.

taxichauffeur   _____?

Mieke   De Van Goghstraat.

taxichauffeur   _____ buurt is dat?

Mieke   In de Schilderswijk.

taxichauffeur   O ja, _____ maar in.

Tekst 2   *taxichauffeur*   Waar moet u zijn in de Van Goghstraat?

Mieke   _____?

taxichauffeur   _____ nummer moet u zijn in de Van Goghstraat?

Mieke   O, op _____.

taxichauffeur   Is dat bij de bioscoop?

Mieke   _____.

taxichauffeur   Nummer 43, is dat bij de bioscoop?

Mieke   O, Cinematic _____. Ja, het is naast de bioscoop.

B   **10** **Vragen vooraf**

1 Wat is een eetcafé?
2 Eet u wel eens in een eetcafé?

B   **11** Lees de vragen. Luister naar Tekst 3.
Kies het goede antwoord.

1 Hoeveel personen hoor je?   **a** een   **b** twee   **c** drie of meer

2 Waar zijn de mensen?   **a** thuis   **b** in een eetcafé   **c** op straat

3 Wat willen de mensen?   **a** eten   **b** drinken   **c** eten en drinken

B ▣ **12** Luister nog een naar keer naar Tekst 3.
Kies het goede woord.

1 Nils, Eva en Agneta willen iets *eten / drinken.*
2 In het eetcafé hebben ze *soep / vis.*
3 In het eetcafé kun je broodjes *tosti / kroket* bestellen.
4 De serveerster praat te *snel / langzaam.*
5 Een uitsmijter is een boterham met gebakken *ei / kaas* en ham.
6 Nils, Eva en Agneta nemen een *uitsmijter / asbak.*

B **13** Kies de goede reactie. Er zijn meerdere mogelijkheden.

1 Wat wil je, spa, cola, appelsap, bier,
koffie, thee?

   a Ja, lekker.
   b Niet zo snel, alsjeblieft.
   c Het gaat wel.

2 Ik woon op nummer 348.

   a Heb je honger?
   b Op welk nummer?
   c Kun je dat nog een keer zeggen?

3 Heb je zin om iets te drinken in café Vocht?

   a Wat zeg je?
   b Ik versta je niet.
   c Mag ik iets bestellen?

4 Mijn telefoonnummer is 663 89 54.

   a Niet zo snel, alsjeblieft.
   b Hoe gaat het met je?
   c Op welk nummer?

5 Ik woon in de Van Goghstraat.

   a Wat is dat?
   b Kunt u dat nog een keer zeggen?
   c Misschien.

6 Zullen we naar een concert gaan
of ga je liever naar de bioscoop?

   a Het maakt mij niet uit.
   b Ik vind het goed.
   c En jij?

7 Wilt u thee of koffie of hebt u
liever cola, spa of appelsap?

   a Ja, lekker!
   b Zegt u het maar.
   c Kunt u wat langzamer praten?

8 Ik woon in de Oude Kijk in 't Jatstraat.

   a Pardon?
   b Kunt u dat nog een keer zeggen?
   c Het geeft niet.

B **14** Welk woord hoort er niet bij?

1 champignonsoep – tosti – groentesoep – tomatensoep
2 ham – kaas – lever – rosbief
3 bier – cola – kroket – thee
4 asbak – broodje – tosti – uitsmijter
5 ei – ham – salami – soep
6 eetcafé – terras – thuis – restaurant
7 kapper – ober – serveerster – taxichauffeur
8 buurt – geboortedatum – straat – wijk

B **15** Vul in: *keer, ogenblik, ons, praat, sneller, verder, wat*

1 's Ochtends eet ik brood met _____ kaas.

2 Ik drink melk, koffie of thee, en _____ iets fris.

3 Meneer Witteman _____ heel langzaam.

4 Kan hij niet wat _____ praten?

5 Kunt u _____ goed zien?

6 A Heeft u ook tonic?

   B Een _____. Ik zal het even vragen.

7 Kunt u het nog een _____ zeggen, alstublieft?

B **16 In een restaurant**
Vul in: *mij / u / ons*

> **Voorbeeld**
> Wat wilt *u* drinken?

1 *Nils*   Mevrouw, hebt u iets voor _____ te eten?

2 *serveerster*   Pardon meneer, ik versta _____ niet.

3 *Nils*   Hebt u iets voor _____ te eten?

4 *serveerster*   Jazeker, meneer. Ik heb soep, broodjes en tosti's voor _____.

5 *Eva*   Voor _____ graag een broodje kaas.

6 *Annie*   Ja, voor _____ ook, alstublieft.

7 *serveerster*   En voor _____, meneer?

8 *Nils*   Voor _____ een tomatensoep en een broodje ei.

B **17** Vul in: *haar, hem, het, hij, ik, je, jij, u, wij, ze*

1 A Waar is Anke nou? Ik moet met _____ praten.

B Daar! Daar loopt _____.

2 A Mevrouw Smeets, hoe maakt _____ het?

B Goed, goed. En hoe gaat _____ met jou?

3 A _____ kom uit Duitsland. En jullie?

B _____ komen uit Zweden en Honduras.

4 A Nils, wat wil _____ eten?

B Friet. En _____?

5 A Stephan gaat vanavond naar Erik.

B O? _____ was vanochtend ook al bij _____.

B **18** Beantwoord de vragen.

1 Uit welke stad komt u? _____

2 In welke straat woont u? _____

3 Op welk nummer? _____

4 Welke dag is het vandaag? _____

5 Op welke dagen van de week hebt u Nederlandse les? _____

6 In welk jaar bent u geboren? _____

7 Van welke muziek houdt u? _____

B | **19** Maak de dialogen compleet.

> **Voorbeeld**
> A Ik heb twee keer per week Nederlandse les.
> B Op *welke* dagen?
> A Op *dinsdag en donderdag.*

1 A Ik ga een week naar Frankrijk.

   B Naar _____ stad in Frankrijk ga je?

   A Naar _____ .

2 A Ik kijk graag naar de televisie.

   B Naar _____ programma's?

   A Naar _____ .

3 A Zaterdag ga ik naar de bioscoop.

   B Naar _____ film ga je?

   A Naar _____ .

4 A Morgen eten we in een restaurant.

   B _____ restaurant?

   A _____ .

5 A Kom je ook naar het feestje van Annet?

   B _____ dag is dat?

   A _____ .

6 A Ik woon ook in Hilversum.

   B _____ straat woon je?

   A _____ .

7 A Ik ga zaterdag naar een concert.

   B _____ concert?

   A _____ .

8 A Ik zag Max in het park.

   B _____ park?

   A _____ .

B 🔊 **20** Luister naar Tekst 3.
Welke woorden hoort u niet?

1	*Nils*	We willen zo graag iets eten.
2	*serveerster*	Dat kan, meneer. We hebben soep: tomatensoep, groentesoep, champignonsoep.
3	*Nils*	Niet zo heel snel, alstublieft.
4	*serveerster*	En we hebben ook broodjes: ham, kaas, rosbief, lever, salami, ei en kroket.
5	*Eva*	Sorry, maar kunt u wat langzamer gaan praten?
6	*serveerster*	En verder tosti's en uitsmijters.
7	*Agneta*	Een uitsmijter? Wat is dat?
8	*serveerster*	Een uitsmijter is een boterham met een gebakken ei en met ham.
9	*Nils*	Kunt u nog een keer zeggen welke broodjes u hebt?
10	*serveerster*	Kaas en ham, rosbief, lever, salami, ei en kroket.
11	*Eva*	Ik neem een uitsmijter.
12	*Agneta*	Ja, ik ook.
13	*Nils*	Ja, voor mij ook, graag.
14	*serveerster*	Dus drie uitsmijters.
15	*Agneta*	Ja, en hebt u ook een asbak voor ons?
16	*serveerster*	Ja, een ogenblik.

B **21** Maak de tekst compleet.

Nils   We willen graag _____ eten.

serveerster   _____, meneer.

            We hebben soep: tomatensoep, groentesoep, champignonsoep...

Nils   _____, alstublieft.

serveerster   En we hebben _____: ham, kaas, rosbief, lever, salami, ei en kroket.

Eva   Sorry, maar _____ praten?

serveerster   _____ tosti's en uitsmijters.

Agneta   Een uitsmijter? _____?

serveerster   Een uitsmijter is een boterham met een gebakken _____.

Nils   Kunt u _____ zeggen welke broodjes u hebt?

serveerster   _____ ham, rosbief, lever, salami, ei en kroket.

Eva   Ik _____ een uitsmijter.

Agneta   Ja, ik ook.

Nils   Ja, voor mij ook, _____.

serveerster   Drie uitsmijters.

Agneta   En hebt u _____ een asbak voor ons?

serveerster   Ja, _____.

B   **22**   Luister naar Tekst 3.
Herhaal de zinnen.

B   **23**   Schrijfoefening. Luister naar de docent.

C   **24 Vragen vooraf**

1 Gaat u wel eens naar een theater?
2 Waarom?

C   **25**   Lees de vragen. Luister naar Tekst 4.
Zijn de zinnen waar of niet waar?

1 De mensen zeggen *u* tegen elkaar.	☐ waar	☐ niet waar
2 De man wil kaartjes kopen voor het Nederlands Danstheater.	☐ waar	☐ niet waar
3 Alle kaartjes zijn uitverkocht.	☐ waar	☐ niet waar

C   **26**   Lees de vragen. Luister nog een keer naar Tekst 4.
Kies het goede antwoord.

1 Voor welke voorstelling wil Bob Hafkamp
kaartjes kopen?

a voor donderdagmiddag
b voor donderdagavond
c voor zondagavond

2 Zijn er nog kaarten voor donderdagavond?

a Ja, er zijn nog veel kaarten.
b Ja, er zijn nog een paar kaarten.
c Nee, er zijn geen kaarten meer.

3 Welke kaarten koopt Bob Hafkamp?

a Hij koopt twee kaarten voor 30 oktober.
b Hij koopt twee kaarten voor 28 oktober.
c Hij koopt geen kaarten; hij vindt ze te duur.

4 Hoeveel betaalt Bob?

a dertig gulden
b zestig gulden
c honderdtwintig gulden

C   **27**   Luister nog een keer naar Tekst 4. Welke zinnen hoort u?

	ja	*nee*
1 Voor welke voorstelling?	_____	_____
2 Voor de beste voorstelling graag.	_____	_____
3 Kunt u wat harder praten?	_____	_____
4 Op welke dagen?	_____	_____
5 Ik heb nog wel plaatsen voor u in december.	_____	_____
6 Kunt u dat nog een keer zeggen?	_____	_____
7 Hoe duur zijn ze?	_____	_____
8 Heeft u ze niet een beetje goedkoper?	_____	_____

C **28** Zet de woorden in de goede volgorde.

1 u – alstublieft – Kunt – praten – harder – wat – ?

_____

2 maakt – niet – Het – uit – mij – .

_____

3 theater – Ik – van – niet – houd – .

_____

4 kom – vandaan – je – Waar – ?

_____

5 zin – het theater – om – naar – Ik – te gaan – heb – .

_____

6 zeggen – dat – Kunt – een – nog – u – keer – ?

_____

C **29** Wat is het tegenovergestelde?

Voorbeeld
de dag   *de nacht*

1 duur	a thuisblijven	1 _____
2 goed	b slecht	2 _____
3 krijgen	c goedkoop	3 _____
4 snel	d langzaam	4 _____
5 uitgaan	e weinig	5 _____
6 veel	f geven	6 _____

C   **30** Welke woorden horen bij welke tekst?
Vul de woorden in:

die, andere, gulden, kost, wat,
alles, harde, paar, uitverkocht, wit,
een beetje, kaartjes, per persoon, duur, voorstelling, plaatsen

I 1 A Mag ik een _____ brood, alstublieft?

   2 B Sorry, mevrouw, _____ is _____.

   3   Ik heb nog wel _____ broodjes.

   4 A Nou, geeft u me dan maar een _____ broodjes.

II 1 A Twee _____ voor de _____ van vanavond alstublieft.

   2 B Hoe _____?

   3 A Ik wil graag _____ lekker zitten.

   4   Geeft u maar de beste _____.

   5 B Deze zijn ƒ 40,– _____.

      A Dat is goed.

III 1 A Wat _____ die kaas?

   2 B Vijftien _____, meneer.

   3 A En die _____?

      B Ook ƒ 15,–

      A Heeft u ook eieren?

   4 B Nee, _____ zijn uitverkocht.

   5 A Doet u dan maar _____ kaas alstublieft.

C **31** Wat eet en drinkt u vandaag?
Vul in en kies uit.

> **Voorbeeld**
> Ik drink *een* (kopje)/ *kopjes koffie /*(thee.)

1 Vandaag drink ik _____ kopje / kopjes koffie / thee.

2 Ik eet _____ broodje / broodjes / boterham / boterhammen.

3 Ik neem _____ glas / glazen melk / bier / wijn.

4 Vanavond neem ik _____ bord / borden soep.

5 Ik eet _____ bord / borden rijst / aardappelen / pasta.

6 En dan neem ik _____ appel / appels.

C **32** Zet de woorden in het meervoud.

> **Voorbeeld**
> appel   Het meisje eet 's middags twee *appels*.

1 ober   In dat café werken veel _____.

2 seizoen   Dat land heeft twee _____.

3 les   De _____ zijn om 2 uur.

4 mens   In het café zitten weinig _____.

5 broodje   Ik heb _____ ham, kaas en ei.

6 dagschotel Zullen we vier _____ nemen?

7 boterham   Als ik honger heb, eet ik wel drie _____.

C **33** Beantwoord de vragen.

1 Drinkt u liever bier of thee? _____

2 Waar woont u het liefst? _____

3 Spreekt u beter Engels of Nederlands? _____

4 In welk restaurant eet u het lekkerst? _____

5 Wie is uw beste vriend? _____

6 Werkt u harder dan uw buurman? _____

7 Koopt u in een bioscoop de duurste plaatsen? _____

8 Van welke muziek houdt u het meest? _____

C   **34** Kies het goede woord.

1 Vind je een tosti *lekker / lekkerder* dan een uitsmijter?
2 Is *Code Nederlands* een *goedkoop / goedkoopst* boek?
3 Praat de docent *hardst / hard?*
4 Vind je les 4 een *leuke / leukste* les?
5 Hebben Nederlandse restaurants *slechte / slechtste* vis?
6 Wanneer gaat u het *liever / liefst* uit?
7 Heeft u vandaag een *slechte / slechtste* dag?
8 Is *dure / duurst* wijn *lekkere / het lekkerst?*
9 Praten in Turkije de *veel / meeste* mensen *langzaam / langzaamst?*
10 Is witte wijn *zoet / zoeter* dan rode wijn?

C   **35** Stel de vragen van oefening 33 aan een cursist.

C   **36** Vul de goede vorm van het woord in.

> **Voorbeeld**
> hard   A Ik versta u niet. Kunt u wat *harder* praten?
>   B Natuurlijk.

1 snel   A Ga je lopen of met de taxi?

              B Met de taxi. Dat is veel _____.

2 ver   A Is Utrecht _____ dan Zwolle?

              B Nee, Zwolle is veel _____.

3 duur   A Is witte wijn _____ dan rode?

              B Nee, het maakt niet uit.

4 veel   A Houd je _____ van de zomer of van de winter?

              B Ik houd het _____ van de winter.

5 weinig   A Ik slaap negen uur per nacht.

              B O, wat veel. Ik slaap zes uur per nacht. Dat is drie uur _____.

6 zoet   A Ik houd van _____ appels.

  zuur   B Ik niet. Ik houd van _____ appels.

7 graag   A Wil je _____ kabeljauw of haring?

  lekker   B Ik vind kabeljauw _____ dan haring.

C ▣ **37** Luister naar Tekst 4.
Maak de tekst compleet.

Bob Hafkamp   Ik wil graag twee _____ voor Het Nederlands Danstheater.

caissière   Voor _____ voorstelling?

Bob Hafkamp   Voor donderdagavond.

caissière   Kunt u wat _____ praten?

Bob Hafkamp   Donderdagavond.

caissière   Donderdag is _____ uitverkocht, meneer.

Bob Hafkamp   En op _____ dagen?

caissière   Ik heb nog wel _____ plaatsen voor u op 27, 28 en

30 oktober of op 3 en 4 november.

Bob Hafkamp   Kunt u dat _____?

caissière   Op 27, 28 en 30 oktober of op 3 en 4 november.

Bob Hafkamp   Hm, wanneer hebt u _____ plaatsen?

caissière   Op 28 oktober.

Bob Hafkamp   Wat _____ die?

caissière   Zestig _____ per persoon.

Bob Hafkamp   _____!

caissière   Ja, de beste plaatsen zijn natuurlijk ook _____.

Bob Hafkamp   Heeft u ze niet een beetje _____?

caissière   Dan krijgt u de _____ plaatsen, voor dertig gulden.

Bob Hafkamp   Nee, _____ twee van zestig.

caissière   Dat wordt dan honderdtwintig gulden.

C ▣ **38** Luister naar Tekst 4.
Herhaal de zinnen.

C   39 Wat eet en drinkt u op een dag?
Schrijf dit op.

's Morgens eet ik _____

_____

_____

_____

's Middags _____

_____

_____

_____

_____

's Avonds _____

_____

_____

_____

D   40 Vragen vooraf

1 Wat is een boekenclub?
2 Koopt u wel eens boeken bij een boekenclub?

D   41 Lees de vragen. Luister naar Tekst 5.
Zijn de zinnen waar of niet waar?

1 De Boekenclub wil boeken kopen van Helga de Kam.   ☐ waar   ☐ niet waar
2 Helga de Kam praat met meneer Mulisch.   ☐ waar   ☐ niet waar
3 Helga de Kam heeft veel belangstelling voor de Boekenclub. ☐ waar   ☐ niet waar
4 Bij de Boekenclub koop je een woordenboek
  voor de helft van de prijs.   ☐ waar   ☐ niet waar
5 Helga de Kam koopt een boek.   ☐ waar   ☐ niet waar

D 🔲 **42** Lees de vragen. Luister nog een keer naar Tekst 5.
Kies het goede antwoord.

1 Wat betekent ENB?
    a Eerste Nederlandse Boekenclub
    b Eerste Nederlandse Boeken
    c Enige Nederlandse Boekenclub

2 Wie zegt: *Ik heb geen interesse?*
    a de colporteur
    b Helga de Kam

3 Wie zegt: *Ik heb geen belangstelling?*
    a de colporteur
    b Helga de Kam

4 Wat kost een woordenboek bij de ENB?
    a vijftig gulden
    b vijfentwintig gulden
    c honderd gulden

D 🔲 **43** Luister nog een keer naar Tekst 5. Welke zinnen hoort u?

	ja	nee
1 Nou, veel, wat is veel?		
2 Ik heb een hele leuke aanbieding voor u.		
3 Nee, dank u, ik heb geen belangstelling.		
4 Een woordenboek voor maar vijftig gulden.		
5 Nee, dank u, echt niet.		
6 Ik heb geen interesse.		

D **44** Kies de goede reactie. Er zijn meerdere mogelijkheden.

1 Wilt u koffie of thee?
    a Is dat geen taxichauffeur?
    1 _____

2 Ga je mee naar een concert?
    b Nee, ik heb geen interesse voor theater.
    2 _____

3 Verstaat u mij?
    c Nee, ik ben niet geïnteresseerd in muziek.
    3 _____

4 Houd je van het Nederlands Danstheater?
    d Wat zegt u?
    4 _____

5 Heb je interresse in films?
    e Het maakt me niet uit.
    5 _____

6 Weet u wie *Van Gogh* is?
    f Daar heb ik geen belangstelling voor.
    6 _____

D   **45**   Geef een reactie. Kies uit: *Wat bedoel je?*, *Wat betekent dat?*, *Wat is dat?*, *Wat bedoelt u?*

1 Wat zegt A?   2 Wat zegt A?

3 Wat zegt A?

4 Wat zegt A?

5 Wat zegt A?

D   **46**   Luister naar de docent. Welk woorddeel heeft accent?
                       Zet daar een streep onder.

1 langzaam	5 interessant	9 boekenclub
2 voorstelling	6 aanbieding	10 plaatsen
3 donderdag	7 belangstelling	11 uitzoeken
4 uitverkocht	8 woordenboek	12 volledig

D   **47**   Kies het goede woord.

1 Kunt u *alles / wat* langzamer praten?
2 Een woordenboek voor *de helft / meer* van de prijs!
3 Wat *de prijs / kost* een fles wijn?
4 De zaal is zaterdag *alles / volledig* uitverkocht.
5 Ik heb geen *belangstelling / aanbieding* voor dat boek.
6 Dat vind ik *echt / meest* goedkoop.
7 Ik heb *heel / geen* belangstelling.
8 Wat *bedoelt / betekent* dat?
9 *Wat / Hoe* vind je van Mulisch?
10 Heeft u *als / nog* kaartjes voor de voorstelling van vanavond?

D   **48**   Oefening bij Tekst 6.

1 Lees de vragen in het tekstboek. Zoek de woorden die u niet kent op in het woordenboek.
2 Beantwoord nu de vragen.
3 Stel de vragen aan een cursist.

D   **49**   Wat hoort bij elkaar?

1 een boek	a kiezen	1 _____
2 uit China	b kijken	2 _____
3 een menu	c komen	3 _____
4 naar muziek	d lezen	4 _____
5 in het park	e luisteren	5 _____
6 een reis	f maken	6 _____
7 televisie	g wandelen	7 _____

D **50** Wat betekent ongeveer hetzelfde?

1 belangstelling hebben	a club	1 _____
2 boterham	b broodje	2 _____
3 jaar	c tien gulden	3 _____
4 kerk	d zich interesseren	4 _____
5 kijken	e kiezen	5 _____
6 tientje	f twaalf maanden	6 _____
7 uitzoeken	g moskee	7 _____
8 vereniging	h niet werken	8 _____
9 vrij	i zien	9 _____

D **51** Vul in: *interessant, lid, nu, politiek, reis, tijd, tuin, ver*

1 Vind je dat een _____ boek?

2 Ik kan _____ niet komen. Ik moet naar school.

3 Hij heeft belangstelling voor _____.

4 Zondag werkt ze in de _____.

5 Ze gaan maandag op _____ naar Amerika.

6 Vanavond heb ik geen _____ om naar de bioscoop te gaan.

7 Ze wonen _____ van de stad.

8 Richard is _____ van een voetbalclub.

D **52** Hebt u belangstelling voor ...?

Voorbeeld
Voor opera heb ik (geen)/ *een beetje / veel* belangstelling.

1 Voor kunst heb ik *geen / een beetje / veel* belangstelling.

2 Voor sport heb ik *geen / een beetje / veel* belangstelling.

3 Voor muziek heb ik *geen / een beetje / veel* belangstelling.

4 Voor lezen heb ik *geen / een beetje / veel* belangstelling.

5 Voor reizen heb ik *geen / een beetje / veel* belangstelling.

6 Voor natuur heb ik *geen / een beetje / veel* belangstelling.

7 Voor televisie heb ik *geen / een beetje / veel* belangstelling.

8 Voor politiek heb ik *geen / een beetje / veel* belangstelling.

D **53** Maak zinnen.
Kies uit: *Ik heb geen belangstelling voor ..., Ik ga graag naar ..., Ik houd van ..., Ik ... graag, Ik ben lid van ..., Ik ben geïnteresseerd in ..., Ik ... liever dan ...., Ik houd niet van ...*

> **Voorbeeld**
> tennissen   *Ik houd van tennissen.*

1 muziek

2 televisie

3 voetballen

4 films

5 politiek

6 bakken

7 uitslapen

D **54** Schrijf op wat u het liefste doet.

1 Ik houd van

2 Ik ga ook graag

3 Maar het liefst

D **55** Maak ontkennend.

> **Voorbeeld**
> Ik heb een kaartje.   *Ik heb geen kaartje.*

1 Ik wil melk, wel suiker graag.

2 Heinz heeft zin.

3 Heb jij honger?

4 Ik heb dorst.

5 Ze heeft plaatsen voor zondag.

6 We hebben een dagschotel.

7 We hebben vandaag les.

8 In die wijk is een bioscoop.

9 Hier is een kantine.

D   56   Stel de vragen aan een cursist. Schrijf de antwoorden op.

1 Studeert u Frans?   _____

2 Spreekt u Duits?   _____

3 Hebt u een auto?   _____

4 Vindt u citroenen lekker?   _____

5 Is uw vader taxichauffeur?   _____

6 Hebt u een woordenboek?   _____

7 Hebt u kaarten voor het Nederlands Dierenthema?   _____

8 Vindt u het weer vandaag lekker?   _____

9 Houdt u van spaghetti?   _____

E   57   Het is vier uur. Ans en Chris willen naar de film. Ze kopen kaartjes.
Maak de tekst compleet. Doe de oefening met een cursist.

1 *Ans*   Ik _____ _____ twee kaartjes voor Jurassic Park.

2 *caissière* Voor _____ voorstelling?

3 *Ans*   Ik versta _____ niet.

4 *caissière* Voor de _____ van half vijf of van zeven uur?

5 *Ans*   Nee, _____ van half tien.

6 *caissière* Voor half tien _____ _____ uitverkocht.

   Ans   Een ogenblik.

7 *Ans*   Voor half _____ _____ uitverkocht.

                Wat doen we?

8 *Chris*   _____ _____ nu gaan?

9   Of _____ _____ een beter idee?

10 *Ans*   Nee, eigenlijk _____.

11 *Chris*   Dan _____ _____ nu.

12 *Ans*   Geeft u maar _____ _____ voor half vijf.

   caissière Wilt u zaal of balkon?

   Ans   Zaal, graag.

13 *caissière* Dat is achtentwintig _____, mevrouw.

   Ans   Alstublieft.

14 *caissière* _____.

E   58 Wat vindt u van deze twee schilderijen? Geef uw mening!
U kunt gebruik maken van de volgende vragen:

 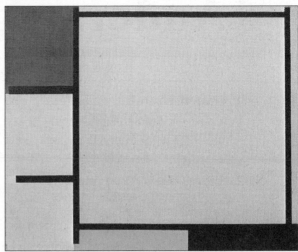

Welk schilderij vindt u mooier?
Welk schilderij is moderner?
Welk schilderij vindt u beter?
Welk schilderij hebt u liever aan de muur?

E   59 Oefening bij Tekst 7.
Beantwoord de vragen.

1 Wanneer krijg je een
Mini AM/FM-klokradio/
Soundsysteem gratis?
2 Vul de bon in.

E   60 Oefening bij Tekst 8.
Wat betekent een boek voor u? Schrijf een gedicht.

1 Een boek is _____.

2 Een boek _____.

3 Een boek _____.

4 Een _____.

Vraag aan een cursist: Wat betekent een boek voor u?

5 Anders nog iets?

A   **1** **Vragen vooraf**

1 Waar doet u boodschappen?
2 Wat is een groenteboer?

A   **2** Lees de vragen. Luister naar Tekst 1.
Zijn de zinnen waar of niet waar?

1 Mevrouw Van Zanden en de groenteboer zeggen u tegen elkaar.   ☐ waar   ☐ niet waar

2 Mevrouw Van Zanden koopt druiven en paprika's.   ☐ waar   ☐ niet waar

A   **3** Lees de vragen. Luister nog een keer naar Tekst 1.
Kies het goede antwoord.

1 Wie vraagt: *Wie is er aan de beurt?*
   a Mevrouw Van Zanden.
   b De groenteboer.

2 Wie vraagt: *Anders nog iets?*
   a Mevrouw Van Zanden.
   b De groenteboer.

3 Wie vraagt: *Mag ik een kilo druiven?*
   a Mevrouw Van Zanden.
   b De groenteboer.

4 Hoe zijn de druiven?
   a Zoet.
   b Zuur.
   c Zout.

5 Welke druiven zijn het duurst?
   a De witte.
   b De blauwe.
   c Ze zijn even duur.

6 Wat geeft Mevrouw Van Zanden aan de groenteboer?
   a Vier gulden.
   b Vijf gulden.
   c Tien gulden.

A   **4**   Kies de goede reactie.

1   Wie is er aan de beurt?
      a   Anders niets.
      b   Nee, dank u.
      c   Ik.

2   Anders nog iets?
      a   Een rode paprika.
      b   Ja, goed.
      c   Bedankt.

3   Zegt u het maar.
      a   Anders niets.
      b   Een koffie, graag.
      c   Dat was het.

4   Mag ik een pond tomaten?
      a   Nee, dank u.
      b   Hoe duur zijn ze?
      c   Welke wilt u?

5   Zijn de appels zoet?
      a   Nou, ik houd wel van zuur.
      b   Ja, ze zijn heerlijk!
      c   Nee, dank u.

6   Hoe duur zijn de citroenen?
      a   Zes voor f 2,50.
      b   Nee, f 2,50 een kilo.
      c   Dat is f 2,50 bij elkaar.

7   Dat was het?
      a   Nee, anders nog iets?
      b   Nee, zegt u het maar.
      c   Nee, ik wil nog paprika's.

8   Rode of groene paprika's?
      a   Dat maakt me niet uit.
      b   Ik heb geen belangstelling.
      c   Goed, dank u.

9   Dat was het?
      a   Nee, dank u.
      b   Een groene graag.
      c   Ja, dat was het.

A   **5**   Kies het goede antwoord. Wie kan het zeggen?

Voorbeeld
Anders nog iets?
      a   de taxichauffeur
      (b) de groenteboer
      c   de student

1   Wie is er aan de beurt?
      a   de groenteboer
      b   de colporteur
      c   mevrouw van Zanden

2   Ik wil graag een spa.
      a   de kapper
      b   de ober
      c   meneer Veldman

3   Wilt u iets eten?
      a   de colporteur
      b   de serveerster
      c   de taxichauffeur

4 Twee koffie graag.

    a de taxichauffeur
    b de ober
    c mevrouw van Zanden

5 De voorstelling is uitverkocht, mevrouw.

    a de caissière
    b de ober
    c de kapper

6 Ik wil naar het station.

    a de taxichauffeur
    b de colporteur
    c mevrouw van Zanden

7 Zegt u het maar.

    a de colporteur
    b de student
    c de groenteboer

A   **6** Bedenk een reactie. Gebruik de kaders.

> **Voorbeeld**
> *serveerster* Koffie met suiker en melk?
> *Richard* *Graag.*

1 *ober* Meneer, mevrouw?

  Monique _____

2 *colporteur* Dag mevrouw, mag ik u iets vragen?

  Monique _____

3 *groenteboer* Wie is er aan de beurt?

  Richard _____

4 *caissière* Voor welke voorstelling wilt u kaartjes?

  Richard _____

5 *serveerster* Wilt u misschien iets drinken?

  Richard _____

6 *taxichauffeur* Waar moet u zijn?

  Monique _____

7 *groenteboer* Anders nog iets?

  Monique _____

A **7** Luister naar de docent. Welk woord of woorddeel heeft accent?
Zet daar een streep onder.

1 Wat kosten ze?   5 Het gaat wel.

2 Ze zijn heerlijk.   6 Ik weet het niet.

3 Dank u wel.   7 Anders nog iets?

4 Wat is uw naam?   8 Ik versta u niet.

A **8** Wat hoort bij elkaar? Er zijn meerdere mogelijkheden.

1 citroen   a blauw   1 _____

2 druiven   b geel   2 _____

3 melk   c groen   3 _____

4 sla   d rood   4 _____

5 wijn   e wit   5 _____

A **9** Zet de woorden in het meervoud.

1 fles   A Hoeveel spa koop je?

      B Ik koop vier _____.

2 druif   A Houd je van _____?

      B Ja, heerlijk!

3 tosti   A Ik neem een broodje met haring.

      B Ik heb honger, ik neem twee _____.

4 glas   A Zegt u het maar.

      B Mag ik vier _____ cola en een pils?

5 paprika   A Anders nog iets?

      B Twee _____ graag.

6 citroen   A Anders nog iets?

      B Vier _____, graag.

7 maand   A Woon je ook in Utrecht?

      B Ja, zes _____.

8 restaurant   A Zijn er geen _____ hier?

      B Nee, er is wel een café.

A ▭ **10** Luister naar Tekst 1.
Maak de tekst compleet.

groenteboer	Wie is er aan de beurt?
mevrouw Van Zanden	Ik. _____ een kilo druiven?
groenteboer	Wilt u witte of _____?
mevrouw Van Zanden	_____ zijn ze?
groenteboer	De witte zijn ƒ 1,98 een kilo en de blauwe ƒ 2,25.
mevrouw Van Zanden	_____ de witte zoet?
groenteboer	Ja mevrouw, ze zijn heerlijk.
mevrouw Van Zanden	_____ daar maar een kilo van.
groenteboer	Anders nog _____?
mevrouw Van Zanden	_____ paprika's.
groenteboer	Rood, geel of groen?
mevrouw Van Zanden	_____.
groenteboer	Dat was het?
mevrouw Van Zanden	Ja.
groenteboer	Dat is dan ƒ 3,96 _____.
mevrouw Van Zanden	Alstublieft.
groenteboer	Vier, vijf en dat is _____.
mevrouw Van Zanden	Dank u wel.

A ▭ **11** Luister naar Tekst 1.
Herhaal de zinnen.

B **12 Vragen vooraf**

1 Wat voor schoenen heeft u?
2 Welke maat schoenen heeft u?

B ▭ **13** Lees de vragen. Luister naar Tekst 2.
Zijn de zinnen waar of niet waar?

1 Fernando Quiros wil sportschoenen kopen.   ☐ waar   ☐ niet waar
2 De verkoopster heeft schoenen in zijn maat.   ☐ waar   ☐ niet waar

B 🔘 **14** Lees de vragen. Luister nog een keer naar Tekst 2.
Kies het goede woord.

1 Fernando Quiros probeert *drie / twee* paar schoenen.
2 Maat 41 past Fernando Quiros *goed / beter* dan maat 40.
3 Fernando Quiros vindt de schoenen *heel erg / niet zo* duur.
4 Fernando Quiros vindt zijn nieuwe schoenen *niet zo / heel erg* mooi.

B 🔘 **15** Lees de vragen. Luister nog een keer naar Tekst 2.
Kies het goede antwoord.

1 Wat is de schoenmaat van de verkoopster?   **a** Ik weet het niet.
   b 40
   c 41

2 Is maat 40 goed voor Fernando Quiros?   **a** Nee, de schoenen zijn te groot.
   b Nee, de schoenen zijn te smal.
   c Ja, maar hij vindt de schoenen niet mooi.

3 Wat is goed?   **a** Maat 40 is te smal en maat 41 is te groot.
   b Maat 40 is niet zo mooi en maat 41 is te smal.
   c Maat 40 is te smal en maat 41 is niet zo mooi.

4 Fernando Quiros vraagt eerst naar de prijs,   **a** Dat is waar.
dan past hij de schoenen.   **b** Dat is niet waar.

B **16** **Vragen vooraf**

1 Wat is een warenhuis?
2 Koopt u wel eens iets in een warenhuis? Wat?
3 In welk warenhuis?

B 🔘 **17** Lees de vragen. Luister naar Tekst 3.
Zijn de zinnen waar of niet waar?

1 Marije Imberechts wil een sportbroek kopen.   ☐ waar   ☐ niet waar
2 Marije Imberechts praat met twee personen.   ☐ waar   ☐ niet waar

B 🔘 **18** Lees de vragen. Luister nog een keer naar Tekst 3.
Kies het goede woord.

1 Marije Imberechts past *één broek / twee broeken*.
2 De verkoopster vindt *één broek / twee broeken* goed.
3 Marije Imberechts koopt *één broek / twee broeken*.

B   **19** Wat hoort bij elkaar?

1 Anders nog iets?	a	ƒ 34,50	1 _____
2 Wie is er aan de beurt?	b	Maat 38.	2 _____
3 Hoeveel kost het?	c	Nee, dat was het.	3 _____
4 Hoe vindt u deze?	d	Doet u deze maar.	4 _____
5 Welke schoenen neemt u?	e	Ik.	5 _____
6 Welke maat heeft u?	f	Heel erg leuk.	6 _____

B   **20** Kies de goede reactie.

1 Wat zegt A?
    a Zoekt u deze maar uit.
    b Trekt u deze maar aan.
    c Kiest u deze maar

2 Wat zegt A?
    a Gaan ze?
    b Lopen ze?
    c Passen ze?

3 Wat zegt B?
    a Nee, ze zijn te groot.
    b Nee, ze zijn te ver.
    c Nee, ze zijn te lekker.

4 Wat zegt B?
    a interessant
    b jammer
    c misschien

5 Wat zegt A? **a** Zoekt u iets?
                b Vraagt u iets?
                c Hebt u iets?

6 Wat zegt A? **a** Bedoelt u dit boek?
                b Bedoelt u deze schoen?
                c Bedoelt u deze broek?

B | **21** Hier staan dialogen tussen A en B. B geeft steeds een reactie.
Is deze reactie positief of negatief?

Voorbeeld
A Hoe vind je de pizza?
B Niet zo lekker.   ☐ positief ☒ negatief

1 A Zitten je nieuwe schoenen goed?
  B Ja, ze zitten prima.   ☐ positief ☐ negatief

2 A Ik vind rood niet zo'n mooie kleur.
  B O, ik vind het wel aardig.   ☐ positief ☐ negatief

3 A Vind jij tomatensoep ook zo lekker?
  B Ik houd er niet zo van.   ☐ positief ☐ negatief

4 A Er zijn geen kaartjes meer voor het concert.
  B O, wat jammer.   ☐ positief ☐ negatief

5 A Dit boek kost *f* 49,50.
  B Dat vind ik veel te duur.   ☐ positief ☐ negatief

6 A De kaartjes voor de film kosten *f* 7,–.
  B Dat valt mee.   ☐ positief ☐ negatief

7 A Hoe vind je de film?
  B Ik vind hem leuk.   ☐ positief ☐ negatief

8 A Zullen we naar de stad gaan?
  B Ik heb geen zin om naar de stad te gaan. ☐ positief ☐ negatief

B **22** Stel de vragen aan een cursist.

> **Voorbeeld**
> A Hoe vindt u deze schoenen?
> B + (= positieve reactie) Ze zitten lekker.
> B − (= negatieve reactie) Ze zijn een beetje smal.

1 A Hoe vindt u de broek?

B + _____

2 A Is de tosti lekker?

B + _____

3 A Wat vind je van de wijn?

B − _____

4 A Smaakt de haring?

B − _____

5 A Het spijt me, het brood is uitverkocht.

B − _____

6 A Zullen we naar de stad gaan?

B + _____

7 A Heb je zin om naar de film te gaan?

B − _____

8 A Zit de broek goed?

B + _____

9 A Ik heb zin om naar Saskia te gaan. Ga je mee?

B + _____

10 A Hoe vind je mijn nieuwe schoenen?

B + _____

B **23** Vul in: *belangstelling, beurt, bij elkaar, eerste, kilo, vrij*

1 Pardon mevrouw, maar u bent nog niet aan de _____.

2 Een _____ kaas voor ƒ 10,–? Dat is goedkoop!

3 Vandaag moet ik werken, maar morgen ben ik _____.

4 Vanmiddag heeft Rosita haar _____ Nederlandse les.

5 Jan heeft alleen _____ voor boeken.

6 ƒ 32,64 en ƒ 189,75, hoeveel is dat _____?

B **24** Kies het goede woord.

verkoper	Goedemiddag.	
1 *Marije Geel*	*Goedemiddag / Tot ziens / Hallo*	
	Verkoopt u spijkerbroeken?	
2 *verkoper*	*Ja, dat is goed / Okee / Ja, hoor.*	
	Welke maat heeft u?	
Marije Geel	Maat 40.	
3 *verkoper*	Hoe vindt u *dit / deze / dat* broek?	
4 *Marije Geel*	Mag ik hem even *nemen / zitten / passen?*	
5 *verkoper*	Ja, *natuurlijk / bedankt / leuk.*	
Marije Geel	Hij is te groot.	
	Heeft u een kleinere maat?	
verkoper	Ja, hier heeft u maat 38.	
6	*Probeert / Gaat / maakt* u die maar.	
7 *Marije Geel*	Deze past *lekker / goed / graag.*	
	Wat kost hij?	
verkoper	ƒ 85,–	
8 *Marije Geel*	O, dat valt *uit / mee / in.*	
9	Ik *doe / mag / neem* hem.	

B **25** Vul in: *draag, eens, eigenlijk, halen, probeer, schoenen, smal, verkoopt*

1 Kun je hier koffie bestellen of moet je het _____?

2 Niet zo hard! De straten zijn hier zo _____.

3 Ssst, praat niet zo hard. Ik _____ te lezen.

4 Deze broek _____ ik alleen in het weekend.

5 Waar zijn mijn _____? _____ even zien....

6 Wat bedoel je _____?

7 _____ u ook woordenboeken?

B **26** Wat hoort er niet bij?

1 echt – heerlijk – lekker – mooi
2 genoeg – duur – weinig – veel
3 aardig – goed – prettig – slecht
4 hard – lang – weinig – snel
5 allebei – drie – een paar – twee
6 daar – deze – die – dit

B **27** Geef tegenstellingen. Gebruik zo nodig een woordenboek.

> **Voorbeeld**
> oud – *nieuw*

1 groot – _____

2 zoet   – _____

3 snel   – _____

4 goed   – _____

5 duur   – _____

B **28** Vul in: *deze, die, dit, dat.*

1 A Hoe vindt u _____ spijkerbroek?

   B Wel aardig. Maar _____ vind ik nog mooier.

2 A Hoe zitten _____ schoenen?

   B Niet zo lekker. _____ andere zitten lekkerder.

3 _____ park is groter dan _____ park.

   Maar ik wandel het liefst in _____ kleine.

4 _____ broek is te lang. Ik heb liever _____ andere.

5 A Welke druiven wilt u? _____ of _____?

   B Doet u _____ maar.

6 A Wilt u _____ vis?

   B Nee, _____ vis is te groot. Mag ik _____?

7 A _____ restaurant is beter dan _____.

   B Okee, dan gaan we naar _____ restaurant.

8 A Is _____ boek ook in de aanbieding?

   B Nee mevrouw, alleen _____ boeken daar.

9 Hoe vind je _____ schilderij van Van Gogh?

B **29** Beantwoord de vragen.

1 Wat vindt u van Nederlandse winkels? _____

2 Hoe praat uw docent? _____

3 Hoe vindt u het cursusboek? _____

4 Hoe zitten uw schoenen? _____

5 Wat vindt u van rode wijn? _____

6 Hoe vindt u Nederland? _____

B **30** Luister naar Tekst 2.
Hoe vaak hoort u 'die' en 'deze'?

die _____ keer   *deze* _____ keer

B **31** Luister naar Tekst 2. Herhaal de zinnen.

C **32** **Vragen vooraf**

1 Wat koopt u op de markt?
2 Welke kaas vindt u lekker?

C **33** Lees de vragen. Luister naar Tekst 4.
Zijn de zinnen waar of niet waar?

1 Mevrouw Geel koopt boter, kaas en eieren.   ☐ waar   ☐ niet waar

2 Mevrouw Geel koopt grote eieren.   ☐ waar   ☐ niet waar

3 De verkoper geeft Mevrouw Geel *f* 100,–   ☐ waar   ☐ niet waar

C **34** Lees de vragen. Luister nog een keer naar Tekst 4.
Kies het goede antwoord.

1 Hoeveel kaas koopt Mevrouw Geel?
   a Een pond.
   b Ietsje minder dan een pond.
   c Anderhalf pond.
   d Ietsje meer dan anderhalf pond.

2 Hoe wil Mevrouw Geel betalen?
   a Met *f* 100,–.
   b Met *f* 22,35.
   c Met *f* 22,53.
   d Met *f* 25,–.

3 Wat bedoelt de verkoper met
Hebt u het niet kleiner?
   a Wilt u misschien kleine eieren?
   b Anders nog iets?
   c Hebt u alleen *f* 100,–?
   d Waarom koopt u zo weinig?

C   **35** Wat hoort bij elkaar?

1 Zegt u het maar.	a	Nee, ik heb alleen een briefje van vijftig.	1	_____
2 Hoe duur mag het zijn?	b	ƒ 2,50 mevrouw.	2	_____
3 Wat kosten de sportschoenen?	c	Niet meer dan ƒ 25,–	3	_____
4 Hoe zwaar bent u?	d	Een half pond ham, alstublieft.	4	_____
5 Hebt u het niet kleiner?	e	75 kilo.	5	_____
6 Hoe duur is de haring?	f	Een pond.	6	_____
7 Wat weegt deze kabeljauw?	g	Deze kosten ƒ 125,– en die ƒ 220,–	7	_____

C   **36** Beantwoord de vragen.

1 Wat kost een pak druivesap?   _____

2 Hoeveel kosten de Belgische pralines?   _____

3 Wat kost ƒ 5,59?   _____

4 Hoeveel weegt de tonijnsalade?   _____

5 Hoeveel broodjes zitten er in een pak baguettebroodjes?   _____

6 Welke koffie is het goedkoopst?   _____

C   **37** Schrijfoefening. Luister naar de docent.

C **38** Schrijf vijf prijzen op. Zeg de prijzen tegen een cursist. De cursist schrijft de prijzen op.
Controleer of het goed is.

C **39** Maak de vragen compleet.

> **Voorbeeld**
> *Wat kosten* de appels? Die zijn *f* 2,50 een kilo.

1 _____ een paprika?   6 _____ de bananen?

2 _____ de sinaasappels?   7 _____ de kabeljauw?

3 _____ een ananas?   8 _____ dit stuk kaas?

4 _____ een pond uien?   9 _____ de pizza's?

5 _____ een kilo tomaten?

C **40** Beantwoord de vragen.

1 Welke maat broek heeft u? _____

2 Hoe zwaar bent u? _____

3 Wat voor fruit vindt u het lekkerst? _____

4 Wat eet u vanavond? _____

5 Wat eten ze in uw land 's ochtends? _____

6 Wat drinken ze in uw land veel? _____

C **41** Kies het goede woord.

   verkoper   Meneer zegt u het maar.
1 *meneer Quiros* Een *kilo / tientje / gewicht* tomaten alstublieft.
2 *verkoper*   Het is ietsje *veel / zwaar / minder*, meneer.
3 *meneer Quiros* *Dat valt mee / O, dat geeft niet / We zien wel.*
   verkoper   Anders nog iets?
   meneer Quiros Nee, dank u.

C **42** Kies het goede woord.

   verkoper   Wie is er aan de beurt?
1 *mevrouw Geel* *Mijn / Mij / Ik.*
   verkoper   Zegt u het maar?
2 *mevrouw Geel* *Verkoopt / Zoekt / Moet* u woordenboeken?
3 *verkoper*   *Een beetje / Natuurlijk / Uitstekend*, mevrouw.
                Ik zal even iets voor u halen…
                Deze kost *f* 50,–, deze *f* 55,95 en deze kleine *f* 37,95.
4 *mevrouw Geel* Sorry, maar wat kost die *eerste / echte / hele*?
   verkoper   *f* 50,–.
5 *mevrouw Geel* *Maakt / Doet / Neemt* u die dan maar.

C   43 Kies het goede woord.

1	*mevrouw Imberechts*	Mag ik een *gulden / keer / pond* kaas, alstublieft?
2	*verkoper*	Dit *stuk / maat / prijs?*
	mevrouw Imberechts	Graag.
3	*verkoper*	Het *heeft / weegt / maakt* ietsje meer.
4		Is *eens / eerste / anderhalf* pond te veel?
	mevrouw Imberechts	Nee, dat is goed. Ik wil ook nog eieren.
5	*verkoper*	Welke *smaak / maat / keer?*
6		Groot of *klein / lekker / snel?*
	mevrouw Imberechts	Doet u maar grote.
7	*verkoper*	*Hoeveel / Welke / Wanneer?*
	mevrouw Imberechts	Tien, alstublieft.

C   44 Spreekoefening. Luister naar de docent.

C   45 Luister naar Tekst 4.
Maak de tekst compleet.

verkoper	Mevrouw, _____ u het maar.
mevrouw Geel	Een stuk belegen kaas, _____.
verkoper	_____ mag dat zijn?
mevrouw Geel	Anderhalf pond.
verkoper	Eh, _____, mevrouw.
mevrouw Geel	O, dat geeft niet.
verkoper	_____ nog iets?
mevrouw Geel	_____ boter en tien eieren.
verkoper	Grote of kleine?

mevrouw Geel   _____ grote.

Hoeveel is het?

verkoper   _____ is dan eh... *f* 22,35.

mevrouw Geel   _____ u *f* 100,– wisselen?

verkoper   Hebt u het niet kleiner?

mevrouw Geel   Nee, _____ heb helemaal geen kleingeld.

C   46 Luister naar Tekst 4.
Herhaal de zinnen.

D 47 Lees de vragen. Lees Tekst 5.
Zijn de zinnen waar of niet waar?

1 Bij *Hap–Hmmm* worden de groenten lang gekookt. ☐ waar ☐ niet waar

2 De duurste maaltijd bij *Apoera* is ƒ 10,50. ☐ waar ☐ niet waar

3 Bij café *'t Bolwerk* kun je uitslapen. ☐ waar ☐ niet waar

4 *Chez Val* is een vegetarisch restaurant. ☐ waar ☐ niet waar

D 48 Wanneer eet en drinkt u dit?
Vul in: *aardappelen, brood, fruit, ijsje, kaas, koffie, melk, rijst, roti, soep, spa, stamppot, toetje, wijn*

ontbijt	lunch	warme maaltijd
_____	_____	_____
_____	_____	_____
_____	_____	_____
_____	_____	_____
_____	_____	_____
_____	_____	_____
_____	_____	_____

D 49 Vul in: *bestaat ... uit, buitenlands, deur, extra, geld, koken, meestal, rijst*

1 A Heb jij zin om te _____?

2 B Nee. Zullen we buiten de _____ gaan eten?

  A Okee. Zullen we naar Chez Aziz gaan?

  B Waar is dat?

3 A O, in de Langestraat. Een _____ eetcafé. En voor weinig

4   _____.

5 B Waar _____ het menu _____?

6 A _____ uit vlees, groenten en _____.

  B Lekker. Moeten we niet reserveren?

7 A Nee, ze maken wel _____ plaats voor twee personen.

  B Zullen we gaan? Ik heb honger.

D   **50** Vul in: *al, alleen, altijd, dicht, ontbijt, overal, warm, zwarte*

1 A Goeiemorgen! Wat wil jij voor je _____?

   B Koffie.

2 A Wil je ook _____ iets eten?

3 B Nee, _____ koffie.

   A Hoe drink je je koffie? Melk? Suiker?

4 B Nee, ik wil _____ koffie.

5 A Zal ik de deur open doen? Het is lekker _____ buiten.

6 B Nee! Doe die deur _____. Ik wil koffie.

7 A Pff. Ben jij _____ zo?

8 B Ja, en _____.

D   **51** Vul de goede vorm van het woord in.

1 rood   A Welke paprika's zijn het lekkerst?

           B De _____.

2 wit   A Welke wijn koop je?

           B Ik denk deze _____ wijn.

3 snel   A We zitten al een uur te wachten.

           B Nee, het is geen _____ serveerster.

4 duur   A Heeft u nog een goede plaats voor de voorstelling van morgen?

           B Ja, dit is een goede plaats, maar _____ plaats.

5 ver   A Ik ga morgen naar Brazilië.

           B Dat is een _____ reis!

6 half   A Hier is nog een _____ kroket, wil jij hem?

           B Nee, dank je!

7 groot   A Zullen we cola nemen?

           B Ja lekker, doe maar een _____ fles.

8 geel   A Waar is jouw woordenboek?

           B In de _____ kast.

D **52** Beantwoord de vragen.

1 In welk restaurant (uit Tekst 5) wilt u graag eten? _____

2 Wie kookt voor u? _____

3 Eet u vegetarisch? _____

4 Eet u wel eens voor een joet? _____

5 Neemt u eten mee op reis? _____

D **53** U gaat koken voor uw vrienden. Wat moet u kopen?
Maak een boodschappenlijstje.

D **54** Geef een reactie.

1 Wat zegt A?

2 Wat vraagt A?

3 Wat zeggen de mensen?

4 Wat zegt A?

D **55** Lees Tekst 6. Bespreek de woorden die u niet kent met een cursist.

D   56 Spreekoefening. U gaat op vakantie. Wat neemt u mee?
Luister naar de docent.

> **Voorbeeld**
> Ik ga op vakantie en ik neem een koffer mee.
> Ik ga op vakantie en ik neem een koffer en een broek mee.
> Ik ga op vakantie en ik neem een koffer een broek en een … mee.

E   57 Lees Tekst 7. Zoek de woorden die u niet kent op in een woordenboek.

E   58 Beantwoord de vragen.

1 Wat eet u het liefst? _____

2 Hoe maak je dat? _____

3 Kunt u al het eten uit uw land in Nederland kopen? _____

4 Wat wel en wat niet? _____

5 Welk Nederlands eten vindt u lekker? _____

E   59 Schrijf een recept.

E   60 Oefening bij Tekst 8.
Beantwoord de vragen.

1 Wat verkoopt *Het wapen van Eemnes*?

_____

2 Hoe heet de groentewinkel?

_____

3 Waar kun je boeken kopen?

_____

4 Wat is *Dik Trom*?

_____

5 Wat is het adres van de kapper?

_____

6 Hoe heet dat ook al weer?

A   **1** **Vragen vooraf**

1 Welke namen van kleding kent u in het Nederlands?
2 Welke kleding draagt u het liefst?

A   **2** Oefening bij Tekst 1.
Beantwoord de vragen.

1 Hoeveel kost de rok? _____

2 Wat is de prijs van de sokken? _____

3 Hoe duur is de jurk? _____

4 Wat kost ƒ 198,–? _____

5 Wat is het goedkoopst? _____

6 Wat is het duurst? _____

7 Wat is goedkoper: de blouse of de rok? _____

8 Wat is het duurst: het jack, de trui of het vest? _____

A   3 Hangen de volgende kleren wel of niet aan de lijn?

Voorbeeld	*wel*	*niet*
Een vest	☒	☐

1 Een overhemd   ☐ ☐
2 Een broek   ☐ ☐
3 Een colbert   ☐ ☐
4 Een blouse   ☐ ☐
5 Een jurk   ☐ ☐
6 Een rok   ☐ ☐
7 Een muts   ☐ ☐
8 Een jas   ☐ ☐

A   4 Vragen vooraf

1 Wat is een stomerij?
2 Welke kleding brengt u naar de stomerij?

A   5 Lees de vragen. Luister naar Tekst 2.
Zijn de zinnen waar of niet waar?

1 Simon Vis komt een boek halen.   ☐ waar   ☐ niet waar
2 Simon Vis is in een stomerij.   ☐ waar   ☐ niet waar

A 🔊 **6** Lees de vragen. Luister nog een keer naar Tekst 2.
Kies het goede antwoord.

1 Wanneer heeft Simon Vis de broek gebracht?
    a maandag
    b woensdag
    c vrijdag

2 Heeft Simon Vis de bon?
    a ja
    b nee, hij ziet hem niet.
    c nee, de medewerker heeft de bon.

3 Wie zegt: *'Hoe moet ik dat zeggen?'*?
    a de medewerker
    b Simon Vis

4 Is de broek van Simon Vis zwart?
    a ja
    b nee

A   **7** Kies de goede reactie.

1 Wat zegt A?
  ☐ Ik zal even kijken.
  ☐ Hoe heet dat ook al weer?

2 Wat zegt A?
  ☐ Eens kijken, vrijdagmorgen?
  ☐ Hoe moet ik het zeggen, vrijdagmorgen.

3 Wat zegt A?
  ☐ Ja, wat kost die, hoe heet dat, die sjaal?
  ☐ Ja, die sjaal, wat bedoelt u?

4 Wat zegt A?
  ☐ Eens kijken, zaterdag, denk ik.
  ☐ Zaterdag? Ik zal eens even kijken...

A

5 Wat zegt A?

☐ Is die... eh... hoe heet dat... van u?

☐ Wat bedoelt u?

A   **8**   Wat hoort bij elkaar?

1 Hoe laat is het ontbijt?	a Dat ligt op tafel.	1 _____
2 Waar is de bioscoop?	b Nee, die is niet van mij.	2 _____
3 Woont Erik hier?	c Nee, die komen niet.	3 _____
4 Is Marja thuis?	d Dat is tussen 7.00 u en 9.00 u, meneer.	4 _____
5 Is deze jas van jou?	e Nee, die woont in dat huis.	5 _____
6 Waar is mijn boek?	f Die is in de Kerkstraat.	6 _____
7 Komen Lucy en Oscar ook?	g Nee, die is niet thuis.	7 _____

A   **9**   Kies de goede reactie.

1 Heb je mijn telefoonnummer?   **a** Ja, die heb ik.
                                              b Ja, dat heb ik.

2 Waar is de stomerij?   **a** Die is in de Marktstraat.
                                b Dat is in de Marktstraat.

3 Heb je je handschoenen?   **a** Ja, die heb ik bij me.
                                  b Ja, dat heb ik bij me.

4 Waar koop jij je sokken?   **a** Die koop ik bij C & D.
                                b Dat koop ik bij C & D.

5 Je hebt een leuk vest.   **a** Ja, die is van van Gerrit.
                             b Ja, dat is van van Gerrit.

6 Wil je mijn sjaal?   **a** Nee, die wil ik niet.
                       b Nee, dat wil ik niet.

7 Loopt Marijke daar?   **a** Nee, die is in Brussel.
                        b Nee, dat is in Brussel.

A   **10** Vul in: *mijn, je, jouw, jullie, uw, zijn, haar, ons.*
Er zijn meerdere mogelijkheden.

> **Voorbeeld**
>
> A Ik zie *mijn* sjaal niet.
> B Zit hij niet in *je* jas?

1 A Goedemiddag mevrouw, ik kom _____ broek halen.

  B Hoe ziet _____ broek eruit?

2 A Zeg Mark, waar zijn _____ wanten?

  B Die zitten in _____ jack.

3 A Zijn dit de schoenen van Menno?

  B Nee, dat zijn _____ schoenen niet.

4   Heeft _____ regenjas 600 gulden gekost?

    Dan is _____ jas heel wat goedkoper!

5 A Waar koopt hij _____ colberts?

  B Bij C & D. Daar koop ik ook _____ kleren.

6 A Van wie is die thee? Is dat _____ thee?

  B Nee, dat is de thee van Karin. En dit is ook _____ broodje.

7 A Heb jij _____ kaartje?

  B Ja, wil jij _____ kaartje nu al hebben?

8 A Waar woont Edwin? Weet jij _____ adres nog?

  B Ja, en ik weet _____ telefoonnummer ook.

9 A Abdel en Fatima, is dit _____ restaurant?

  B Ja, dit is _____ restaurant.

A 📷 **11** Luister naar Tekst 2.
Maak de tekst compleet.

Simon Vis   Dag, ik kom mijn _____ halen.

medewerker   Heeft u de _____?

Simon Vis   Ja, alstublieft.

medewerker   Dank u wel. Nou, ik zie _____ niet.

Wanneer heeft u _____ gebracht?

Simon Vis   Eens kijken... eh... _____, denk ik.

medewerker   Hoe ziet uw broek _____?

Simon Vis   Ja, eh... hoe moet ik dat zeggen?

Gewoon, zwart, met, met, met, met, _____,

met zo'n, eh... met zo'n plooi.

medewerker   O, een bandplooi _____ u.

Is dit _____ broek?

Simon Vis   Nee, _____ is het niet.

medewerker   Deze dan _____?

Simon Vis   Ja, die is _____.

A **12** Oefening bij Tekst 3.
Beantwoord de vragen.

1 Wat kost de donkerblauwe blazer? _____

2 Bij welk telefoonnummer staat een bontjas voor *f* 200,–? _____

3 Oscar verkoopt zijn leren jack. Maat 52. Welk telefoonnummer belt hij? _____

4 U heeft een Bomber–jack. U wilt het verkopen. Kan dat? _____

5 Naar welk land gaat de kleding van het telefoonnummer 020-6695614? _____

A   **13** Wat is het tegenovergestelde?

1 Kan ik u een glas wijn *aanbieden*?   **a** Kan ik u een glas wijn *laten drinken*?
                                          b Kan ik u een glas wijn *geven*?
                                          c Kan ik u een glas wijn *vragen*?

2 Hij *brengt* iets naar de winkel.   **a** Hij *haalt* iets uit de winkel.
                                       b Hij *bestelt* iets uit de winkel.
                                       c Hij *kiest* iets uit de winkel.

3 Ik *denk* dat.   **a** Ik *bedoel* dat.
                    b Ik *versta* dat.
                    c Ik *weet* dat.

4 Ze heeft een *lange* sjaal.   **a** Ze heeft een *korte* sjaal.
                                 b Ze heeft een *kleine* sjaal.
                                 c Ze heeft een *zware* sjaal.

A   **14** Beantwoord de vragen.

1 Draagt u in Nederland andere kleding dan in uw land? _____

2 Welke kleding draagt u in Nederland? _____

3 Welke kleding draagt u in uw land? _____

4 Waar koopt u meestal kleding? _____

5 Heeft u kleding voor feesten? _____

B   **15** **Vragen vooraf**

1 Wat is een kleermaker?
2 Maakt u kleding?
3 Laat u wel eens kleding maken?

B   **16** Lees de vragen. Luister naar Tekst 4.
Zijn de zinnen waar of niet waar?

1 Ulla Svensson brengt een broek bij de kleermaker.   ☐ waar ☐ niet waar

2 De kleermaker kan de broek veranderen.   ☐ waar ☐ niet waar

B   **17** Lees de vragen. Luister nog een keer naar Tekst 4.
Kies het goede antwoord.

1 Waarom brengt Ulla Svensson de broek   **a** De broek is te klein.
naar de kleermaker?   **b** De broek is te lang.
   c De broek is te wijd.

2 Hoeveel moet de kleermaker   **a** Ongeveer vijf centimeter.
de broek innemen?   **b** Zoiets.
   c Zes centimeter.

3 Wat zoekt de kleermaker?   **a** Zijn centimeter.
   b Zes centimeter.
   c De maat.

4 Wanneer is de broek klaar?   **a** Dezelfde dag.
   b Een dag later.
   c Een week later.

5 Wie komt de broek halen?   **a** Ulla Svensson.
   b De kleermaker.
   c De vriend van Ulla Svensson.

B   **18** Kies de goede reactie.

1 U vraagt het adres van een vriend. Hij schrijft op: De Genestetstraat 14.
Dat is een moeilijke naam! Wat vraagt u?
   a Dat valt mee!
   b Hoe spreek je dat uit?
   c Hoe heet dat ook al weer?

2 U gaat met een Nederlandse vriendin naar de film. U wilt de kaartjes bestellen.
U weet niet precies hoe dat moet in het Nederlands. Wat vraagt u aan uw vriendin?
   a Wat moet ik dan zeggen?
   b Hoe spreek je dat uit?
   c Wat moet eraan gebeuren?

3 U koopt een broek. De broek is iets te wijd. De verkoper zegt: 'O, dat is geen probleem.
We kunnen de broek innemen.' Innemen is een nieuw woord voor u. Wat zegt u?
   a Innemen? Zeg je dat zo in het Nederlands?
   b Innemen? O, dat geeft niet.
   c Innemen? Hoe moet ik dat zeggen?

4 Uw vriend vraagt of u dinsdag tijd heeft om te sporten. U moet dinsdag weg. Wat zegt u?
   a Eens even kijken, dinsdag valt wel mee.
   b Gewoon dinsdag misschien?
   c Nee, dinsdag kan niet.

5 U bestelt in een café een biertje. De ober geeft u een flesje bier. U kent het woord voor *glas*
niet. Wat vraagt u aan de ober?
   a Sorry, anders nog iets?
   b Sorry, hoe heet zo'n ding?
   c Sorry, hebt u zo'n ding om pils uit te drinken?

B   **19** Spreekoefening. Luister naar de docent.

B 📼 **20** Luister naar Tekst 4. Welke zinnen hoort u?

	ja	*nee*
1 Wat is het probleem, mevrouw?	_____	_____
2 Hoe zeg je dat in het Nederlands?	_____	_____
3 Nou, ik weet het niet precies.	_____	_____
4 Zoiets, ja.	_____	_____
5 Hè, waar is dat ding nou?	_____	_____
6 Of liever gezegd morgenmiddag.	_____	_____
7 Mijn vriend komt hem morgenochtend halen.	_____	_____

B   **21** Maak vragen. Stel de vragen aan een cursist.
Kies uit: *hoe lang, hoe groot, wat kost, hoe zwaar, wat weegt.*

> **Voorbeeld**
> jouw sjaal   A *Hoe lang is jouw sjaal?*
>   B *Eén meter.*

1 een boek

A _____?

B _____.

2 jouw jas

A _____?

B _____.

3 deze tafel

A _____?

B _____.

4 de docent

A _____?

B _____.

5 een kind van twee jaar

B _____?

A _____.

6 jouw vriend

B _____?

A _____.

7 een woordenboek

B _____?

A _____.

8 een spijkerbroek

B _____?

A _____.

B **22** Wat betekent ongeveer hetzelfde?

1 de centimeter	a anders maken	1 _____
2 innemen	b de ceintuur	2 _____
3 het jack	c groot	3 _____
4 de hoed	d de jas	4 _____
5 de riem	e kleiner maken	5 _____
6 de schoen	f de laars	6 _____
7 de trui	g de muts	7 _____
8 veranderen	h het vest	8 _____
9 wijd	i 0,01 meter	9 _____

B **23** Vul in: *dus, eerder, hangt, klaar, liggen, lukt, precies, problemen, toch, zo'n*

1   Geef mij maar _____ broodje met kaas.

2   Het gaat niet goed met Mevrouw Andersen. Ze heeft veel _____.

3   Ik kan dit niet lezen. Misschien _____ het jou?

4 A Ik kom volgende week.

   B Kun je niet _____?

5 A Ik weeg 60 of 65 kilo. Nou ja, misschien wel 70.

   B Ja maar, hoe zwaar weegt u nou _____?

6   _____ jouw sokken daar?

7 A Gaat Wendy ook naar de bioscoop?

   B Nee, die houdt _____ niet zo van films.

   A _____ wij gaan alleen?

   B Ja.

8   Woensdag ben ik om vier uur _____.

9   Waar _____ mijn jack?

B   **24** Vul in: *iets* of *iemand*.

> **Voorbeeld**
> Een paprika en een krop sla, alstublieft.
>
> Anders nog *iets*, mevrouw?

1   Ga je naar buiten? Dan moet je wel _____ aantrekken.

2   Kan _____ mij zeggen waar Meneer Potter is?

3 A Is er geen verkoper in deze winkel?

  B O, daar komt al _____ aan.

4 A Mevrouw, ik zoek _____ voor een vriendin.

  B Wat vindt u van deze sjaal?

5   Kijk, deze broek is kapot. Maar ik kan hem zelf niet repareren.

    Wie kan dat wel, denk je? Ken jij _____?

6   Hij heeft wel _____ gezegd. Maar ik weet niet meer wat.

7 A Sorry, Meneer. Mag ik u _____ vragen?

  B Natuurlijk.

8 A Dag Erik, wacht je op _____?

  B Ja, ik wacht op Helga.

9   Ik vind een regenjas echt _____ voor Nederland.

B   **25** Hoe zien ze eruit, wat hebben ze aan?
         Geef een beschrijving van: uzelf en een vriend of vriendin.

> **Voorbeeld**
> *Dit is Thijs Siderius.*
> *Hij is ingenieur.*
> *Zijn leeftijd is 36 jaar.*
> *Hij heeft een zwarte broek en een bruin jasje aan.*
> *Hij draagt een wit overhemd met een blauwe das.*
> *Hij is lang.*

Hoe ziet u eruit?

_____

_____

_____

_____

_____

Hoe ziet uw vriend/vriendin eruit?

_____

_____

_____

_____

_____

B   **26** Schrijfoefening. Luister naar de docent.

B   **27** Luister naar Tekst 4. Maak de tekst compleet.

Ulla Svensson	Kunt u deze broek _____?
kleermaker	Wat is het _____, mevrouw?
Ulla Svensson	Hij is te _____.
kleermaker	O, dus ik moet _____ innemen?
Ulla Svensson	Innemen? _____ in het Nederlands?
kleermaker	Ja, hij is toch _____ wijd?
	Hoeveel moet ik _____ innemen?
Ulla Svensson	Nou, ik weet _____ niet precies.
	Ongeveer _____, denk ik.
kleermaker	_____ centimeter?
Ulla Svensson	Zoiets, ja.
kleermaker	Ik zal het even _____.
	Hè, waar ligt _____ nou?
Ulla Svensson	Wat _____?
kleermaker	_____ centimeter.
	Ah, hier heb ik _____. Ja, vijf, zes centimeter.
Ulla Svensson	Wanneer is _____ klaar?
kleermaker	Morgen. Of _____ morgenmiddag.

Ulla Svensson	Kan het niet _____?
kleermaker	Nee, dat _____ niet.
Ulla Svensson	O, dan moet ik _____ anders vragen.
	Mijn vriend komt _____ morgenmiddag halen.
kleermaker	_____, mevrouw.

B   28 Luister naar Tekst 4. Herhaal de zinnen.

C   29 Vragen vooraf

1 Laat u uw schoenen wel eens repareren?
2 Waar?

C   30 Lees de vragen. Luister naar Tekst 5.
Zijn de zinnen waar of niet waar?

1 Tilly Andringa wil nieuwe schoenen kopen.   ☐ waar   ☐ niet waar
2 Tilly Andringa wil nieuwe zolen en hakken.   ☐ waar   ☐ niet waar

C   31 Lees de vragen. Luister nog een keer naar Tekst 5.
Kies het goede antwoord.

1 Wat moet de schoenmaker repareren?   ☐ de zolen   ☐ de hakken
2 Wat is goedkoper: zolen van leer of van rubber? ☐ zolen van leer   ☐ zolen van rubber
3 Neemt Tilly Andringa leer of rubber?   ☐ leer   ☐ rubber
4 Wanneer zijn de schoenen klaar?   ☐ na een uur   ☐ na een dag

C   32 Luister naar de docent. Welk woord of woorddeel heeft accent?
Zet daar een streep onder.

1 Zeg je dat zo in het Nederlands?
2 Nou, ik weet het niet precies.
3 Nee, ik bedoel de zolen.
4 Nee, dat hoeft niet.
5 Zeker weten?
6 Nee, dank u, dat is echt niet nodig.
7 O, geen idee…

C   **33** Maak de zinnen af.

1 Jan zegt: 'Kunt u deze broek wijder maken?',   2 Tilly zegt: 'de hakken zijn kapot',

maar hij bedoelt _____ .   maar _____ .

3 De man zegt: 'goedkoper', maar _____ (duurder).

4 De vrouw zegt: 'groter', maar _____ .

5 Mary zegt: 'tot gisteren', maar _____ .

6 Saskia zegt: 'in de winter', maar _____ .

C   **34** Beantwoord de vragen met *ja, nee, dat weet ik niet* of *geen idee*.

1 Zijn de kleren op de markt goedkoper dan in de winkel? _____

2 Zijn de kleren in uw land duurder dan in Nederland? _____

3 Kosten uw schoenen meer dan honderd gulden? _____

4 Gaat u morgen nieuwe kleren kopen? _____

5 Hebt u schoenmaat 41? _____

6 Kleden de Nederlanders zich goed? _____

7 Draagt u in de winter een sjaal? _____

8 Draagt u weleens een hoed? _____

C **35** Bedenk een reactie.

1 A De film is om 7 uur.

  B Zeker _____?

2 A Zal ik koffie voor je halen?

  B Nee, dat _____.

3 A Kunt u een gulden wisselen?

  B Nee, vraag het maar aan _____.

4 A Kan ik morgen komen?

  B Nou, _____.

5 A Wanneer ben ik aan de beurt?

  B _____.

6 A Tot vanavond, Harry!

  B Ja, tot _____.

7 A Zal ik met je meegaan?

  B Nee, dat is _____.

8 A Hoe lang ben je?

  B _____.

9 A Wil je ook een tosti?

  B Nee, ik houd _____.

C **36** Kies het goede woord.

1 *Tilly Andringa*   *Moet / Mag / Kunt* u deze schoenen repareren?
  schoenmaker   Ja, wat mankeert eraan?
2 *Tilly Andringa*   Nou kijk, *de schoenen / hakken / zolen* zijn kapot.
  schoenmaker   De hakken?
3   U zult de zolen *repareren / willen / bedoelen*, denk ik.
  Tilly Andringa   Ja, zei ik hakken?
4   Nee, ik *heb / bedoel / repareer* de zolen.
  schoenmaker   Wilt u ook nieuwe hakken?
  Tilly Andringa   Nee, dat hoeft niet.
5 *schoenmaker*   *Zeker weten? / Zeker bedoelen? / Zeker denken?*
6 *Tilly Andringa*   Nee, *dank u / alstublieft / graag*, dat is echt niet nodig.
          Hoe lang duurt het?
7 *schoenmaker*   *Morgenmiddag / Een uurtje ongeveer / O, geen idee.*
8 *Tilly Andringa*   Nou, *tot zo dan / tot dan / tot ziens dan.*
  schoenmaker   Dag, mevrouw.

C **37 Bij de kleermaker**
Vul de woorden aan.

1 *Ulla Svensson*   Goedemorgen, is mijn jas al k_____?

2 *kleermaker*   Hoe ziet uw j_____ eruit?

  Ulla Svensson   Het is een groene jas.

  kleermaker   Heeft u de bon?

3 *Ulla Svensson*   Nee, d_____ heb ik niet.

  kleermaker   Wanneer heeft u uw jas gebracht?

  Ulla Svensson   Woensdag.

4 *kleermaker*   Is het d_____?

5 *Ulla Svensson*   Ja, d_____ is het. Dank u wel.

Tot z_____

6 *kleermaker*   Tot ziens.

C   38 Bij de schoenmaker
Vul de woorden aan.

1 *Tilly Andringa*   Goedemiddag. Kunt u mijn schoenen r_____?

2 *schoenmaker*   Ja, wat m_____ eraan?

3 *Tilly Andringa*   Mijn z_____ zijn kapot.

4 *schoenmaker*   O, u bedoelt de h_____?

5 *Tilly Andringa*   H_____ Zeg je dat z_____ in het Nederlands?

6 *schoenmaker*   Ja. Wilt u rubber o_____ leer?

Tilly Andringa   Wat kost dat?

7 *schoenmaker*   Eens e_____ kijken. Rubber kost ƒ 25,– Leer is duurder.

Tilly Andringa   Doet u maar rubber.

C   39 Vul in: *duurt, idee, gewoon, kapot, leer, nieuwe, ongeveer*

A Ga je mee voetballen?

1 B Nee, mijn schoenen zijn _____.

2   Ik laat ze repareren. Ze moeten _____ zolen en hakken hebben.

3 A Rubber of _____?

4 B Geen _____.

5 A _____ het lang?

6 B _____ een week.

A Wanneer ga je dan voetballen?

7 B Nou, _____, als mijn schoenen klaar zijn.

C **40** Vul 'niet' in.

1 A Hebt u mijn jas gezien?   6 A Vindt u druiven lekker?

    B Nee, ik heb hem gezien.   B Nee, ik houd van druiven.

2 A Zijn de schoenen morgen klaar?   7 A Kom je morgen ook?

    B Ik weet het.   B Nee, ik kom morgen.

3 A Eet u veel vis?   8 A Hoe duur is die jas?

    B Nee, ik eet veel vis.   B Ik weet het precies.

4 A Vind je dit een mooie sjaal?   9 A Heb je Simon gezien?

    B Nee, ik vind hem mooi.   B Nee, ik heb hem gezien.

5 A Vind je de koffie lekker?

    B Nee, ik vind de koffie lekker.

C **41** Vul in: *hem, haar, het, jullie, ze*

1 Wat moeten jullie met een tientje, jongens? Nee, dat geef ik _____ niet.

2 Dit zijn de kinderen van meneer en mevrouw Diesel. Meneer Diesel brengt

_____ naar school.

3 Herman laat Aletta een nieuw boek zien. Aletta vindt _____ interessant.

4 Meneer Heddema loopt niet meer zo goed Daarom helpt mevrouw Heddema

_____.

5 Joost gaat naar Utrecht. Hetty gaat ook mee naar Utrecht.

Joost wacht nu al een half uur op _____.

6 A Ik heb zin in koffie. En _____?

    B Wij willen liever thee.

7 John en Pamela verstaan geen Nederlands. Daarom praat Sonja Engels met

_____.

8 De schoenen van mevrouw Simons zijn kapot.

Ze kan _____ morgen komen halen.

9 A Is deze jas van u?

    B Nee, die is van _____!

C　**⊟ 42** Luister nog een keer naar Tekst 5. Welke zinnen hoort u?

	ja	*nee*
1 Kunt u deze zolen repareren?	_____	_____
2 Nee, ik bedoel de zolen.	_____	_____
3 Nee, dank u, dat is niet echt nodig.	_____	_____
4 O, geen idee.	_____	_____
5 Zal ik maar rubber doen?	_____	_____
6 Nou, tot straks dan.	_____	_____

C　**⊟ 43** Luister naar Tekst 5. Herhaal de zinnen.

C　**44** Spreekoefening. Luister naar de docent.

D　**45 Vragen vooraf**

1 Koopt u weleens iets 'aan huis'?
2 Wat?

D　**46** Lees de vragen. Lees Tekst 6.
Zijn de zinnen waar of niet waar?

1 Marjolein Meijers laat alleen lingerie zien.　☐ waar　☐ niet waar
2 Marjolein Meijers verkoopt lingerie aan mannen en collega's.　☐ waar　☐ niet waar

D　**47** Oefening bij Tekst 7. Zet in de goede volgorde.

a Het Leger repareert je kleren.	1	_____
b Leg je kleren op tafel.	2	_____
c Breng die kleren naar het Leger des Heils.	3	_____
d Het Leger verkoopt de kleding voor weinig geld.	4	_____
e Kijk welke kleren je niet meer passen.	5	_____

D **48** Wat betekent ongeveer hetzelfde?

1	aan huis	a	aardig	1 _____
2	binnen	b	zaak	2 _____
3	kleren	c	snel	3 _____
4	man	d	meneer	4 _____
5	oud	e	niet jong	5 _____
6	vlug	f	nog een keer	6 _____
7	vriendelijk	g	in	7 _____
8	weer	h	thuis	8 _____
9	winkel	i	kleding	9 _____

D **49** Wat hoort er niet bij?

1 kist – kleur – krat – pakje
2 alles – helemaal – nooit – volledig
3 een beetje – klein – overal – weinig
4 collega – chauffeur – kapper – visboer
5 belegen – bruin – jong – oud
6 kleur – meteen – prijs – smaak
7 beha – body – lingerie – vrouw

D **50** Zet in de goede kolom: *de beha, de handschoen, de jurk, de kous, de laars, de mantel, de muts, de rok, de sjaal, de sok*. Er zijn verschillende mogelijkheden.

voor de winter	alleen voor vrouwen	daar draag je er twee van
_____	_____	_____
_____	_____	_____
_____	_____	_____
_____	_____	_____
_____	_____	_____

D **51** Vul in: *bijvoorbeeld, dat, hoop, kamers, lachen, sommige, soms, want*

1 De films van Charlie Chaplin zijn leuk. Ik moet veel om hem _____.

2 In zijn huis zijn wel vijftien _____.

3 _____ mensen drinken thee, anderen hebben liever koffie.

4 Ik wil iets fris, appelsap, spa of tonic, _____.

5 Ik _____ dat Stephan meegaat naar Brussel. Anders moet ik alleen.

6 Erik praat heel snel. _____ versta ik hem niet.

7 Ik weet _____ Maria in Enschede woont.

8 Ik wil iets eten, _____ ik heb honger.

D   **52** Vul in: *daarom, gordijn, knopen, zetten, oma, over, pakken, staat, weg*

1 Van het feest zijn wel zestien flessen appelsap en acht flessen wijn _____.

2 Ik wil uitslapen. _____ kom ik later.

3 Op deze _____ mogen alleen taxi's komen.

4 Ik ga morgen met mijn _____ naar de stad.

5 Wil je die schoenen niet op tafel _____!

6 Deze jas heeft maar twee _____.

7 Kunt u dat boek even _____? Ik ben te klein.

8 Ik vind die jurk helemaal niet mooi. Is het soms een jurk van een oud _____?

9 Wie is die man? Op wie _____ hij te wachten?

E   **53** Oefening bij Tekst 8. Beantwoord de vragen.

1 In de advertentie van 'De Gouden Knoop' staat één woord niet goed. Welk woord?
2 Uw leren jas is kapot. Waar laat u hem repareren?
3 Hoeveel kledingreparatiezaken zijn in Alphen aan de Rijn?
4 In welke stad is de zaak 'Le Fil d'Or'?
5 Wat is de voornaam van meneer Poelman?

E   **54** Oefening bij Tekst 9.
Wat doet u met uw oude sokken? Schrijf dat op.

_____

_____

_____

_____

_____

7 Bent u hier bekend?

1 Vragen vooraf

1 Kunt u de weg vragen in het Nederlands?
2 Geef eens een voorbeeld.

2 Lees de vragen. Luister naar Tekst 1.
Zijn de zinnen waar of niet waar?

1 Cora Addicks kan Janneke Lamar niet helpen. ☐ waar ☐ niet waar
2 Bertus Venema kan Janneke Lamar niet helpen. ☐ waar ☐ niet waar

3 Lees de vragen. Luister nog een keer naar Tekst 1.
Zijn de zinnen waar of niet waar?

1 Cora Addicks weet waar de Karnemelkstraat is. ☐ waar ☐ niet waar
2 Bertus Venema woont in de Karnemelkstraat. ☐ waar ☐ niet waar
3 De Karnemelkstraat is dichtbij. ☐ waar ☐ niet waar
4 Janneke Lamar moet bij de stoplichten oversteken. ☐ waar ☐ niet waar

4 Wat betekenen deze borden?
Kies het goede antwoord.

1 **a** U moet rechtdoor.
  b U moet naar rechts.
  c U mag niet naar links.

2 **a** U mag niet rechtsaf.
  b U mag niet linksaf.
  c U moet rechtdoor.

3 **a** U mag niet naar links.
  b U moet rechtdoor.
  c U mag niet rechtdoor.

A   **5**   Maak een dialoog van vijf zinnen.
Kies a, b of c.

1 *Janneke Lamar*   **a**   Pardon mevrouw, kunt u mij even helpen?
                              b   Pardon mevrouw, wilt u helpen?
                              c   Pardon mevrouw, u moet mij helpen.

2 *Cora Addicks*   **a**   Wat jammer.
                              b   Natuurlijk.
                              c   Wat kost dat?

3 *Janneke Lamar*   **a**   Ziet u de Karnemelkstraat?
                              b   Ik zoek de Karnemelkstraat.
                              c   Bent u hier bekend?

4 *Cora Addicks*   **a**   Het spijt me mevrouw, geen idee.
                              b   Het spijt me mevrouw, ik ben hier niet bekend.
                              c   Het spijt me mevrouw.

5 *Janneke Lamar*   **a**   O, jammer.
                              b   Dat valt mee.
                              c   Het maakt mij niet uit.

A   **6**   Maak een dialoog van vijf zinnen.

1 *Janneke Lamar*   Goedemiddag mevrouw, _____?

                             Waar is de Karnemelkstraat?

2 *Cora Addicks*   _____?

    Janneke Lamar   De Karnemelkstraat.

3 *Cora Addicks*   _____

A   **7**   Maak een dialoog van zes zinnen.

1 *Janneke Lamar*   Dag mevrouw. _____?

2 *Cora Addicks*   _____

3 *Janneke Lamar*   Weet u _____?

4 *Cora Addicks*   _____

5   U gaat _____

6 *Janneke Lamar*   _____

A **8** U zoekt een plaats. Wat zegt u? Gebruik een van de volgende constructies:
Waar is ...?
Weet u/je waar ... is?
Ik zoek ...

> **Voorbeeld**
> Plaats: de uitgang.
> Wat zegt u?   Pardon, *weet u waar de uitgang is?*

1 Plaats: het toilet.

Wat zegt u?   Pardon _____

2 Plaats: de bushalte.

Wat zegt u?   Pardon _____

3 Plaats: het station.

Wat zegt u?   Pardon _____

4 Plaats: de groentewinkel.

Wat zegt u?   Pardon _____

5 Plaats: de kantine.

Wat zegt u?   Pardon _____

6 Plaats: een warenhuis.

Wat zegt u?   Pardon _____

7 Plaats: een stomerij.

Wat zegt u?   Pardon _____

8 Plaats: het theater.

Wat zegt u?   Pardon _____

A   9 Kijk naar de kaart. Beantwoord de vragen.

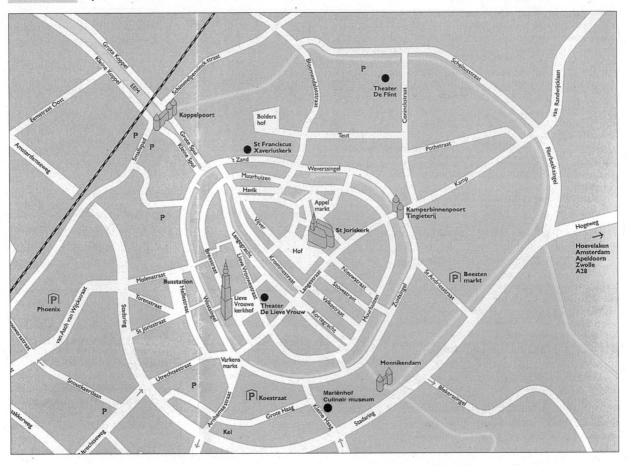

1 Waar is een kerk? _____

2 Hoe heet die kerk? _____

3 Waar is een theater? _____

4 Hoe heet dat theater? _____

5 Waar is een museum? _____

6 Hoe heet dat museum? _____

A   10 Spreekoefening. Luister naar de docent.

A   11 Spreekoefening. Luister naar de docent.

A 🔊 **12** Luister naar Tekst 1.
Maak de tekst compleet.

Janneke Lamar   Pardon mevrouw, _____ iets vragen?

Cora Addicks   Ja hoor.

Janneke Lamar   _____ u waar de Karnemelkstraat is?

Cora Addicks   Nee mevrouw, _____.

    Ik woon hier niet.

Janneke Lamar   O, _____.

Janneke Lamar   Pardon meneer, _____ hier bekend?

Bertus Venema   Ja.

Janneke Lamar   _____ de Karnemelkstraat.

Bertus Venema   De Karnemelkstraat, eens _____.

Janneke Lamar   Het moet hier ergens _____ de buurt zijn.

Bertus Venema   Ja, u loopt hier _____ tot de hoek van deze straat.

    _____ u de stoplichten daar?

Janneke Lamar   Ja.

Bertus Venema   _____ de stoplichten steekt u over. U gaat linksaf.

    En dan is het de eerste straat _____.

Janneke Lamar   Dus tot aan de stoplichten _____.

    Oversteken, linksaf en dan de eerste straat _____?

Bertus Venema   Precies.

Janneke Lamar   Dank u wel, meneer.

Bertus Venema   _____.

A 🔊 **13** Luister naar Tekst 1.
Herhaal de zinnen.

B **14 Vragen vooraf**

1 Reist u vaak?
2 Hoe? Met de auto, de trein, de bus?
3 Waarnaartoe?

B 🔊 **15** Lees de vragen. Luister naar Tekst 2.
Zijn de zinnen waar of niet waar?

1 David Snoek gaat met de taxi. ☐ waar ☐ niet waar

2 De trein gaat één keer per uur. ☐ waar ☐ niet waar

B 🔊 **16** Lees de vragen. Luister nog een keer naar Tekst 2.
Kies het goede antwoord.

1 Waar gaat David Snoek naartoe? ☐ Naar Haarlem. ☐ Naar Arnhem.

2 Wat kost het kaartje? ☐ ƒ 20,25. ☐ ƒ 25,20.

3 Hoe laat vertrekt David Snoek? ☐ Om kwart voor tien. ☐ Om kwart over tien.

4 Van welk spoor vertrekt de trein? ☐ Van spoor negen a. ☐ Van spoor zeven a.

B **17** Luister naar de docent. Welk woord of woorddeel heeft accent?
Zet daar een streep onder.

1 Het spijt me.

2 Bij de stoplichten steekt u over.

3 Bent u hier bekend?

4 Het museum is aan uw rechterhand.

5 Waarnaartoe?

6 Elk half uur, zegt u?

7 Van welk spoor?

8 Ook tomatensoep, zegt u?

B **18** Kijk naar de foto en vul het schema in.

	vertrektijd	spoor
1 Trein naar Köln Hbf	_____	____
2 Trein naar Amersfoort	_____	____
3 Trein naar Arnhem	_____	____
4 Trein naar Maastricht	_____	____

Richting 13 18
Hilversum, Amersfoort, Zwolle, Gouda, Almere, Hengelo, Utrecht, Arnhem, Nijmegen, Duitsland

tijd	naar	spoor	treinsoort	via
13 19	Nijmegen	4b	Intercity	Utrecht-Arnhem
13 24	Rotterdam CS	2b	Stoptrein	Breukelen-Woerden-Gouda
13 27	Hilversum - Utrecht CS	13b	Stoptrein	Naarden-Bussum
13 32	Maastricht	2b	Intercity	Utrecht-Eindhoven
13 33	Groningen/Leeuwarden	10b	Intercity	Hilversum-Amersfoort-Zwolle
13 35	Utrecht CS	4b	Stoptrein	Breukelen-Maarssen
13 44	Amersfoort	13b	Stoptrein	Weesp-Hilversum
13 49	Arnhem	5b	Intercity	Utrecht
13 57	Hilversum - Utrecht CS	13b	Stoptrein	Naarden-Bussum
14 02	Heerlen	2b	Intercity	Utrecht-Eindhoven
14 03	Hannover Hbf	10b	Intercity	Hilversum-Amersfoort-Hengelo
14 05	Utrecht CS	5b	Stoptrein	Breukelen-Maarssen
14 14	Amersfoort	13b	Stoptrein	Weesp-Hilversum
14 19	Nijmegen	4b	Intercity	Utrecht-Arnhem
14 24	Rotterdam CS	2b	Stoptrein	Breukelen-Woerden-Gouda
14 27	Hilversum - Utrecht CS	13b	Stoptrein	Naarden-Bussum
14 33	Groningen/Leeuwarden	11b	Intercity	Hilversum-Amersfoort-Zwolle
14 35	Utrecht CS	4b	Stoptrein	Breukelen-Maarssen
14 49	Köln Hbf	5b	Intercity	Utrecht-Arnhem

B   **19** Wat hoort bij elkaar? Er zijn meerdere mogelijkheden.

1 Bent u hier bekend?   a Een beetje.   1 _____

2 Dank u wel.   b Graag gedaan.   2 _____

3 Waar moet David naartoe?   c Waarnaartoe?   3 _____

4 Ik ga naar Vlissingen.   d Naar Brussel–Zuid.   4 _____

5 Pardon, mag ik u iets vragen? e Nee, het spijt me.   5 _____

6 Weet u waar de bioscoop is? f Naar zijn oma.   6 _____

7 Waar gaat deze trein heen?   g Natuurlijk.   7 _____

B   **20** Maak de dialogen compleet. Doe de oefening met een cursist.

> **Voorbeeld**
> A Ik zie je *woensdag* middag om *twee* uur.
> B Dus *woensdagmiddag om twee uur?*
> A Precies.

1 A Ik woon in de _____ straat.

  B In _____ straat?

  A _____.

2 A We hebben hier elke _____ minuten een tram.

  B _____, zegt u?

  A Ja, _____ minuten.

3 A Een ticket naar Sydney kost _____ gulden.

  B _____ gulden??!

  A Ja, _____.

4 A _____ moet ik naar Arnhem.

  B Je moet _____ naar Arnhem?

  A Ja, _____.

5 A Mijn telefoonnummer is _____.

  B _____, klopt dat?

  A Ja, _____.

6 A Zondag ben ik jarig. Heb je zin om 's middags te komen?

B Ja, leuk. Dus _____?

A Ja, _____.

7 A De eerste les is _____.

B _____ zegt u?

A Ja, _____.

8 A De film begint _____.

B Dus _____?

A Ja, _____.

B   21 Maak vragen.

Voorbeeld
A *Waar ga je naartoe?*
B Ik ga naar huis.

1 A _____?

B Wij gaan naar de markt.

2 A _____?

B Ze gaat naar het theater.

3 A _____?

B Hij werkt in een café.

4 A _____?

B Ik woon in Utrecht.

5 A _____?

B Ze gaan naar het park.

6 A _____?

B Ik ga naar België.

7 A _____?

B Hij woont in Haarlem.

8 A _____?

B Wij komen allebei uit Ierland.

B **22** Vul in: *elk, klopt dat, spoor, retour, trein, tot uw dienst, vertrekt*

1 A _____ Amsterdam, alstublieft.

2 C Alstublieft. Hij _____ om vijf voor elf.

A Wie?

3 C De _____ natuurlijk!

4 A O, Ja. Van _____ twee, _____?

5 C Ja. 2b. De trein naar Amsterdam gaat _____ kwartier.

De eerste over twee minuten.

A Ja, ja, dank u wel.

6 C _____

B **23** Vul in: *graag gedaan, kwart, laat, links, station*

1 A Pardon mevrouw, weet u waar het _____ is?

2 B Ja hoor, eerste straat _____ Daar is het.

3 A Weet u misschien ook hoe _____ het is?

4 B _____ voor elf.

A Dank u wel.

5 B _____

B **24** Maak de tekst compleet.

> **Voorbeeld**
> Jolanda de Wit gaat met *de trein* naar *Middelburg.*

1 Ze gaat met _____

naar _____.

2 Ze koopt een _____

aan _____.

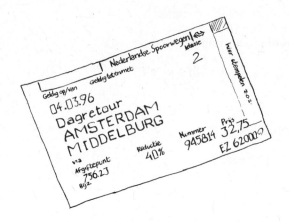

3 Vanavond gaat ze weer naar huis,

   dus ze neemt _____.

4 De trein vertrekt om _____

   van _____ 8b.

5 Ze heeft dus nog tijd voor een _____ koffie en een _____.

B   25 Wat hoort bij elkaar?

a

b

c

d

e

f

g

h

Voorbeeld
Het is kwart voor negen.   *f*

1 Het is kwart voor vier.   1 _____

2 Het is tien voor drie.   2 _____

3 Het is tien voor half acht.   3 _____

4 Het is half negen.   4 _____

5 Het is vijf voor half vijf.   5 _____

6 Het is tien over twee.   6 _____

7 Het is vijf voor twaalf.   7 _____

8 Het is kwart voor negen.   8 _____

B **26** Hoe laat is het?

> **Voorbeeld**
>
> Het is *kwart over een.*

1 Het is _____

2 Het is _____

3 Het is _____

4 Het is _____

5 Het is _____

B **27** Spreekoefening. Luister naar de docent.

B **28** Maak dialogen.

> **Voorbeeld**
>
> A de les/begint   *Hoe laat begint de les?*
>
> B 9.30 uur   *De les begint om half tien.*

1 A de voorstelling/begint   _____?

   B 20.00 uur   _____

2 A u/gaat/naar huis   _____?

   B 16.30 uur   _____

3 A de trein/vertrekt   _____?

   B 18.20 uur   _____

4 A jullie/komen   _____?

   B 14.00 uur   _____

5 A ga/je   _____?

   B 10.45 uur   _____

6 A de bus naar Hilversum/vertrekt   _____?

   B 19.40 uur   _____

B 📼 **29** Luister naar Tekst 2.
Maak de tekst compleet.

David Snoek	Retour Haarlem, alstublieft.
lokettist	_____, Arnhem?
David Snoek	Nee, Haarlem.
lokettist	*f* 20,25 alstublieft.
David Snoek	_____ gaat de trein naar Haarlem?
lokettist	_____ half uur, om kwart voor en kwart over.
David Snoek	_____ half uur, zegt u?
lokettist	Ja, _____ en kwart over.
David Snoek	Dus de _____ trein is om kwart voor tien?
lokettist	Ja, maar die _____ u niet meer.
	U moet wachten tot _____ tien.
David Snoek	En van welk spoor _____ de trein?
lokettist	Spoor zeven a.
David Snoek	_____?
lokettist	Spoor zeven a.
David Snoek	Dank u wel.
lokettist	_____, meneer.

B 📼 **30** Luister naar Tekst 2.
Herhaal de zinnen.

C **31** **Vraag vooraf**
Hoe komt u naar de Nederlandse les?

C 📼 **32** Lees de vragen. Luister naar Tekst 3.
Zijn de zinnen waar of niet waar?

1 De controleur zegt *u* tegen Jacques Pilot.　　☐ waar　☐ niet waar

2 Jacques Pilot heeft gestempeld.　　☐ waar　☐ niet waar

3 Jacques Pilot moet extra betalen.　　☐ waar　☐ niet waar

C 33 Lees de vragen. Luister nog een keer naar Tekst 3.
Kies het goede antwoord.

1 Waar is Jacques Pilot in de tram gestapt?
    a In Slotermeer.
    b In de Van Goghstraat.
    c op het Centraal Station.

2 Waarom moet Jacques Pilot betalen?
    a Hij heeft geen kaartje.
    b Hij heeft te weinig zones afgestempeld.
    c Hij heeft te veel zones afgestempeld.

3 Hoeveel moet Jacques Pilot betalen?
    a f 90,–
    b f 60,–
    c f 16,–

4 Hoe legitimeert Jacques Pilot zich?
    a Hij laat zijn paspoort zien.
    b Hij laat zijn foto zien.
    c Hij laat zijn rijbewijs zien.

5 Waar moet Jacques Pilot betalen?
    a Bij de controleur in de tram.
    b Op het adres van het formulier.
    c Op het Centraal Station.

C 34 Wat hoort bij elkaar?

1 Bedankt.   a O, neemt u mij niet kwalijk.   1 _____

2 Hé, u drinkt uit mijn glas!   b U gaat rechtdoor en dan is het aan uw linkerhand.   2 _____

3 Twee dagschotels, alstublieft.   c Om tien over elf.   3 _____

4 Ik zoek de St. Joriskerk.   d Graag gedaan.   4 _____

5 Pardon meneer, hoe laat komt de tram?   e Het spijt me. Ik heb geen kleingeld.   5 _____

6 Weet u waar het park is?   f Sorry, die zijn uitverkocht.   6 _____

7 Meneer, dit is mijn plaats!   g Sorry, ik dacht dat het van mij was.   7 _____

8 Heeft u het niet kleiner?   h Eens kijken, die is hier in de buurt.   8 _____

C ▭ **35** Luister naar Tekst 3.
Welke woorden zijn veranderd?

1	*controleur*	Meneer, mag ik eens even uw plaatsbewijs zien?
2	*Jacques Pilot*	Wat zegt u?
3	*controleur*	Uw plaatsbewijs, uw kaartje, graag.
4	*Jacques Pilot*	Moment…, alstublieft.
5	*controleur*	Dank u wel. Waar bent u ingestapt?
6	*Jacques Pilot*	In het Slotermeer.
7	*controleur*	En u gaat nu naar het Centraal Station?
8	*Jacques Pilot*	Ja.
9	*controleur*	Dan heeft u een zone te weinig gestempeld.
10	*Jacques Pilot*	Neemt u me niet kwalijk, maar wat bedoelt u?
11	*controleur*	Van Slotermeer naar het Centraal Station is eigenlijk twee zones.
12	*Jacques Pilot*	Dat is toch maar één zone?
13	*controleur*	Nee, meneer, twee zones.
14		En u heeft maar één zone afgestempeld.
15	*Jacques Pilot*	O, sorry, dan zal ik er nog snel een zone bij doen.
16	*controleur*	Nee, nu bent u te laat. U moet ƒ 60,– gaan betalen.
17	*Jacques Pilot*	ƒ 60,–? Dat heb ik helemaal niet bij me.
18	*controleur*	Kunt u zich legitimeren?
19	*Jacques Pilot*	Ja, ik heb een rijbewijs bij me.
20	*controleur*	Mag ik dat even zien?
21	*Jacques Pilot*	Alstublieft.
22	*controleur*	Dank u wel.
23		Met dit formulier moet u dus binnen een week ƒ 60,– betalen.
24	*Jacques Pilot*	Binnen een week?
25	*controleur*	Ja, anders kost het u ƒ 90,–.
26	*Jacques Pilot*	Waar moet ik dat dan betalen?
27	*controleur*	Kijk, hier staat het adres.
28	*Jacques Pilot*	Nou, vooruit dan maar weer.

C **36 Op het station**

Vul in: *beurt, betalen, binnen, moment, staan, retour, tram, vooruit*

1 A Mag ik een _____ Apeldoorn?

2 B Zeg, _____ alstublieft. Ik ben aan de beurt.

   A Wat bedoelt u?

3 B U bent een minuut _____!

4   Wij _____ al uren te wachten.

5 A Ja, maar mijn _____ komt over drie minuten.

6 B Okee, _____ dan maar.

7 A Een retour Apeldoorn en kan ik met ƒ 100,– _____?

C **37** Onderstreep in de tekst de vormen van de voltooid tegenwoordige tijd. Welke infinitief hoort bij het voltooid deelwoord?

> **Voorbeeld**
> Gisteren <u>is</u> mijn broer in Apeldoorn <u>geweest</u>. Infinitief: *zijn*

1 Hij heeft in Rotterdam de tram naar het station genomen. Infinitief: _____

2 Maar hij heeft geen kaartje gekocht. Infinitief: _____

3 Op de halte Coolsingel zijn vier controleurs ingestapt. Infinitief: _____

4 Ze hebben alle passagiers gecontroleerd. Infinitief: _____

5 Ze hebben ook het plaatsbewijs van mijn broer gevraagd. Infinitief: _____

6 'Het spijt me,' zei mijn broer, 'maar ik heb geen kaartje.'

7 Zo is het een dure reis voor mijn broer geworden. Infinitief: _____

8 Het ritje met de tram heeft hem ƒ 60,– gekost! Infinitief: _____

C **38** Maak de dialogen compleet. Gebruik de voltooid tegenwoordige tijd.

> **Voorbeeld**
> A   Wat heb je vandaag gedaan?
> B   Ik / in Utrecht / zijn   *Ik ben in Utrecht geweest.*

1 A Wil je iets drinken?
  B ik / thee / drinken

  Nee, _____

2 A Weet je hoe je tosti's maakt?
  B ik / nog nooit / tosti's / maken

  Nee, _____

3 A Weet je waar Carolien is?
  B ik / haar / niet zien

  Nee, _____

4 A Wil je een omelet?
  B ik / een tosti / eten

  Nee, _____

5 A Waar is mijn boek?
   B Ik / je boek / aan Jan / geven

6 A Wat heb je woensdag gedaan?
   B Ik / televisie / kijken

7 A Waarom ben je zo laat?
   B Ik / drie kilometer / lopen

8 A Wat heb je gisteren gedaan?
   B Ik / naar muziek / luisteren

C   39 Luister naar de docent. Herhaal de zinnen.

1 En u gaat naar het Centraal Station?
2 Neemt u me niet kwalijk.
3 Dat is toch één zone?
4 U bent nu te laat.

5 Kunt u zich legitimeren?
6 Mag ik dat even zien?
7 Waar moet ik dat betalen?
8 Kijk, hier staat het adres.

C   40 Vul in: *me, u, zich, ons, je*

1 A Kunt u _____ legitimeren?

   B Ja hoor, ik heb mijn rijbewijs bij _____.

2 A Wat zeg je als je _____ wilt excuseren?

   B Meestal zeg je: 'Neemt u _____ niet kwalijk.'

3 A Interesseer jij _____ voor kunst?

   B Nee, daar interesseer ik _____ niet voor.

4 A Goedemiddag, mogen wij _____ even voorstellen?

   B Hebben jullie _____ al aan Victor voorgesteld?

C   **41**   Wat zegt u in deze situaties?

> **Voorbeeld**
> U zoekt de bushalte van lijn 10.
> Wat vraagt u aan een meneer op straat?
> *Pardon meneer, weet u waar de bushalte van lijn 10 is?*

1   U hebt een gulden nodig voor een kopje koffie.
Wat vraagt u aan een vriend?

_____

2   U wilt de weg vragen naar de Van Goghstraat.
U komt een mevrouw tegen. Wat vraagt u haar?

_____

3   Een mevrouw wijst u de weg naar de Van Goghstraat.
U wilt haar bedanken voor de informatie. Wat zegt u?

_____

4   U wijst een meneer de weg naar het Centraal station.
Hij bedankt u. Hoe reageert u?

_____

5   U zit in de trein en u wilt weten hoe laat het is.
Wat vraagt u aan een meneer naast u in de trein?

_____

6   U moet met de bus naar het Centraal Station. U weet niet hoeveel strippen dat is.
Wat vraagt u aan de buschauffeur?

_____

7   Iemand zegt tegen u dat een knoop van uw jas is.
U wilt bedanken. Wat zegt u?

_____

8   U wilt in de bus. Iemand staat voor de deur. U kunt niet naar binnen.
Wat zegt u?

_____

C 📻 **42** Luister naar Tekst 3.
Wat hoort bij elkaar?

1 Meneer, mag ik even	a u *f* 90,–	1 _____
2 Neemt u me niet kwalijk,	b bij me.	2 _____
3 Dat is toch	c één zone afgestempeld.	3 _____
4 En u hebt maar	d één zone?	4 _____
5 *f* 60,–? Dat heb ik	e dat betalen?	5 _____
6 Ik heb een rijbewijs	f uw plaatsbewijs zien?	6 _____
7 Ja, anders kost het	g niet bij me.	7 _____
8 Waar moet ik	h maar wat bedoelt u?	8 _____

D   **43** Oefening bij Tekst 4. Kies het goede antwoord.

Laatste nieuws voor Interrailers

A Groot-Brittannië, Ierland
B Noorwegen, Finland, Zweden
C Duitsland, Denemarken, Oostenrijk, Zwitserland
D Hongarije, Bulgarije, Roemenië, Kroatië, Polen, Tsjechië, Slowakije
E Nederland, België, Luxemburg, Frankrijk
F Spanje, Portugal, Marokko
G Italië, Griekenland, Turkije, Slovenië

1 U koopt één zone: E.
In hoeveel landen kunt u dan reizen?   **a** 3   **b** 4   **c** 5

2 Hoe lang kunt u dan reizen?   **a** 15 dagen   **b** 1 maand   **c** 2 maanden

3 U bent in Nederland.
U wilt naar Italië reizen.
Welke kaart koopt u?
a een kaart van 1 zone
b een kaart van 2 zones
c een kaart van 3 zones

4 Hoeveel moet u betalen
als u naar Italië gaat?
a 1 zone = *f* 475,–
b 2 zones = *f* 575,–
c 3 zones = *f* 625,–

5 Welke zone heeft de meeste landen?   **a** zone A   **b** zone D   **c** zone G

D **44** Beantwoord de vragen.

1 In welke zone wilt u graag reizen? _____

2 Waarom? _____

3 In welke zone wilt u niet graag reizen? _____

4 Waarom niet? _____

5 Gaat u zo'n Interrailkaart kopen denkt u? _____

6 Waarom wel / niet? _____

7 Houdt u van reizen? _____

8 Komen in uw land veel toeristen? _____

9 Vindt u dat goed? _____

10 Drinkt u alcohol? _____

11 Waarom niet / wel? _____

12 Drinkt u wel eens te veel? _____

13 Wat vindt u lekker? _____

D **45** Lees de zinnen. Lees Tekst 5. Welke zinnen zijn waar?

1 ☐ Met een beetje alcohol is er niets aan de hand.
☐ Met te veel alcohol is er niets aan de hand.

2 ☐ Je kunt beter minder drinken als alcohol een probleem voor je is.
☐ Je kunt beter helemaal niet drinken als alcohol een probleem voor je is.

3 ☐ Het is beter om minder te drinken als je medicijnen gebruikt.
☐ Het is beter helemaal niet te drinken als je medicijnen gebruikt.

4 ☐ Elk jaar zijn er 34.000 mensen die met te veel alcohol toch rijden.
☐ Elk jaar zijn er 2500 mensen die met te veel alcohol toch rijden.

5 ☐ De bus na een feestje is beter.
☐ De bus voor een feestje is beter.

D   **46** Vul in: *in, met, op, over, naar, naast, uit, van*

1 A Pardon meneer, ik moet _____ het postkantoor. Weet u waar dat is?

2 B Ja, maar het is nogal ver _____ hier.

3   U kunt het beste _____ de tram gaan.

4   Het postkantoor is _____ de Keizersgracht, _____ het centrum.

5   Als u tram 6 neemt, stapt u bij de bioscoop _____

6   Het postkantoor is bijna _____ de bioscoop.

      A Wanneer komt tram 6?

7 B Ik denk _____ vijf minuten.

D   **47** Wat is het tegenovergestelde?

1 alle   a alles   1 _____

2 beginnen   b geen   2 _____

3 na   c lopen   3 _____

4 niets   d stoppen   4 _____

5 reizen   e thuisblijven   5 _____

6 rijden   f voor   6 _____

D   **48** Vul in: *al, bus, centrum, gebruiken, grens, men, slapen, spelen, begin, verdeeld*

1 Mijn jas is te klein. Kun jij hem nog _____?

2 Hoe lang woont u _____ in Canada?

3 Is de _____ met Duitsland nog ver?

4 _____ zegt dat die man wel 107 is.

5 Hoe ga je? Met de trein of met de _____?

6 Ik ga _____ Ik moet morgen om 6 uur werken.

7 Ze wonen in het _____ van de stad.

8 De stad is _____ in zes wijken.

9 Ik _____ dinsdag weer met mijn werk.

10 Soms _____ de kleine kinderen van mijn buurman om half tien nog buiten.

E **49** Oefening bij Tekst 6. Beantwoord de vragen.

> **Voorbeeld**
> Van welke plaats vertrekt de bus?
> *De bus vertrekt vanaf het streekbus-station in Utrecht.*

1 Hoe laat vertrekt de eerste bus uit Ouderkerk, Korte Dwarsweg?

_____

2 Hoe laat is deze bus in Haarlem, station NS?

_____

3 Hoe laat vertrekt de laatste bus van Utrecht naar Haarlem?

_____

4 Hoe vaak per uur rijdt de bus tussen Utrecht naar Haarlem?

_____

5 Hoe lang duurt de reis overdag met de bus van Utrecht naar Haarlem?

_____

E **50** Lees de vragen. Luister naar Tekst 7. Beantwoord de vragen.

1 De zanger vindt de temperatuur in Amerika te hoog. ☐ waar ☐ niet waar
2 De zanger vindt China te eng om in te wonen. ☐ waar ☐ niet waar
3 De zanger vindt de temperatuur in Lapland te laag. ☐ waar ☐ niet waar
4 De zanger woont in Nederland. ☐ waar ☐ niet waar
5 De zanger gaat in België wonen. ☐ waar ☐ niet waar

E **51** Luister nog een keer naar Tekst 7. Maak de tekst compleet.

Waar kan ik heen, ik kan niet naar Duitsland,

ik kan niet naar Duitsland, daar zijn ze _____

Waar kan ik heen, ik kan niet naar Chili,

ik kan niet _____ Chili, daar doen ze zo _____

Ik wil niet wonen in Koeweit,

want Koeweit, dat is me te heet.

_____ Amerika betreft,

dat land _____ niet echt.

Waar kan ik heen, ik wil niet naar Noord–Ierland,

niet naar Noord–Ierland, daar _____ stuk.

Waar kan ik heen, ik kan niet naar China,

ik wil niet naar China, dat _____ te druk.

Ik wil niet wonen in Schotland,

want Schotland, dat is me te nat.

En de USSR

dat gaat _____ te ver.

Is er leven op Pluto?

Kun je _____ op de maan?

Is er een plaats tussen de _____

waar ik heen kan gaan?

Waar kan ik heen, ik kan niet naar Cuba,

ik wil niet naar Cuba, dat is me _____

Waar kan ik heen, ik kan niet naar Polen,

ik wil niet _____ Polen, daar gaat het te goed.

Ik wil niet wonen in Lapland,

want Lapland, dat is me te koud.

En ik wil weg uit Nederland,

want hier krijg ik het _____

Is er leven op Pluto?...

Ik heb getwijfeld over België,

omdat _____ daar lacht.

Ik heb getwijfeld over België,

want _____ is zo zacht.

Ik _____ zelfs in _____,

maar ik nam geen enkel risico.

Ik heb getwijfeld over België

België, België, België, België.

Is er leven op Pluto?...

8 Met wie spreek ik?

A   **1 Vragen vooraf**

1 Waarom gaat u naar het postkantoor?
2 Wat kunt u kopen op het postkantoor?
3 Wilt u graag buiten werken?
4 Waarom? Waarom niet?

A   **2** Lees de vragen. Luister naar Tekst 1.
Zijn de zinnen waar of niet waar?

1 Louis Banza vindt het leuk om met de klanten te praten.   ☐ waar ☐ niet waar
2 Louis Banza weet alles over postzegels en telefoonkaarten.   ☐ waar ☐ niet waar
3 Lien Achterberg vindt haar werk geen pretje.   ☐ waar ☐ niet waar
4 Buitenlanders hebben altijd vragen over de brievenbus.   ☐ waar ☐ niet waar

A   **3** Lees de vragen. Luister nog een keer naar Tekst 1.
Kies het goede antwoord.

1 Wat doet Louis Banza het meest?   **a** Mensen goed helpen.
   b Een praatje maken, kletsen.
   c Postzegels en telefoonkaarten verkopen.

2 Waarom vindt Lien Achterberg het niet erg alleen te werken?   **a** Ze vindt het heerlijk werk.
   b Ze werkt in de stad dus ze ziet genoeg.
   c Ze ziet haar collega's op het postkantoor.

3 Wat doet Lien Achterberg met haar collega's op het postkantoor?   **a** werken
   b helpen met de vragen
   c koffie drinken

A   **4** Lees de vragen. Luister naar Tekst 2.
Zijn de zinnen waar of niet waar?

1 Mevrouw Vanberghe wil een pakje en een ansichtkaart versturen.   ☐ waar ☐ niet waar
2 De lokettist weegt het pakje.   ☐ waar ☐ niet waar

A   **5** Lees de vragen. Luister nog een keer naar Tekst 2.
Kies het goede antwoord.

1 Mevrouw Vanberghe doet twee dingen op het
postkantoor. Welke twee?

    a postzegels kopen
    b een pakje laten versturen
    c een formulier invullen
    d post doorsturen
    e een verhuisbericht vragen

2 Hoe verstuurt mevrouw Vanberghe het pakje?

    a aangetekend
    b per expres

3 Gaat mevrouw Vanberghe verhuizen?

    a ja
    b nee
    c dat weet ik niet

A   **6** Luister nog een keer naar Tekst 2.
Zet de zinnen in de goede volgorde.

1 Goed, doet u dat maar. _____

2 Kunt u mijn post doorsturen naar mijn nieuwe adres? _____

3 U kunt ze zo pakken. _____

4 Ik wilde u nog iets vragen. _____

5 Zou u me zo'n formulier kunnen geven? _____

6 Kan het niet sneller? _____

A   **7** Maak de dialogen compleet.

1 *Mohamed*   Ik wil een pakje versturen naar _____.

  lokettist   Aangetekend?

  Mohamed   _____

2 *Roya*   Heeft u voor mij tien postzegels van _____?

  lokettist   Alstublieft.

  Roya   Dank u wel. Hoeveel _____?

3 *George*   Ik ga verhuizen.

             Kunt u mijn post _____?

  lokettist   Ja, natuurlijk.

4 *Pamela*   _____ wisselen?

  lokettist   Natuurlijk. Vijfentwintig, vijftig, en dat is honderd.

  Pamela   _____

5 *Carla* _____ dit pakje?

lokettist 300 gram.

6 *lokettist* _____?

Meneer Vis Op nummer 128.

7 *lokettist* _____?

Oscar Nee, dat is mijn oude adres.

A 〔📼〕 **8** Luister naar Tekst 2. Wat hoort bij elkaar?

1 Wanneer	a maar dan moet u het per expres versturen.		1 _____
2 Jawel,	b liggen daar.		2 _____
3 Kunt	c u mij zo'n formulier kunnen geven?		3 _____
4 De	d komt het daar aan?		4 _____
5 Zou	e Post stuurt dan drie maanden uw post door.		5 _____
6 Ze	f u mijn post doorsturen naar mijn nieuwe adres?		6 _____

A **9** Maak vragen. Gebruik de kaders.

> **Voorbeeld**
>
> post doorsturen   *Zou u mijn post kunnen doorsturen?*

1 uw naam spellen _____?

2 de kaart brengen _____?

3 langzamer praten _____?

4 schoenen repareren _____?

5 een tientje wisselen _____?

6 zeggen hoe laat het is _____?

7 zich legitimeren _____?

A **10** Vul in: *brief, brievenbus, invullen, jarig, onder, post, postzegels, sturen, verhuizen*

1 A Wilma is morgen _____.

2   Zullen we haar een kaartje _____?

3 B Dat is goed. Hebben we nog _____?

  A Ik denk het wel.

4 B Waar woont Wilma eigenlijk? Ze zou toch _____?

   A Ja, haar nieuwe adres staat hier in het boekje.

   B Maar wat is haar nummer? Dat staat er niet bij.

5 A O, dat zal ik straks wel _____.

6 B Zo. Zet jij je naam er ook even _____?

7   Dan doe ik de kaart op de _____.

8 A Als je toch naar de _____ gaat, ik heb nog

9   een _____. Neem je die ook even mee?

   B Ja, goed.

A   11 Maak combinaties van twee woorden.
Er zijn meerdere mogelijkheden.

> **Voorbeeld**
> 'post' en 'zegel': *postzegel*

1 telefoon   a bus   _____   _____

2 brieven   b cel   _____   _____

3 post   c code   _____   _____

4 ansicht   d bode   _____   _____

                 e kaart   _____   _____

                 f nummer

                 g kantoor

                 h zegel

A   12 Luister naar de docent.
Welk woord of woorddeel heeft accent? Zet daar een streep onder.

1 U moet een verhuisbericht invullen.

2 Het is er morgenmiddag.

3 Ik wil dit aangetekend versturen.

4 Wat een leuke kaarten!

5 Mag ik zo'n formulier?

6 Wat is je telefoonnummer?

7 Is hier ergens een brievenbus?

8 Hij werkt op het postkantoor.

A **13** Kies de goede zin.

> **Voorbeeld**
> (a) Ik ga elke week naar de markt. Het is **er** lekker goedkoop.
> **b** Ik ga elke week naar de markt. Het is lekker **er** goedkoop.

1 **a** Kees is **er** vandaag niet.
 b Kees is vandaag **er** niet.

2 **a** Het pakje komt overmorgen **er** aan.
 b Het pakje komt **er** overmorgen aan.

3 **a** **Er** woon ik al tien jaar.
 b **Daar** woon ik al tien jaar.

4 **a** Met de metro ben je **er** sneller dan met
  de bus.
 b Met de metro ben je sneller **er** dan met
  de bus.

5 **a** Abdel heeft een restaurant. Ik vind het
  eten goed **er**.
 b Abdel heeft een restaurant. Ik vind het
  eten **er** goed.

6 **a** Joost werkt **daar** al zes jaar in Zwolle.
 b Joost werkt **er** al zes jaar.

7 **a** Parijs? Ik ben nog nooit **er** geweest.
 b Parijs? **Daar** ben ik nog nooit geweest.

8 **a** Is mijn pakje **er** al?
 b Is mijn pakje al **er**?

A **14** Waar moet 'er' in de zin? Zet daar een ✔ tussen.

> **Voorbeeld**
> Kees is ✔ vandaag niet.

1 A Hoe lang woont u in Nederland?

 B Ik woon bijna drie jaar.

2 A Ik wil graag met Agnes spreken.

 B Sorry, maar Agnes is vandaag niet.

3 A Moet deze brief naar België?

 B Ja, en dit pakje moet ook naartoe.

4 A Hoe laat is de bus bij het Centraal Station?

 B Over vijf minuten zijn we, mevrouw.

5 A Staat jouw naam op de kaart?

 B Nee, mijn naam staat nog niet op.

A   **15** Beantwoord de vragen.

1 Hoeveel moet er op een brief van 25 gram naar België?

_____

2 Hoeveel moet er op een ansichtkaart naar Indonesië?

_____

3 Hoeveel moet er op 'drukwerk' tot 20 gram naar Engeland?

_____

4 Hoeveel moet er op een pakje van 600 gram naar Groningen?

_____

5 Hoeveel moet er op een brief van 25 gram naar uw land?

_____

Posttarieven

per 1 januari 1995

Binnenland

Kan door brievenbus
(maximaal 38 x 26,5 x 3,2 cm)

gewicht	brieven	drukwerk	kaarten
0 - 20 g	ƒ 0,80	ƒ 0,70	ƒ 0,70
20 - 50 g	ƒ 1,60	ƒ 1,40	
50 - 100 g	ƒ 2,40	ƒ 2,10	

Kan niet door brievenbus
(groter dan 38 x 26,5 x 3,2 cm)

gewicht	pakketten
0 - 1 kg	ƒ 7,50
1 - 5 kg	ƒ 9,00
5 - 10 kg	ƒ 12,00

Europa

gewicht	brieven	drukwerk	kaarten
0 - 20 g	ƒ 1,00	ƒ 1,00	ƒ 0,80
20 - 50 g	ƒ 1,80	ƒ 1,60	
50 - 100 g	ƒ 2,60	ƒ 2,40	

Buiten Europa

gewicht	brieven	drukwerk	kaarten
0 - 20 g	ƒ 1,60	ƒ 1,30	ƒ 1,00
20 - 50 g	ƒ 2,80	ƒ 1,75	
50 - 100 g	ƒ 5,50	ƒ 2,60	

ptt post

B   **16 Vragen vooraf**

1 Wat zegt u als u de telefoon opneemt?
2 Hebt u wel eens een telefoongesprek in het Nederlands?
3 Met wie?
4 Kunt u gemakkelijk naar uw land opbellen?

B   **17** Lees de vragen. Luister naar Tekst 3.
Zijn de zinnen waar of niet waar?

1 Joan Appelhof wil Jan Peter de Waard spreken.   ☐ waar   ☐ niet waar

2 Joan Appelhof is de moeder van Jan Peter.   ☐ waar   ☐ niet waar

3 Wilma de Waard en Joan Appelhof praten informeel met elkaar.   ☐ waar   ☐ niet waar

B   **18** Lees de vragen. Luister naar Tekst 4.
Zijn de zinnen waar of niet waar?

1 Anna Mertens wil Mariska Prins spreken.   ☐ waar   ☐ niet waar

2 Anna Mertens heeft het verkeerde nummer gedraaid.   ☐ waar   ☐ niet waar

B **19** Wat hoort bij elkaar? Er zijn meerdere mogelijkheden.

1 Met Peter Wit.

2 Met Veyis Karaman.

3 Met mevrouw Hartog.

4 Kan ik Yolande even spreken?

5 Kunt u me doorverbinden met
meneer Zijlstra?

6 Is Marijke thuis?

a Met wie spreek ik?

b Ja, dat kan.

c Ik zal haar even roepen.

d Ik zal even kijken.

e Dag mevrouw, met Nico Huisman.

f Met meneer Wortel.

g Hallo, met Wietske.

1 _____

2 _____

3 _____

4 _____

5 _____

6 _____

B **20** Zet de zinnen in de goede volgorde.

1 Die woont hier ook. Ik zal hem even roepen. _____

2 Met Gretchen Tober, neemt u mij niet kwalijk.
Ik heb een verkeerd nummer gedraaid. _____

3 Met Smit. _____

4 Ik wil Simon Vis spreken. _____

5 Wie moet u hebben? _____

B **21** Zet de zinnen in de goede volgorde.

1 Met Hafkamp. _____

2 Dank u. _____

3 Dag meneer Hafkamp, u spreekt met Banza. Is Ulla Svensson daar? _____

4 Moment, ik zal haar even roepen. _____

B **22** Zet de zinnen in de goede volgorde.

1 Dag Ruud, met je moeder. Hoe gaat het ermee? _____

2 Lekker, en met u? _____

3 Met Ruud Veenstra. _____

4 O, het gaat wel. _____

B   **23** Maak de tekst compleet.

1 *Jan*   Met _____

2 *ENB*   Met _____

                 Mag ik u iets vragen?

3 *Jan*   _____

   ENB   Heeft u misschien interesse in onze aanbieding?

4 *Jan*   Nee, _____. Ik lees nooit.

   ENB   Okee, dank u wel.

B   **24** Maak de tekst compleet.

1 *taxi Snel*   Met _____.

2 *Katrijn Klaasen*   Met _____.

                         Ik moet morgenochtend op het station zijn.

3 *taxi Snel*   _____?

  Katrijn Klaasen   Om 6.45 uur. Kunt u me om 6.15 uur komen halen?

4 *taxi Snel*   Natuurlijk mevrouw.

                        _____?

  Katrijn Klaasen   Dapperstraat 21.

  taxi Snel   Goed, tot morgen.

5 *Katrijn Klaasen*   _____.

B   **25** Maak telefoongesprekken.

> **Voorbeeld**
> Resi Haumann belt de heer Walden op voor informatie over zijn computercursus.
> Met *Walden.*
> Met *Resi Haumann.*
> *Kunt u me iets vertellen over uw computercursus?*
> *Ja, natuurlijk, mevrouw.*

a Bertha Mubita belt haar vriendin Corina op. Ze krijgt André Mubanga, de man van haar vriendin, aan de telefoon.

1 Met _____

2 Met _____

_____?

3 _____

b U belt de Volksuniversiteit voor informatie over de cursussen Nederlands voor buitenlanders.

1 _____

2 _____

_____?

3 _____

c U belt de NS op om informatie over de trein naar Parijs.

1 _____

2 _____

_____?

3 *NS*   De trein naar Parijs gaat twee keer per dag mevrouw, om acht uur 's morgens en om half zeven 's avonds.

4 _____

5 *NS*   Graag gedaan.

d U wilt twee kaartjes reserveren voor de voorstelling van zaterdagavond.

1 _____

2 _____

_____?

3 *Cinerama*   Voor welke voorstelling?

4 _____

5 *Cinerama*   Komt u ze voor half acht halen?

6 _____

7 *Cinerama*   Geen dank.

e U bent zondag jarig. U belt een vriend/vriendin op. U nodigt hem/haar uit.

1 _____

2 _____

_____

3 Ja leuk, hoe laat?

4 _____

5 Okee, tot zondag.

6 _____

B **26 In een winkel**

Vul in: *draait, moeder, opbellen, roepen, spreek, telefooncel, verkeerd, wie*

1 A Mag ik hier even _____?

   B Nee, daar kan ik niet aan beginnen. Ik ben geen postkantoor.

2   Op straat is een _____.

3 A Die doet het niet en ik moet mijn _____ opbellen!!

4 ·B Ik versta u wel. U hoeft niet zo hard te _____.

5   Maar okee, _____ u het nummer maar. Maar niet te lang!

   A Nee, nee, dank u wel.

   C Met Meneer Smit.

6 A Met _____?

7 C Met Smit. Met wie _____ ik?

8 A O, neemt u mij niet kwalijk... Ik heb een _____ nummer gedraaid.

B **27** Zet de woorden in de goede volgorde.

1 mevrouw Prins – Kan – spreken – ik – even – ?   _____

2 roepen – Ik – even – zal – haar – .   _____

3 Wilt – wachten – even – u – ?   _____

4 thuis – Mevrouw Prins – niet – is – .   _____

5 komt – ze – Wanneer – thuis – ?   _____

6 ik – Dat – niet – weet – precies – .   _____

7 u – vanavond – Kunt – terugbellen – ?   _____

8 natuurlijk – Ja – meneer – .   _____

B **28** Luister naar de docent. Welk woord of woorddeel heeft accent?
Zet daar een streep onder. Herhaal de zinnen.

1 Is je moeder thuis?

2 Momentje alstublieft.

3 Met Veenstra.

4 Met wie zegt u?

5 Wie moet u hebben?

6 Kan ik haar even spreken?

C **29 Vragen vooraf**

1 Kent u de naam van een Nederlandse bank?
2 Bij welke bank komt u wel eens?
3 Waarom?·

C **30** Lees de vragen. Luister naar Tekst 5.
Zijn de zinnen waar of niet waar?

1 Mevrouw Verhoog heeft een rekening bij dit filiaal.	☐ waar	☐ niet waar
2 Mevrouw Verhoog gebruikt haar paspoort als legitimatie.	☐ waar	☐ niet waar
3 Mevrouw Verhoog neemt ƒ 250,– op.	☐ waar	☐ niet waar
4 De bank heeft Engels geld.	☐ waar	☐ niet waar

C **31** Lees de vragen. Luister nog een keer naar Tekst 5.
Kies het goede antwoord.

1 Wat kan mevrouw Verhoog gebruiken als legitimatie?
Er zijn verschillende mogelijkheden.
    a paspoort
    b rijbewijs
    c betaalpasje
    d rekening

2 Hoeveel Engelse ponden krijgt Mevrouw Verhoog?
    a 150
    b 500
    c geen

C **32** Lees de vragen. Luister naar Tekst 6.
Zijn de zinnen waar of niet waar?

1 Mevrouw Burdova wil iets vragen over de koers van de dollar.	☐ waar	☐ niet waar
2 Bo van der Linden werkt op de afdeling vreemde valuta.	☐ waar	☐ niet waar

C **33** Lees de vragen. Luister nog een keer naar Tekst 6.
Kies het goede antwoord.

1 Wie vertelt de koers van de dinar?
    a de telefonist
    b Paula Burdova
    c Bo van der Linden

2 Waarom moet Paula Burdova wachten?
    a De telefonist verbindt haar door.
    b Het toestel is in gesprek.
    c Ze wil iets vragen.
    d Ik weet het niet.

C   **34** Kies de goede zin.

1 U zoekt een brievenbus. Wat vraagt u aan een meneer op straat?
  a Heeft u misschien een brievenbus?
  b Ik wil graag een brievenbus.
  c Meneer, weet u waar de brievenbus is?

2 U bent bij de bank. U wilt geld opnemen. Wat zegt u?
  a Ik wou graag geld opnemen.
  b Kunt u mij iets vertellen over geld opnemen?
  c Het spijt me, maar ik wil geld opnemen.

3 U belt de Spoorwegen op. U wilt iets weten over de treinen naar Parijs. Wat vraagt u?
  a Ik wilde iets vertellen over treinen naar Parijs.
  b Ik wou graag de trein naar Parijs.
  c Ik wilde u iets vragen over treinen naar Parijs.

4 U bent bij het postkantoor. U wilt een pakje naar Engeland sturen.
  U weet niet hoeveel het kost. Wat vraagt u?
  a Wilde u iets vragen over een pakje naar Engeland?
  b U spreekt met David. Hoeveel moet er op een pakje naar Engeland?
  c Kunt u vertellen hoeveel er op dit pakje naar Engeland moet?

5 U belt het postkantoor op. U wilt weten of u Japanse yens kunt bestellen. Wat zegt u?
  a Ik wil graag 800 yen bestellen. Kan dat?
  b Ik wil iets vragen over geld opnemen.
  c Mag ik u iets vragen? Hoeveel yen wilt u bestellen?

6 U belt het theater op. U wilt vier kaartjes voor de voorstelling van zaterdag.
  U wilt weten of die voorstelling is uitverkocht. Wat vraagt u?
  a Kunt u me vertellen of er nog kaartjes voor zaterdag zijn?
  b De kaartjes zijn uitverkocht, klopt dat?
  c Ik heb liever kaartjes voor zaterdag.

7 U komt vandaag niet naar de les. U wilt uw docent spreken. Hij is nog niet op school.
  Wat zegt u?
  a Waar is mijn docent?
  b Kunt u mij vertellen hoe laat meneer X komt?
  c Ik wilde u iets vragen over meneer X.

C   **35** Welk woord hoort er niet bij?

1 toestel – koers – rekening – vreemde valuta

2 afdeling – betaalpas – filiaal – bank

3 porto – ansichtkaart – streekpost – telefoonkaart

4 gesprek – rijbewijs – paspoort – legitimatie

5 doorverbinden – versturen – terugbellen – telefoneren

6 gulden – rekening – wachtende – geld

7 roepen – spreken – opnemen – vertellen

8 lokettist – telefonist – klant – postbode

C **36** Vul de goede vorm van het werkwoord in.

1   John en Wilfred gaan verhuizen.

    a *invullen*   Ze _____ een formulier _____.

    b *doorsturen*   De PTT _____ dan hun post _____.

2   Het is zaterdag.

    a *uitgaan*   Hanneke en Paul _____ vanavond _____.

          Stephan en Lucy niet.

    b *thuisblijven*   Die _____.

3   a *aankomen*   Louis _____ om tien uur op het station _____.

    b *opbellen*   Hij _____ zijn vriend _____.

    c *meenemen*   Die _____ hem _____ naar een café.

4   a *opnemen*   Mark _____ honderd gulden _____

          bij de bank. Hij wil ook Grieks geld.

    b *terugkomen*   Maar voor Grieks geld moet hij na twee dagen _____.

5   Fred is zaterdag jarig.

    a *uitnodigen*   Fred _____ zijn vrienden _____.

          Maar David is niet thuis.

    b *terugbellen*   Fred _____ hem vanavond _____.

6   We gaan met de trein naar Maastricht.

    a *uitzoeken*   We moeten nog _____ waar we moeten

    b *uitstappen*   _____.

C **37** Luister naar Tekst 6.
Welke woorden zijn veranderd?

1	*telefonist*	Postbank, goedemorgen.
2	*Paula Burdova*	Goedemiddag, u spreekt met Mevrouw Burdova.
3		Ik wou iets vragen over vreemde valuta.
4	*telefonist*	Dat kan. Ik verbind u door met onze afdeling vreemde valuta.
5		Het toestel is in gesprek.
6		Kunt u wachten of belt u terug?
7	*Paula Burdova*	Eh ..., ik wacht maar even.
8	*Bo van der Linden*	Van der Linden.
9	*Paula Burdova*	Dag, met mevrouw Burdova.
10		Mag ik u iets vragen?
11	*Bo van der Linden*	Jazeker meneer. Wat wilt u weten?
12	*Paula Burdova*	Kunt u mij vertellen wat de koers van de dollar vandaag is?
13	*Bo van der Linden*	Ja. U betaalt 100 dinar voor ƒ 0,02.
14	*Paula Burdova*	Dank u wel.

C   38 Maak vragen.
Doe de oefening met een cursist. Cursist A vraagt, cursist B doet wat A vraagt.

> **Voorbeeld**
>
> wat harder praten   *Kun je wat harder praten?*

1 je boek geven

_____?

2 je telefoonnummer noemen

_____?

3 je naam spellen

_____?

4 een gulden geven

_____?

5 lachen

_____?

6 de docent een hand geven

_____?

7 twee postzegels voor me kopen

_____?

C   39 Luister naar Tekst 5.
Herhaal de zinnen.

D   40 Vragen vooraf

1 Heeft u een telefoonboek?
2 Wanneer gebruikt u het telefoonboek?
3 Gebruikt u het nummer 06–8008 wel eens?
4 Waarvoor is dat nummer?

D   41 Lees de vraag. Luister naar Tekst 7.
Kies het goede antwoord.

Op dit nummer krijg je informatie over:
a Een adres in Nederland.
b Een adres in het buitenland.
c Een telefoonnummer in Nederland.
d Een telefoonnummer in het buitenland.

D ▭ **42** Lees de vragen. Luister nog een keer naar Tekst 7.
Kies het goede antwoord.

1 Waarom belt Hendrik de Ridder op?
   a Voor een adres.
   b Voor een telefoonnummer.
   c Voor een naam.

2 Wat weet Hendrik de Ridder?
   a Het adres van de persoon uit Bommelstein.
   b Het telefoonnummer van een persoon uit Utrecht.
   c De naam van een persoon uit Utrecht.

D **43** Oefening bij Tekst 8.
Lees de tekst. Zoek nieuwe woorden op in een woordenboek.
Bespreek de vragen met een of meer cursisten.

D **44** Wat betekent ongeveer hetzelfde?

1 in het buitenland   a voor alle mensen   1 _____

2 plaatsbewijs   b niet in Nederland   2 _____

3 inlichtingen   c informatie   3 _____

4 kennen   d postzegel   4 _____

5 opbellen   e praten   5 _____

6 openbaar   f strippenkaart   6 _____

7 porto   g legitimatie   7 _____

8 spreken   h weten   8 _____

9 paspoort   i telefoneren   9 _____

D **45** Vul in: *aanvragen, bericht, bibliotheek, getrouwd, in gesprek, instelling, krant, vervelend, zoals*

1 Bij welke _____ heb jij Nederlandse les?

2 De cursisten komen uit allerlei landen, _____ Duitsland, Turkije, Rusland en Vietnam.

3 De boeken moeten vandaag nog naar de _____.

4 Waar kan ik een nieuw rijbewijs _____?

5 Zijn jullie eigenlijk _____?

6 Ik lees elke ochtend de _____ in de trein.

7 A Er bellen veel mensen naar 06–8008. Het nummer is weer _____.

8 B O, wat _____.

9 De post stuurt een _____ als het pakje op het postkantoor is.

D   **46** Vul in: *mijn, je, jouw, uw*

1 A Heb jij _____ post meegenomen?

  B Nee, ik heb _____ post niet gezien.

2 Zeg Mike, ik ben _____ boek vergeten.

  Mag ik _____ boek even hebben?

3 A Meneer, u vergeet _____ handschoenen.

  B Dat zijn _____ handschoenen niet.

4 Hé Yvonne, je bent verhuisd, hè?

  Mag ik _____ nieuwe adres even?

5 Dag Jan Peter.

  Is _____ moeder thuis?

6 A Dit is _____ verhuisformulier. Heb ik het goed ingevuld?

  B Nee meneer, u moet _____ naam nog invullen.

7 A Jij bent ook verhuisd, hè?

  B Ja.

  A Wat is _____ nieuwe adres?

  B Bilderdijkstraat 7.

8 A Hallo, Jacques.

  Mag ik je voorstellen aan _____ broer?

  B Dag, Jacques Verhoeven.

9 A Neemt u mij niet kwalijk meneer, maar mag ik ook _____

  telefoonnummer even hebben?

  B O? Staat het niet bij _____ adres?

D **47** Wat zegt u in deze situaties? Doe de oefening met een cursist.

> **Voorbeeld**
> Uw telefoon is kapot. U wilt bij uw buurman even de PTT bellen.
> U zegt tegen uw buurman (formeel):
>
> A *Dag meneer Hartog. Mijn telefoon is kapot. Ik wou graag de PTT even bellen.*
> *Mag ik hier even bellen?*
>
> B *Ja hoor.*

1 U belt naar de Postbank. U krijgt meneer Jansen aan de telefoon, maar u wilt meneer Blom spreken. Vraag of meneer Jansen u doorverbindt. (formeel)

A _____

B _____

2 U wilt het postkantoor binnen. U hebt een groot pak in uw handen. Vraag of iemand voor u de deur open wilt doen. (formeel)

A _____

B _____

3 U moet een brief posten. Uw collega gaat naar de brievenbus. Vraag of ze uw brief ook meeneemt. (informeel)

A _____

B _____

4 U wilt bellen in een telefooncel, maar u hebt geen kleingeld. Vraag of iemand kan wisselen. (formeel)

A _____

B _____

5 U staat in het postkantoor. U verstaat de meneer achter het loket niet. Vraag of hij wat duidelijker kan praten. (formeel)

A _____

B _____

6 U moet met de bus naar de stad. Vraag aan uw vriend hoe laat de bus gaat. (informeel)

A _____

B _____

7 U heeft gereserveerd in een restaurant voor vier personen. Er willen nog twee vrienden mee. U belt op naar het restaurant en vraagt of u een tafel voor zes personen kunt krijgen. (formeel)

A _____

B _____

D   48 Spreekoefening. Luister naar de docent.

D ▭ 49 Luister naar tekst 7.
Maak de tekst compleet.

PTT Telecom. Inlichtingen telefoonnummers binnenland.

Er zijn _____ dan twaalf wachtenden voor _____.

Er zijn _____ twaalf wachtenden voor u.

_____ zijn nog _____ wachtenden voor u.

Er _____

telefonist	Inlichtingen, _____.
Hendrik de Ridder	Dag. Ik _____ een telefoonnummer in Utrecht.
	Van Bommelstein.
telefonist	_____ is het adres?
Hendrik de Ridder	Domstraat 87.
telefonist	L.C. Bommelstein?
Hendrik de Ridder	Ja, _____.
telefonist	Het nummer is _____ – _____
Hendrik de Ridder	Dank u wel.
telefonist	_____.
Hendrik de Ridder	Dag.

E   50 Oefening bij Tekst 9. Luister naar de docent.
Beantwoord de vragen.

1 Waarover gaat het gedicht?
2 Waar is de persoon?
3 Wanneer verveelt u zich?

E   51 Luister nog een keer naar de docent.
Welke woorden kent u?

E   **52** Luister nog een keer naar de docent.
Vul de woorden in.

Geen zin

Ik wou, ik wou, ik wou,

ik _____ wat ik wou,

ik weet niet _____,

ik weet niet _____ ik moet,

niet _____ er iets toe doet,

want ik heb geen zin, geen zin,

nergens, _____ in,

ik hang alleen maar
overal rond –
en zeuren ze van:

Wat _____ je dan?

dan zeg ik: Je vervelen
en niks niks niks niks willen

is ook _____ gezond.

Hans Andreus

E   **53** Luister nog een keer naar de docent.
Herhaal de zinnen.

Geen zin

A Ik wou, ik wou, ik wou,
  ik weet niet wat ik wou,
B ik weet niet wat ik zou,
  ik weet niet wat ik moet,
A niet dat 't er iets toe doet,
  want ik heb geen zin, geen zin,
B nergens, nergens in,
A ik hang alleen maar
  overal rond –
B en zeuren ze van:
A Wat wil je dan?
B dan zeg ik: Je vervelen
A en niks niks niks niks willen
  is ook wel eens gezond.

Hans Andreus

E   54 De telefoongids

In de telefoongids kunt u informatie over telefoneren vinden:
telefoonnummers, hoeveel een gesprek naar China kost, adressen, en
nog veel meer.
Voor deze oefening hebt u een telefoongids nodig.
Heeft u een telefoongids thuis? Neem die dan mee naar school. U kunt
natuurlijk ook een telefoongids op het postkantoor halen. Kijk voor de
oefeningen nu in uw oefenboek en luister naar de docent.

Beantwoord de vragen.
Gebruik de telefoongids.

1 Noem zes dingen die u in de telefoongids kunt vinden.

_____

_____

_____

_____

_____

2 Uit welke landen krijgt u post?

_____

_____

_____

_____

3 Schrijft u veel brieven? _____

4 Met welke landen belt u wel eens? _____

5 Wat is het landnummer van uw land? _____

6 Staan er in de telefoongids mensen met dezelfde achternaam als u?

_____

7 Wat is het adres van een postkantoor?

_____

_____

_____

E   55 Luister naar de docent.

9 Wat staat er in de krant?

A   **1 Vragen vooraf**

1 Bent u geïnteresseerd in 'het nieuws'?
2 Luistert u naar het nieuws of kijkt u naar het journaal op tv?

A   **2** Lees de vragen. Luister naar Tekst 1.
Zijn de zinnen waar of niet waar?

1 Er rijden geen bussen vandaag.   ☐ waar   ☐ niet waar
2 Hannie luistert eerst naar de radio en leest dan de krant.   ☐ waar   ☐ niet waar

A   **3** Lees de vragen. Luister nog een keer naar Tekst 1.
Kies het goede antwoord.

1 Wanneer is het gesprek tussen Annet en Hannie?
    a 's morgens
    b 's middags
    c 's avonds

2 De buschauffeurs staken. Hoe weet Hannie dat?
    a Ze heeft het in de krant gelezen.
    b Ze heeft het op de radio gehoord.
    c Ze heeft het op de televisie gezien.

3 Wat vindt Annet van de staking?
    a Ze vindt het een goede actie.
    b Ze vindt het wel leuk.
    c Ze vindt het vervelend.

4 Wat doen Annet en Hannie om meer inlichtingen over de staking te krijgen?
    a Ze lezen de krant.
    b Ze bellen naar het busstation.
    c Ze zetten de radio aan.

A   4 Kies de goede zin.

1 Wat zegt A?
   a Kom vlug, het licht staat op groen.
   b Natuurlijk, het licht staat op groen.
   c Wacht even, het licht staat op groen.

2 Wat zegt A?
   a Misschien valt het mee.
   b Is het al zo laat?
   c Schiet je een beetje op?

3 Wat zegt A?
   a Ja, maar schiet een beetje op.
   b Ja, je hebt gelijk.
   c Ja, dat klopt.

4 Wat zegt A?
   a Is dat zo?
   b Het maakt mij niet uit.
   c Eén zone, klopt dat?

5 Wat zegt A?
   a Pardon, ik zoek mijn legitimatie.
   b Meent u dat nou?
   c Ik heb geen legitimatie bij me.

6 Wat zegt A?
   a Het maakt mij niet uit.
   b Geen idee.
   c Is dat zo?

7 Wat zegt A?
  a Loop rechtdoor, de bus komt eraan.
  b Kom gauw, de bus komt eraan.
  c Hoe laat vertrekt de bus?

8 Wat zegt A?
  a Ik weet het niet.
  b O, dat valt mee.
  c Denk je dat echt?

A   **5** Maak de dialogen compleet. Gebruik de kaders.

1 A _____. De bus gaat over vijf minuten.

  B Ik ben bijna klaar.

2 A Ik denk dat het vanmiddag gaat regenen.

  B _____? Het is toch mooi weer?

3 A De les duurt nog twee uur.

  B _____?

  De les is toch over een half uur afgelopen?

4 A Er rijden geen bussen. De buschauffeurs staken.

  B _____? Ik heb net nog een bus zien rijden.

5 A Met Simon.

  B Met Olga, mag ik Aicha spreken?

  A Aicha is er niet.

  B _____? Ze zou vanmiddag thuis zijn.

6 A Daar is de postbode, ga eens _____ kijken, misschien is er een brief uit

  Pakistan.

  B Jammer, er is geen post voor je.

7 A Ik heb gisteren een uur op je gewacht in café Koos.

  B _____? Ik heb op jou in café Vocht gewacht.

A   6 Vul in: *bijna, inderdaad, lastig, meent, net, nieuws, radio, vast, verzorgt*

1 A Ik ben 65.

   B Dat _____ u niet. U ziet eruit als 50.

2 A Hé, ben je al lang hier?

   B Nee, ik kom _____ binnen.

3 A Ik ga naar school. Kom je ook?

   B Nee, ga maar _____. Ik kom later.

4 A Wil je de _____ even aanzetten?

   Ik wil het _____ horen.

5 A Ik vind het erg aardig dat Henk zijn oude moeder _____.

   B _____. Dat vind ik ook.

6 A Ik versta haar _____ niet. Ze praat zo snel.

   B Ja. Dat is erg _____.

A   7 Luisteroefening. Luister naar de docent.

A   8 Vul in. Gebruik het onderstreepte werkwoord.

> **Voorbeeld**
> Uw vriend moet opschieten.   Wat zegt u? *Zeg, schiet toch op.*

1 Uw vriend mag binnenkomen.   Wat zegt u? _____.

2 Uw vriend moet de radio aanzetten. Wat zegt u? _____.

3 Uw vriend mag het zeggen.   Wat zegt u? _____.

4 Uw vriend moet rijden.   Wat zegt u? _____.

5 Uw vriend moet meegaan.   Wat zegt u? _____.

6 Uw vriend mag kiezen.   Wat zegt u? _____.

7 Uw vriend moet wachten.   Wat zegt u? _____.

A   **9** Spreekoefening. Luister naar de docent.

A ▱ **10** Luister naar Tekst 1. Maak de tekst compleet.

Annet   Zeg, schiet _____ op.

          Het is _____ acht uur.

Hannie   Ja, je hebt _____, maar ik kom _____ te laat.

          Er rijden geen bussen _____.

Annet   _____?

Hannie   Ja, ik heb het _____ in de krant gelezen.

          Kijk, hier staat _____: Buschauffeurs staken.

Annet   _____.

          O, wat lastig!

          Dan kan ik _____ ook niet de stad in.

Hannie   Ach, misschien _____?

          De staking duurt _____ niet lang.

Annet   _____?

          Zet eens _____ de radio aan.

          Misschien is _____ nog nieuws over de acties.

radio   Acht uur, radionieuwsdienst verzorgd door het ANP.

A ▱ **11** Luister naar Tekst 1.
          Herhaal de zinnen.

B   **12 Vragen vooraf**

       1 Kent u namen van Nederlandse kranten?
       2 Welke krant leest u wel eens?

B ▱ **13** Lees de vragen. Luister naar Tekst 2. Kies het goede antwoord.

       1 Wie heeft een abonnement op de krant?   ☐ Monique   ☐ Angela
       2 Wie koopt buitenlandse kranten?   ☐ Monique   ☐ Ramón
       3 Wie heeft een NEE/NEE sticker?   ☐ Richard   ☐ Ramón
       4 Wie koopt een tijdschrift over sport?   ☐ Richard   ☐ Ramón

B 📼 **14** Lees de vragen. Luister naar Tekst 2. Vul een naam in.

1 _____ heeft na een dag studeren vaak geen zin meer in lezen.

2 Voor _____ zijn dagbladen gewoon te duur.

3 _____ heeft een abonnement op *de Volkskrant*.

4 _____ koopt de *Viva* en de *Libelle* los.

5 _____ wordt van het nieuws in de krant soms echt depressief.

6 _____ vindt dat er mooie foto's in de *Voetbal International* staan.

7 Achtergrondinformatie over het onderwijs is belangrijk voor een student, vindt

_____ .

8 Soms koopt _____ een lekker roddelblad.

B **15** Vul in: *actie, belangrijke, boel, door, onderwijs, staking, vaak, voorbeeld*

1 A Morgen hebben we geen les. Er is een _____ van studenten.

B Waarom?

2 A Ze willen beter _____ .

3 B Kun je een _____ geven?

4 A Ach, er zijn een _____ problemen met de docenten.

5 De docenten hebben _____ geen interesse in de studenten.

6 Anderen zeggen dat het _____ de studenten zelf komt.

B O?

A Ja, soms zijn er wel tweehonderd studenten, daar is te weinig plaats voor.

7 B Dus het wordt een _____ staking?

A Ja, heel erg.

B Zeg, hoe weet je dit eigenlijk?

8 A Nou, ik doe ook mee aan de _____ .

B **16** Wat leest u?
Vraag aan een paar cursisten welke kranten of bladen zij lezen en waarom.
Schrijf de antwoorden hieronder op.

Cursist 1   Cursist 3

_____   _____

_____   _____

_____   _____

Cursist 2   Cursist 4

_____   _____

_____   _____

_____   _____

B **17** Luister naar Tekst 2.
Hoe vaak hoort u het woord *lees*?

_____ keer.

B **18** **Vragen vooraf**

1 Welke tijdschriften kent u?
2 Welke tijdschriften leest u wel eens?
3 Welk tijdschrift leest u nooit?

B **19** Lees de vragen. Lees Tekst 3. Beantwoord de vragen.

1 Hoeveel groepen bladen zijn er?

_____ groepen.

2 Welke groepen zijn er?   a kranten of dagbladen
                                        b commentaren
                                        c opiniebladen
                                        d *Elsevier, Vrij Nederland* of *de Groene Amsterdammer*
                                        e familiebladen
                                        f *Libelle, Panorama, Viva* of *Nieuwe Revu*
                                        g roddelbladen
                                        h sensatieverhalen
                                        i vakbladen en hobbybladen

B   **20**   Lees de vragen. Lees Tekst 3 nog een keer.
Zijn de zinnen waar of niet waar?

1   Kranten geven geen mening over het nieuws.   ☐ waar ☐ niet waar

2   Kranten en dagbladen in Nederland verschijnen niet op zondag.   ☐ waar ☐ niet waar

3   Opiniebladen verschijnen één keer per week.   ☐ waar ☐ niet waar

4   *Libelle, Panorama, Viva* en *Nieuwe Revu* zijn opiniebladen.   ☐ waar ☐ niet waar

5   In roddelbladen staan vooral serieuze verhalen.   ☐ waar ☐ niet waar

6   Voorbeelden van vakbladen zijn *Story* en *Privé*.   ☐ waar ☐ niet waar

B   **21**   Lees de vragen. Lees Tekst 3 nog een keer.
Beantwoord de vragen.

1   Welke informatie geven kranten?

a _____

b _____

2   Wanneer verschijnen de kranten in Nederland?

_____

3   Wanneer verschijnen de opiniebladen?

_____

4   Geef vier voorbeelden van familiebladen.

_____

5   Wat voor verhalen staan er in roddelbladen?

_____

6   Wat voor blad is *Voetbal International*?

_____

B   **22**   Lees Tekst 3 nog een keer.
Wat hoort bij elkaar?

1 kranten en dagbladen	a bieden ontspanning	1 _____
2 opiniebladen	b brengen sensatieverhalen	
3 familiebladen	c geven achtergrondinformatie	2 _____
4 roddelbladen	d geven professionele informatie	
5 vakbladen en hobbybladen	e geven vooral nieuws	3 _____
	f geven vaak een mening over het nieuws	
	g hebben mooie foto's	4 _____
	h willen de lezer amuseren	
	i hebben een duidelijke politieke mening	5 _____

B **23** Vul in: *bijvoorbeeld, in de eerste plaats, in de tweede plaats, tot slot, verder, zoals*
Er zijn meerdere mogelijkheden.

1 In een kiosk verkopen ze vaak niet alleen kranten en tijdschriften, maar ook andere artikelen,

_____ sigaretten, strippenkaarten en snoep.

2 In Nederland zijn veel verschillende bladen. _____ hebben we de kranten

of dagbladen, _____ kennen we de opiniebladen, _____

Vrij Nederland of *HP/De Tijd.*

3 _____ zijn er familiebladen, _____ *Libelle* of *Panorama.*

4 _____ zijn er dan nog roddelbladen, _____ *Story* of *Privé.*

5 Deze week kan ik niet. Volgende week wel. Dinsdag _____.

6 Een groenteboer verkoopt _____ groenten natuurlijk, maar

_____ ook fruit. Soms verkoopt hij ook groenten _____

paksoi.

7 Je hoort in Nederland veel Engels: op school, op de radio en de televisie en

_____ op straat.

8 Henk houdt van lezen en van naar muziek luisteren. _____ houdt hij veel

van slapen. Maar hij houdt _____ niet van reizen.

B **24** Kies het goede woord.

1 A Wat vindt u van de staking, mevrouw?
  B Ik heb er geen *mening / interesse / nieuws* over.

2 A Wat vind je eigenlijk zo goed aan die krant?
  B Nou, ik vind dat er altijd heel goede *problemen / artikelen / instellingen* in staan.

3 A Hoe gaat het met uw *informatie / ontspanning / gezondheid,* meneer Visser?
  B Nou, het gaat wel.

4 A Is het station nog ver?
  B Nee, het is hier *buiten / tegenover / uit.*

5 A Lees jij nooit roddelbladen?
  B Bijna nooit. *Natuurlijk / Behalve / Vooral* als er iets over de koningin in staat.
    Dan lees ik ze wel.

6 A Dit blad *biedt / kent / stuurt* veel informatie over de politiek.
  B Ja, daarom lees ik het altijd.

7 A Ga jij maar *tot slot / gauw / bijna*. Ik kom wat later.

   B Okee.

8 A Ga je zaterdagavond ook naar Suzan?

   B Nee, ik heb geen zin. *Even / Straks / Bovendien* ga ik 's zaterdags altijd sporten.

9 A Heb je een abonnement op de Viva?

   B Nee, ik koop hem altijd *vooruit / los / verder*.

10 A Verkoopt de groenteboer ook Surinaamse groenten?

   B O ja, *allerlei / volledig / overig*.

11 A Je bent te laat. Ik heb je toch *bijvoorbeeld / duidelijk / meestal* gezegd dat de les om 9 uur begint.

   B Sorry, meneer.

12 A *Lekkere / Verkeerde / Belangrijke* informatie moet je altijd opschrijven.

   B Ja, natuurlijk.

13 A In welke *seizoenen / situaties / woordenboeken* spreek je Nederlands?

   B Als mensen geen Engels spreken.

14 A Ben jij dat op die *bioscoop / informatie / foto*?

   B Nee, dat is m'n moeder.

15 A Verkoopt u *schriften / bladen / commentaren* over voetbal?

   B Natuurlijk, mevrouw.

B   25 Hoe spreekt u de getallen uit?

Voorbeeld	
Ik woon 16 hoog.	Ik woon op de *zestiende* verdieping.

1 Tineke woont 10 hoog.   Ze woont op de _____ verdieping.

2 Heinrich woont 3 hoog.   Hij woont op de _____ verdieping.

3 Michel woont 9 hoog.   Hij woont op de _____ verdieping.

4 Victor en Hugo wonen 12 hoog.   Ze wonen op de _____ verdieping.

5 Anna woont 8 hoog.   Ze woont op de _____ verdieping.

6 Monique woont 21 hoog.   Ze woont op de _____ verdieping.

7 Stephan en Lucy wonen 4 hoog.   Ze wonen op de _____ verdieping.

8 Juan woont 1 hoog.   Hij woont op de _____ verdieping.

C 26 Vragen vooraf

1 Welke krant koopt u?
2 In welke taal?

C 27 Lees de vragen. Luister naar Tekst 4.
Zijn de zinnen waar of niet waar?

1 Jean–Paul Daveau wil een Franse krant. ☐ waar ☐ niet waar

2 Jean–Paul Daveau vindt de winkelier vervelend. ☐ waar ☐ niet waar

3 Jean–Paul Daveau koopt Nederlandse kranten. ☐ waar ☐ niet waar

C 28 Lees de vragen. Luister nog een keer naar Tekst 4.
Beantwoord de vragen.

1 Waarom kan Jean–Paul geen Franse krant kopen?

_____

2 Welke bladen koopt Jean–Paul?

_____

3 Hoeveel wisselgeld krijgt Jean–Paul terug?

_____

C 29 Kies het goede antwoord.

1 Uw vriendin wil een broek kopen. Ze heeft maat 40.
De broek die ze leuk vindt, is maat 38. Ze zegt:
'Volgens mij is de broek te klein.' U denkt dat ook.
Wat zegt u?

   a Zeg moet jij je niet haasten?
   b Is dat waar?
   c Ik ben het met je eens.

2 U gaat met een vriend naar de film. Uw vriend
denkt dat de film om tien uur begint. U denkt dat
het half tien is. U kijkt in de krant: De film is om
tien uur. Wat zegt u?

   a Schiet nou op!
   b Je hebt gelijk.
   c Denk je echt?

3 Uw buurman vraagt of u samen met hem
de *Telegraaf* wilt lezen. U vindt de *Telegraaf* geen
goede krant, dus u wilt dat niet. 'Maar het is wel de
goedkoopste krant,' zegt uw buurman. Daar heeft
hij gelijk in. Wat zegt u?

   a Ja, dat is waar.
   b Ja, neemt u me niet kwalijk.
   c Ja, graag gedaan.

4 U gaat naar een vriend. U denkt dat hij op nummer
17 woont. Uw vriendin zegt dat zijn nummer 71 is.
U gaat naar nummer 17. Uw vriend woont daar niet.
U gaat naar 71. Uw vriend is daar. Wat zegt u tegen
uw vriendin?

   a Dat klopt. Het is nummer 17.
   b Ik ben het met je eens. Het is nummer 71.
   c Je hebt gelijk. Het is nummer 71.

5 U wilt druiven kopen. U denkt dat de blauwe
   druiven het lekkerst zijn. De groenteboer zegt dat
   de witte druiven lekkerder zijn. U mag een witte
   druif en een blauwe druif proberen. De witte zijn
   lekkerder. Wat zegt u tegen de groenteboer?

a Inderdaad. Ze zijn lekkerder.
b Meent u dat nou?
c Tot slot zijn ze lekkerder.

C   30 Wat zegt u?

1 In de stad staken buschauffeurs voor meer geld. Uw vriend zegt:
   'Ik vind het een goede actie.' U vindt dat ook. Wat zegt u?

   _____

2 Het is vrijdagavond. U wilt nieuwe schoenen kopen. Uw vriendin zegt
   dat de winkels op vrijdagavond dicht zijn. U gaat naar de stad. Alle
   winkels zijn dicht. Wat zegt u tegen uw vriendin?

   _____

3 De Nederlandse les begint volgende week om 11.00u. Anders begint
   de les om 9.00u. U vindt 11.00u tamelijk laat.
   Een cursist zegt tegen u: 11.00u is laat, vind je niet? Wat zegt u?

   _____

C   31 Vul in: *bepaald, binnengekomen, gebeurt, groepje, lezers, lijkt, politie, vooral, zogenaamde*

1 De meeste kranten zijn vanmorgen _____.

2 Op de hoek van de straat staat altijd een _____ jongeren.

3 Het _____ me leuk om naar het buitenland te gaan.

4 Ik vind Doetinchem een vervelende stad. Er _____ nooit iets.

5 De _____ van dit blad zijn meestal wat ouder.

6 De _____ 'hobbybladen' zijn het duurst.

7 Morgen zijn er protestacties van de _____.

8 In *Libelle* staat elke week iets over een _____ restaurant.

9 *Voetbal International* wordt _____ gelezen door mensen jonger dan 40.

C   32 Kies de goede vraag.

1 **a** Is er geen *Times* vandaag?   Nee meneer, die hebben we vandaag niet
   b Is geen *Times* vandaag?   binnengekregen.

2 **a** Hebt u een NRC voor me?   Nee, ook niet, het spijt me meneer.
   b Hebt u er een NRC voor me?

3 **a** Zijn vandaag geen Engelse bladen   Nee meneer, maar morgen wel, hoop ik.
   binnengekomen?

  b Zijn er vandaag geen Engelse bladen
    binnengekomen?

4 **a** Ik wil er graag ƒ 200,– opnemen.   Dat kan, meneer.

  b Ik wil graag ƒ 200,– opnemen.

5 **a** Hoe laat gaat de trein naar Alkmaar?   Elk half uur, meneer.

  b Hoe laat gaat er de trein naar Alkmaar?

6 **a** Weet u waar de Hoveniersstraat is?   Nee, het spijt me.

  b Weet u waar er de Hoveniersstraat is?

7 **a** Is er nieuws over de staking?   Ik heb nog niets gehoord.

  b Is nieuws over de staking?

8 **a** Is vanmiddag iemand thuis?   Ja, Jan is de hele dag thuis.

  b Is er vanmiddag iemand thuis?

C   **33** Kies de goede zin.

1 Deze schoenen kosten ƒ 275,–, mevrouw.
  a O, wat mooi.   **b** O, wat duur.

2 Ben ik te laat?
  a Nee, je bent precies op tijd. **b** Nee, je moet opschieten.

3 Ik houd van Amsterdam.
  a Ik ook, vooral van de stad.   **b** Ik ook, wat een stad!

4 Zullen we een broodje gaan eten?
  a Goed, maar waar?   **b** Goed, maar hoe?

5 Ik vond het een mooi concert.
  a Ja, wat een muziek hè?   **b** Ja, echt muziek hè?

6 Vind je ook niet dat hij de jas mooi gemaakt heeft?
  a Nou, wat goed!   **b** Nou, wel goed.

7 Jammer genoeg rijden er vandaag geen treinen.
  a Maar morgen toch niet?   **b** Maar morgen toch wel?

8 De buschauffeurs staken vandaag.
  a O, wat lastig.   **b** O, wat zuur.

C **34** Maandenpuzzel.
Vul de maanden in.

1 De zesde maand.
2 De achtste maand.
3 De negende maand.
4 De eerste maand.
5 De vierde maand.
6 De elfde maand.
7 De tweede maand.
8 De vijfde maand.
9 De derde maand.
10 De twaalfde maand.
11 De tiende maand.

C ▭ **35** Luister naar Tekst 4.
Maak de tekst compleet.

Jean–Paul Daveau	Is _____ geen *Le Monde* meer?
winkelier	Nee, die hebben we _____ niet gekregen.
Jean–Paul Daveau	Komt _____ nog wel?
winkelier	Ja, _____, denk ik.
Jean–Paul Daveau	En eh *Libération*? _____ zie ik ook niet.
winkelier	Nee, _____, er zijn vandaag helemaal geen Franse kranten binnengekomen.
Jean–Paul Daveau	O, _____.
winkelier	Ja meneer, ik ben het _____, maar ik kan _____ ook niets aan doen.
Jean–Paul Daveau	Nou, dan neem ik _____ een *NRC* en een *Vrij Nederland*.
winkelier	_____ twee? Dat is dan *f* 6,70.
Jean–Paul Daveau	Alstublieft.
winkelier	Ja, _____ gepast, dank u wel.

D **36 Vraag vooraf**

Hoe ziet een multiculturele samenleving eruit?

D **37** Lees de vragen. Lees Tekst 5. Beantwoord de vragen.

1 Wat betekent *Tussen mensen geen grenzen?*
2 Wat is *Hervormd Nederland?*
3 Wat is KMS?
4 Wat doet KMS?

D **38** Wat betekent ongeveer hetzelfde?

1	titel	a	snel	1	_____
2	gauw	b	stichting	2	_____
3	bieden	c	idee	3	_____
4	organisatie	d	naam	4	_____
5	menen	e	vinden	5	_____
6	verschillende	f	geven	6	_____
7	mening	g	allerlei	7	_____

D **39** Kies het goede woord.

1 A Kun je mij een *bericht / beeld / voorbeeld* geven van een land waar meer dan 800 miljoen mensen wonen?

   B Nou, China natuurlijk of India.

2 A Waarom lees je toch altijd dat roddelblad?

   B Omdat er *allerlei / favoriete / overige* artikelen in staan over films.

3 A Kom eens *gauw / vaak / serieus* kijken, loopt Prins Claus daar niet?

   B Nee, ik denk het niet.

4 A Vandaag is er een *stichting / organisatie / staking* van chauffeurs.

   B Meen je dat nou?

5 A Kom je vanmiddag ook?

   B Nee, ik moet naar de kapper, en *overal / inderdaad / bovendien* komt mijn vriend.

6 A Kunt u *gepast / bepaald / vooral* betalen?

   B Nee, het spijt me, ik heb geen kleingeld.

7 A Ik heb je gezegd dat de film uitverkocht was.

   B Ja, je hebt *geldig / gelijk / nodig*. Laten we maar naar een café gaan.

8 A Waar kan ik *terecht / meestal / precies* voor een cursus Nederlands?

   B In de Fagotstraat.

9 A Weer een kaartje van Maria?

   B Ja, ze *verkoopt / stuurt / verstuurt* er mij elke week wel een.

D   40 De Stichting KMS vraagt of u een idee hebt voor in de folder.
Schrijf dat idee op.
Wat zou u de Nederlanders bijvoorbeeld willen laten zien van uw cultuur?
Praat hierover met cursisten van uw eigen cultuur.

D   41 U bent in uw eigen land. Wat zou u de mensen in uw land zeggen of
laten zien van de Nederlandse cultuur?
Praat hierover met andere cursisten.

D   42 Oefening bij Tekst 6. Zoek samen met een cursist de betekenis van de woorden.

D   43 Hieronder staan de titels van een aantal teksten uit de krant.
De krant heeft vijf rubrieken.

1 Binnenland
2 Buitenland
3 Economie
4 Cultuur
5 Sport

In welke rubriek staan deze artikelen?
Schrijf achter elke titel het nummer van de rubriek.

1 Minister stopt bespreking met studenten   Rubriek _____

2 Kans op vrede in Bosnië klein   Rubriek _____

3 Betrekkingen tussen Rusland en Tsjetsjenië slechter Rubriek _____

4 Opnieuw oorlog in Burundi?   Rubriek _____

5 Zaterdag beslissing Wimbledon vrouwen   Rubriek _____

6 Oplossing voor conflict in Noord–Ierland   Rubriek _____

7 Ministerie van Economische Zaken: winkels langer open Rubriek _____

8 Buschauffeurs eisen kortere werktijden   Rubriek _____

9 Nieuw cultureel centrum in Groningen   Rubriek _____

10 Kritiek op organisatie house–party   Rubriek _____

D **44** Welk woord hoort er niet bij?

1 op weg gaan – reizen – vertrekken – eisen

2 beslissing – organisatie – stichting – vereniging

3 warenhuis – verkoper – samenleving – winkel

4 liggen – vormen – zitten – staan

5 moment – kans – ogenblik – seconde

6 bespreking – krant – blad – tijdschrift

D **45** Vul in: *betrekkingen, kritiek, minister, ministerie, oorlog, reis, tussen, volgende, vrede*

1 Er zijn problemen _____ Holdesië en Tabukistan.

2 De _____ tussen die landen zijn slechter geworden.

3 De _____ van buitenlandse zaken vertelt dit vanavond op de Holdesische tv.

4 Het probleem is de _____ met Somenië.

5 De minister wil _____ maand naar Tabukistan.

6 Maar de medewerkers van zijn _____ vinden dat niet goed.

7 Ze hebben veel _____ op de reis.

8 Zij willen dat hij gaat als er weer _____ is.

9 In juli zullen zij de _____ met de minister bespreken.

D **46** Vul in: *besprekingen, buitenlandse, cultureel, economisch, georganiseerd, museum, open*

Tabukistan

1 Volgende maand gaan de grenzen tussen Tabukistan en Somenië weer _____.

2 _____ gaat het Tabukistan weer goed.

3 Ook _____ is er veel veranderd.

4 In de stad Forisku zijn meer theaters en een nieuw _____.

5 Overal in het land worden concerten _____.

6 De minister van _____ zaken van Holdesië gaat volgende week naar Tabukistan.

7 Er zijn _____ over nieuwe betrekkingen tussen de twee landen.

D **47** Kies een titel uit Tekst 6 en schrijf een 'artikel' voor de krant van ongeveer vijf regels.

E **48** Oefening bij Tekst 7. Beantwoord de vragen.

1 Noem twee dingen die verboden zijn in Singapore.

a _____ b _____

2 Rookt u? Waarom? Waarom niet?

_____

3 Kent u een tweeling?

_____

4 Lijken ze op elkaar?

_____

5 Waarom is de tweeling uit Londen bijzonder?

_____

E **49** Oefening bij Tekst 8.
Zijn de zinnen waar of niet waar?

1 Met ISS betaalt u minder voor een abonnement op een tijdschrift ☐ waar ☐ niet waar
2 Met ISS kunt u zich abonneren op alle tijdschriften. ☐ waar ☐ niet waar
3 Voor meer informatie belt u: 020-6275050. ☐ waar ☐ niet waar

E **50** Oefening bij Tekst 9. Beantwoord de vragen.

Advertentie 1
1 Vrouwen hebben een eigen rubriek voor advertenties.
Kunt u een naam bedenken voor zo'n rubriek?

_____

Advertentie 2
2 Om wat voor werk gaat het?

_____

3 Hoeveel uur per dag is het werk?

_____

4 Is het werk 's morgens of 's middags?

_____

5 Hoe oud moet je zijn voor dit werk?

_____

6 Als u het werk graag wilt, kunt u twee dingen doen. Welke twee dingen zijn dat?

a _____

b _____

E **51** Voor deze oefening hebt u een krant of tijdschrift nodig.
Beantwoord de vragen.

1 Wat heeft u voor u liggen; een krant of een tijdschrift?
2 Is het een dagblad, een weekblad of anders?
3 Welke rubrieken staan erin?
4 Welke rubriek(en) vindt u interessant?
5 Wie lezen dit blad, denkt u?
6 Heeft u dit blad wel eens gelezen?
7 Hoe vindt u het?

E **52** Op welke pagina staan deze artikelen?

1 Arafat over Oost–Jeruzalem
2 België organiseert EK in 1996
3 Chauffeurs drinken minder
4 Drie Afrikanen voor KV Mechelen
5 Graf van Maya–vorst ontdekt
6 Elisabethwedstrijd voor piano moet verder zonder Belgen
7 Finland pakt wereldtitel
8 'Heimwee naar Rhodos', TV2, 20.30 uur
9 Italianen naar stembus
10 Japan en VS vinden geen akkoord over automarkt
11 Raamteater vraagt om hulp
12 Tsjetsjeense rebellen gunnen president Jeltsin geen feestrust
13 Verkiezingen in Ethiopië
14 Vlaamse Bisschop bij oud–katholieken

10 Wat vind jij?

A   **1** **Vragen vooraf**

1 Heeft u een computer?
2 Wat doet u met de computer?

A   **2** Lees de vragen. Luister naar Tekst 1.
Zijn de zinnen waar of niet waar?

1 Mieke Rosier wil een computer kopen.   ☐ waar   ☐ niet waar

2 De computer uit de krant is echt snel.   ☐ waar   ☐ niet waar

3 Hetty Kroon vindt een nieuwe computer beter.   ☐ waar   ☐ niet waar

A   **3** Lees de vragen. Luister nog een keer naar Tekst 1.
Beantwoord de vragen.

1 Hetty adviseert Mieke om te wachten met kopen. Ze noemt twee redenen.
Welke redenen zijn dat?

a _____

b _____

2 Mieke vindt het advies van Hetty een goed advies. Hoe weet u dat?

_____

A   **4** Kies de beste zin.

1 Jij weet veel over computers hè?
   a Kijk, nee hoor.   **b** Nou, nee hoor.

2 **a** Zeg, zullen we eens gaan?   **b** Nee, zullen we eens gaan?
   Nog even wachten!

3 Ga je mee naar de bioscoop?
   a Zeg, ik weet het niet.   **b** Nou, ik weet het niet.

4 Zullen we naar Annette gaan?
   a Nou, dat denk ik niet.   **b** Nou, nee hoor.

5 Ik ga met Johan tennissen.
   a Ja, wel leuk.   **b** Wat leuk.

6 **a** Zeg Joop, rook je veel?   **b** Kijk Joop, rook je veel?

   O, het gaat wel.

7 **a** Wat een groot café!   **b** Dus, een groot café.

   Groot?

8 Leest u veel?

   a Dus, veel, wat is veel?   **b** Nou, veel, wat is veel?

9 Is dit een goede computer?

   a Ja, kijk, hij is niet snel.   **b** Ja, hij is niet snel.

A   **5** Kies de goede reactie.

1 Op de Nederlandse televisie moet meer voor buitenlanders komen.
  a Ja, natuurlijk.
  b Nee, dat denk ik niet.
  c Misschien.

2 De Nederlandse televisie is erg goed.
  a Daar ben ik het mee eens.
  b Daar ben ik het niet mee eens.
  c Soms wel, soms niet.

3 Apparaten, zoals radio's en televisies, zijn in Nederland erg duur.
  a Dat is zo.
  b Dat is niet zo.
  c Dat weet ik niet.

4 Nederlanders spreken erg snel.
  a Dat klopt.
  b Dat klopt niet.
  c Dat is vaak zo.

5 Kranten geven betere informatie dan radio en televisie.
  a Ja, dat denk ik ook.
  b Nee, dat denk ik niet.
  c Geen mening.

6 Het nieuws van radio en tv is beter dan het nieuws uit de krant.
  a Dat is waar.
  b Dat is niet waar.
  c Dat weet ik niet.

7 Het lezen van een Nederlandse krant is moeilijk.
  a Dat denk ik niet.
  b Dat vind ik niet.
  c Soms is dat zo.

8 Een goede minister is altijd een man.
  a Nee, dat is niet zo.
  b Ja, natuurlijk!
  c Bijna altijd.

9 Politiek is niet belangrijk voor jongeren.
  a Dat denk ik niet.
  b Dat denk ik ook.
  c Geen mening.

A   **6** Vul in: *advies, allebei, eenvoudige, koken* (2x), *mogelijkheid, rustig, volgens, werken*
Let op: Verander zo nodig de vorm van de werkwoorden.

1 Tom en ik houden _____ van lekker eten.

2 Ik _____ meestal door de week, Tom _____ in het weekend.

3 Door de week eten we een _____ maaltijd.

4 Tom heeft in het weekend veel tijd en kan dan _____ koken.

5 Door de week is die _____ er niet, want we _____
allebei vijf dagen.

6 _____ Tom is lekker eten goed voor de gezondheid.

7 Hij geeft ook altijd het _____: Lekker is goed!

A   **7** Spreekoefening. Luister naar de docent.

A   **8** Luister naar Tekst 1. Maak de tekst compleet.

Mieke Rosier	_____, mag ik je even iets vragen?
	Jij weet toch veel van computers, hè?
Hetty Kroon	Nou, nee hoor, _____. Ga je een computer kopen?
Mieke Rosier	Ja, ik heb een _____ aanbieding in de krant gezien.
Hetty Kroon	_____ computer is het?
Mieke Rosier	O, het is een heel _____ apparaat, hij is niet echt snel of
	zo, voor f 800,–.
Hetty Kroon	_____?
Mieke Rosier	Nee, tweedehands.
Hetty Kroon	_____ je niet doen.
Mieke Rosier	Nee? Waarom niet?
Hetty Kroon	Veel te duur, joh.
Mieke Rosier	Ja? Nou, _____, hoor.
Hetty Kroon	_____, je moet het natuurlijk zelf weten, maar volgens
	mij kun je zoiets veel goedkoper krijgen.
Mieke Rosier	Denk je _____?
Hetty Kroon	Ja joh. En waarom _____ je geen nieuwe?
	Voor iets meer heb je een veel snellere.
Mieke Rosier	Lijkt je dat _____?
Hetty Kroon	Ja, mij wel, dat _____ veel lekkerder?
Mieke Rosier	Dat is waar.
	Maar ik gebruik hem hoofdzakelijk voor mijn administratie.
Hetty Kroon	Ja, maar over _____ kom je ongetwijfeld wat beters tegen.

Mieke Rosier _____ je vindt dat ik het niet moet doen?

Hetty Kroon   Nee, wacht rustig af.

Mieke Rosier   Nou, dan wacht ik _____ even.

_____ voor je advies.

B   9 Vragen vooraf

1 Welke film heeft u pas gezien?
2 Welke Nederlandse films kent u?
3 Wat zou u willen filmen met een videocamera?

B   10 Lees de vragen. Luister naar Tekst 2.
Zijn de zinnen waar of niet waar?

1 Rob Houwer vindt de belangstelling voor de videocamera goed. ☐ waar ☐ niet waar

2 Volgens Rob Houwer heeft iedereen talent voor videofilmen. ☐ waar ☐ niet waar

3 Rob Houwer is bang voor te veel concurrrentie. ☐ waar ☐ niet waar

B   11 Lees de vragen. Luister nog een keer naar Tekst 2.
Zijn de zinnen waar of niet waar?

1 Rob Houwer ziet videomakers als zijn concurrenten. ☐ waar ☐ niet waar

2 Rob Houwer denkt dat mensen met een videocamera mensen met talent zijn. ☐ waar ☐ niet waar

3 Rob Houwer vindt het maken van een film niet zo moeilijk. ☐ waar ☐ niet waar

4 Rob Houwer vindt dat jonge filmers eerst een video moeten maken. ☐ waar ☐ niet waar

5 Rob Houwer denkt dat er door videomakers meer interesse voor het filmvak komt. ☐ waar ☐ niet waar

B   12 Luister naar de docent. Herhaal de zinnen.

1 Mag ik je even iets vragen?
2 Wat voor computer is het?
3 Volgens mij kun je het veel goedkoper krijgen.
4 Denk je dat echt?
5 Daar heb je talent voor nodig.
6 Waarom vindt u dat belangrijk?
7 U bent dus niet bang voor concurrentie?

B   **13** Beantwoord de vragen.

1 Vindt u tv kijken leuker dan lezen?

☐ ja   ☐ nee   ☐ geen mening

2 Gelooft u dat tv kijken slecht voor kinderen is?

☐ ja   ☐ nee   ☐ geen mening

3 Vindt u de televisie in Nederland beter dan die in Engeland?

☐ ja   ☐ nee   ☐ geen mening

4 Denkt u dat mensen door de videorecorder minder naar de bioscoop gaan?

☐ ja   ☐ nee   ☐ geen mening

5 Gelooft u dat de beste filmproducenten in Nederland wonen?

☐ ja   ☐ nee   ☐ geen mening

6 Vindt u Amerikaanse films goed?

☐ ja   ☐ nee   ☐ geen mening

7 Vindt u het nieuws in de krant interessanter dan het nieuws van radio en televisie?

☐ ja   ☐ nee   ☐ geen mening

B   **14** Bedenk vragen bij de antwoorden.

1 _____

Ik vind Chinese films goed.

2 _____

Ik vind niet alle Franse films goed.

3 _____

Ik vind *Casablanca* de beste Amerikaanse film.

4 _____

De beste Nederlandse film? Dat is moeilijk. *Flodder in Amerika* of *De Vliegende Hollander*.

5 _____

Nee, ik geloof niet dat die voorstelling uitverkocht is.

6 _____

Nee, dat denk ik niet.

7 _____

Ja, ik denk dat Joris een aardige collega is.

8 _____

Natuurlijk geloof ik wat hij zegt!

B **15** Vul in: *aantal, absoluut, ervaring, geloven, iedereen, juist, moeilijk, teken, zoveel*
Verander zo nodig de vorm van de werkwoorden.

1 Peter Pauls heeft een _____ films over de oorlog gemaakt.

2 Ik vind zijn films _____ niet slecht.

3 Maar ik denk niet dat _____ ze interessant vindt.

4 Er gaan niet _____ mensen naar zijn films kijken.

5 En dat is toch een _____ dat het geen goede films zijn.

6 Ik vind vooral *De fiets* erg mooi, maar veel mensen vinden dat _____ niet.

7 Pauls had toen nog weinig _____, en dat zie je.

8 Ik _____ dat ik zijn eerste film het beste vind.

9 Maar dat is eigenlijk _____ te zeggen...

B **16** Vul in: *bang, begrijpen, dus, eerst, ineens, omdat, ontdekken, ontwikkeling, tegen*
Verander zo nodig de vorm van de werkwoorden.

1 In het museum van Appelschoo zie je de _____ van de mens.

2 _____ dacht men dat hier voor 1100 geen mensen woonden.

3 Maar in 1964 _____ men dat hier vóór het jaar 300 mensen woonden.

4 Zo werd dit stadje _____ heel beroemd.

5 Sommige mensen waren _____ het museum, _____

ze dachten dat heel veel mensen naar het museum wilden komen.

6 Ze waren _____ voor alle mensen uit de stad en het buitenland.

7 Maar nu _____ iedereen dat anderen het museum ook willen zien.

8 _____ dat is geen probleem meer.

B **17** Luister naar Tekst 2. Welke woorden zijn veranderd?

1 *interviewer* In de studio zit Rob Houwer, Nederlands beroemdste filmproducent.
Meneer Houwer, wat denkt u van de grote belangstelling voor de videocamera?

2 *Rob Houwer* Ik vind dat een leuke ontwikkeling. Het is een teken dat mensen het filmvak interessant vinden.

3 *interviewer* Je hebt zelf een aantal bekende films gemaakt, zoals *Turks Fruit, Keetje Tippel* en *Soldaat van Oranje*. Denkt u dat de videofilmers concurrenten van elkaar gaan worden?

4 *Rob Houwer* Nee, absoluut niet. Voor het maken van een goede film of video heb je geld nodig en lang niet iedereen heeft talent.

5 *interviewer* U gelooft niet dat er nu ineens veel beroemde filmproducenten bijkomen?

6 *Rob Houwer* Dat denk ik niet, nee. Maar ik vind het ook leuk dat zoveel mensen het filmvak ontdekken.

7 Dan leren ze snel dat het maken van een film heel moeilijk is.

8 Tegen andere filmers zeg ik altijd: maak eerst een video.

B   18 Schrijf een tekst. Gebruik de woorden die hieronder staan. Schrijf maximaal vijf zinnen.

Voorbeeld

Nederlanders	*Nederlanders eten veel kaas.*
veel kaas eten	*In 1994 werd er in Nederland 14 kilo kaas per*
in 1994 14 kilo per persoon	*persoon gegeten.*
kaas verkopen	*Nederland verkoopt ook veel kaas.*
Duitsland en Frankrijk	*Vooral aan landen als Duitsland en Frankrijk.*

1 Rob Houwer
   films gemaakt
   video maken: belangrijk
   video en film: talent nodig

_____

_____

_____

_____

2 Nederlanders
   minder boeken kopen
   twee per jaar
   gaan naar bibliotheek

_____

_____

_____

_____

3 kleding kopen
   tweedehands kleren
   goedkoop
   winkels in Amsterdam

_____

_____

_____

_____

C **19 Vragen vooraf**

1 Wanneer kijkt u televisie?
2 Naar welke programma's?
3 Leest u veel?

C **20** Lees de zinnen. Luister naar Tekst 3.
Zijn de zinnen waar of niet waar?

1 Nederlanders hebben minder belangstelling voor lezen. ☐ waar ☐ niet waar

2 Jongeren lezen steeds meer. ☐ waar ☐ niet waar

3 De interesse voor televisie daalt wel weer volgens Kalmijn. ☐ waar ☐ niet waar

C **21** Lees de vragen. Luister nog een keer naar Tekst 3.
Vul de ontbrekende woorden in en beantwoord de vragen.

1 Nederlanders gaan _____ tv kijken en _____ lezen.

2 Volgens de heer Kalmijn neemt vooral bij jongeren het tv kijken toe.
Hij noemt daarvoor drie oorzaken. Welke drie oorzaken zijn dat?

a _____

b _____

c _____

3 De heer Kalmijn denkt niet dat Nederlanders nog meer tv gaan kijken. Hij denkt daarbij aan
andere dingen die eerst erg veel belangstelling kregen, maar later veel minder.
Welke dingen zijn dat?

_____

_____

_____

C **22** Hieronder staan acht dialogen. In vier dialogen vraagt A de mening van B en geeft B een
mening. Welke dialogen zijn dat?

1 A Pardon mevrouw, bent u hier bekend?
   B Nee meneer, helaas niet.

2 A Gelooft u dat de taxichauffeurs morgen gaan staken?
   B Dat denk ik niet, nee.

3 A Wat vind je van de Nederlandse televisie?
   B Ik vind het tamelijk slecht.

4 A Kunt u me zeggen hoe laat het is?
   B Nee, het spijt me, ik heb geen horloge bij me.

5 A Denk je dat er snel vrede in het Midden-Oosten komt?
   B Ik heb echt geen idee.

6 A Heb je gisteren nog naar die Zweedse film gekeken?
   B Nou, ik heb alleen het eerste deel gezien.

7 A Hoe zitten deze schoenen?
   B Volgens mij zijn ze te klein.

8 A Waar kan ik de woordenboeken vinden?
   B Op de tweede verdieping, mevrouw.

C   **23** Welke reactie is een mening?

1 Vindt u dat kranten meer over sport moeten schrijven?
   a Er zijn veel mensen die niet sporten.
   b Ik vind artikelen over sport niet zo belangrijk.

2 Denk je dat Bob vandaag nog komt?
   a Volgens mij niet, hij is ziek.
   b Nee, Bob is taxichauffeur.

3 Wat vindt u van de winkels in Nederland?
   a Naar mijn mening zijn er te veel winkels in Nederland.
   b De winkels gaan om 9 uur open.

4 Wat denk je, is Nederland groter dan België?
   a Ik denk het wel.
   b Er zijn ongeveer 14 miljoen Nederlanders.

5 Welke kaas is het duurst, oude, belegen of jonge?
   a Ik houd wel van belegen kaas.
   b Volgens mij oude kaas.

6 Is Otto een goede verkoper?
   a Ik geloof van wel.
   b Hij verkoopt schoenen.

7 In welke rubriek staat dat?
   a Ik lees alle rubrieken.
   b Ik geloof in de rubriek 'Economie'.

8 Denk je dat de protestacties van de studenten lang duren?
   a De studenten protesteren nu al voor de vierde keer.
   b Ik denk het niet.

C   **24** Beantwoord de vragen.

> **Voorbeeld**
> Houdt u van lezen?
> Ja, ik vind *lezen heerlijk!*

1 Wat vindt u de leukste stad?

   Ik vind _____

2 Houdt u van stripboeken?

   Ik vind _____

3 Vindt u dat er meer films op televisie moeten komen?

Ik vind _____

4 Wat denkt u, is het waar dat Nederland een multiculturele samenleving is?

Ik geloof dat _____

5 Gelooft u dat apparaten goed zijn voor mensen?

Ik denk dat _____

6 Denkt u dat concurrentie gevaarlijk is?

Volgens mij _____

7 Is sporten volgens u goed voor de gezondheid?

Ik denk _____

C **25** Wat betekent ongeveer hetzelfde?
Gebruik zo nodig uw woordenboek.

1	belangstelling	a	dalen	1	_____
2	afnemen	b	nu	2	_____
3	constateren	c	kans	3	_____
4	hoofdzakelijk	d	interesse	4	_____
5	tegenwoordig	e	zeker	5	_____
6	gelegenheid	f	meer worden	6	_____
7	toenemen	g	vaststellen	7	_____
8	ongetwijfeld	h	vooral	8	_____

C **26** Kies het goede woord.

1 Marieke kan geen televisie kijken *terwijl / toch / en* ze eet.
2 Ze probeert het *al / weer / steeds*, maar het lukt nooit.
3 Wat daarvan de *oorzaak / belangstelling / inlichting* is, weet Marieke niet.
4 En ze wil het ook niet *denken / kiezen / onderzoeken*.
5 Daarom heeft Marieke *altijd / bijna / tegenwoordig* een videorecorder.
6 Ze heeft nu de *gelegenheid / beslissing / oplossing* om later televisie te kijken.
7 Het *bericht / resultaat / duidelijke* is heel goed.
8 Marieke kan nu *kans / ontspanning / aandacht* hebben voor het eten en de televisie.

C   **27** Vul in: *conclusie, constateren, dalen, dus, gebruik, gelden, onderzoek*
Verander zo nodig de vorm van het werkwoord.

interviewer   Vandaag spreek ik met dr. P. Diepenbrock.

1   De heer Diepenbrock heeft een _____ gedaan naar

alcoholgebruik bij jongeren.

Meneer Diepenbrock, wat heeft u precies geconstateerd?

2 *Diepenbrock*   Ik heb gekeken naar het _____ van alcohol bij jongeren

tussen 12 en 18 jaar.

interviewer   En wat heeft u gevonden?

3 *Diepenbrock*   Ik heb _____ dat jongeren minder alcohol gebruiken dan in 1987.

4 *interviewer*   Dus het alcoholgebruik bij jongeren _____?

5 *Diepenbrock*   Nou, dit _____ niet voor alle jongeren. Alleen jongeren van

14 tot 18 jaar.

6 *interviewer*   _____ wat is het resultaat van uw onderzoek?

7 *Diepenbrock*   De _____ is dat jongeren van 12 en 13 jaar iets meer

drinken dan jongeren tussen 14 en 18.

interviewer   Dank u wel voor dit gesprek.

Diepenbrock   Graag gedaan.

C   **28** Wat hoort bij elkaar?

1 Ik kijk veel televisie, omdat	a ze klaar is met haar werk.	1 _____
2 Gaby komt later, als	b zijn vrouw blijft thuis.	2 _____
3 Richard vertelt, terwijl	c ik niet van lezen houd.	3 _____
4 Bert gaat naar Spanje, maar	d het te duur is.	4 _____
5 René is 's woensdags nooit thuis, want	e dan gaat hij tennissen.	5 _____
6 We gaan niet naar het concert, omdat	f zijn kinderen luisteren.	6 _____

C   29 Maak de zinnen af.

> **Voorbeeld**
>
> Ik ga naar de markt en *daarna naar Bert*.

1   Ik moet mijn broek innemen want _____.

2   Ik ga op reis en _____.

3   Je moet het iemand anders vragen omdat _____.

4   Als je in Nederland woont, _____.

5   Morgen kom ik niet maar _____.

6   Hetty houdt veel van theater en Richard _____.

7   Omdat het winter is _____.

8   Jongeren drinken meer alcohol omdat _____.

C   30 Bedenk vragen.

Situatie 1
Een Nederlander is naar uw land geweest. Hij heeft vier dagen alleen
maar tv gekeken en heeft zo een goed idee gekregen van de televisie in
uw land. U wilt graag zijn mening over de televisie weten.
Wat vraagt u hem?

1   _____

2   _____

3   _____

4   _____

5   _____

Situatie 2
Op de Nederlandse televisie mag iedereen, dus u ook, zijn mening
geven over iets. Het kan van alles zijn: de Tweede Kamer, collega's,
alcohol, problemen, enzovoort. Waarover zou u willen praten en wat
zou u gaan zeggen?

1   _____

2   _____

3   _____

4   _____

5   _____

C   31 Luister naar de docent.

D   32 Vragen vooraf

1 Wat zijn apparaten?
2 Welke apparaten heeft u?

D   33 Oefening bij Tekst 4. Beantwoord de vragen.

1 Wat is het goedkoopst?   _____

2 Wat kost het?   _____

3 Wat zou u graag willen kopen?   _____

4 Welke artikelen vindt u belangrijk?   _____

D   34 Bekijk de aanbiedingen in uw tekstboek twee minuten.
Doe dan uw tekstboek dicht. Luister naar de docent.

_____   _____

_____

_____

_____

_____

D   35 Beantwoord de vragen.

1 Wat kost het gasstel?   _____

2 Wat kost het strijkijzer?   _____

3 Wat kost de wasautomaat?   _____

4 Wat kost de stofzuiger?   _____

5 Wat kost de videorecorder?   _____

6 Wat kost de magnetron?   _____

D   36 Vragen vooraf

1 Wat eet u als u televisie kijkt?
2 Bent u te dik?

D **37** Lees de vragen. Lees Tekst 5. Beantwoord de vragen.

1 Van televisie kijken word je dik.   **a** waar
                                        b niet waar
                                        c ik weet het niet

2 Van lezen word je dik.   **a** waar
                                        b niet waar
                                        c ik weet het niet

D **38** Wat betekent ongeveer hetzelfde?

1 afnemen	a zwaar	1 _____
2 de buis	b elke keer	2 _____
3 de heer	c de meneer	3 _____
4 dik	d minder worden	4 _____
5 steeds	e nu	5 _____
6 tegenwoordig	f de televisie	6 _____

D **39** Spreekoefening. Luister naar de docent.

E **40** Oefening bij Tekst 6. Beantwoord de vragen.

1 U wilt naar het Jeugdjournaal kijken. Hoe laat begint het en op welk net?

_____

2 U wilt het consumentenprogramma van de VARA zien. Hoe laat begint het en op welk net?

_____

3 Wie presenteert het boekenprogramma op Nederland 1?

_____

4 Wat is 'Antartica, leven in de vrieskou' op Nederland 2 voor een programma?

_____

5 U wilt iets over sport zien. Naar welk net kijkt u en hoe laat begint het?

_____

6 Welke programma's zijn er voor kinderen?

_____

_____

E   **41 Vragen vooraf**

    1 Hoeveel spiegels heeft u?
    2 Kijkt u vaak in de spiegel?
    3 Wanneer?

E   **42** Oefening bij Tekst 7. Beantwoord de vragen.

    1 Wat is de relatie tussen een spiegel en de tv?

    _____

    2 In de spiegel zie ik: _____

    _____

E   **43** Oefening bij Tekst 8. Beantwoord de vragen.

    1 Hoeveel uur per dag brengt Filmnet films op tv? _____

    2 Worden de films op Filmnet onderbroken door reclame? _____

E   **44** Beantwoord de vragen.

    1 Houdt u van films? _____

    2 Van welke films houdt u? _____

    3 Wilt u een abonnement op Filmnet? _____

    4 Waarom? _____

11 Daar ben ik tegen

A **1 Vragen vooraf**

1 Waar ligt de 'derde wereld'?
2 Kent u de namen van politieke partijen in Nederland?

A **2** Lees de vragen. Luister naar Tekst 1.
Zijn de zinnen waar of niet waar?

1 De heer Wubbels is journalist. ☐ waar ☐ niet waar
2 De enquête gaat over de hulp aan de derde wereld. ☐ waar ☐ niet waar

A **3** Lees de vragen. Luister nog een keer naar Tekst 1.
Kies het goede antwoord.

1 Vindt meneer Wubbels dat Nederland genoeg steun geeft aan de derde wereld?
   a Ja, hij vindt dat Nederland genoeg steun geeft aan de derde wereld.
   b Nee, hij vindt dat we de hulp kunnen vergroten.
   c Ja, hij denkt met name aan de bewapening.

2 Kunnen we volgens meneer Wubbels in Nederland nog meer bezuinigen?
   a Ja, we kunnen de hulp vergroten.
   b Ja, er zijn enkele posten waarop we kunnen bezuinigen.
   c Ja, we kunnen op de hulp bezuinigen.

3 Waarop kan de Nederlandse overheid volgens meneer Wubbels bezuinigen?
   a Op steun aan de derde wereld.
   b Op bewapening.
   c Op de besteding van geld.

4 Veertig procent van de Nederlanders vindt dat het geld goed besteed wordt.
   Wat vindt meneer Wubbels daarvan?
   a Hij is het er mee eens.
   b Hij moet er over nadenken.
   c Hij vindt het weinig.

A **4** Vul in: *besteden, enkel, erg, genoeg, nadenken, politieke, precies, stellen, wereld, zoiets*
Verander zo nodig de vorm van de werkwoorden.

1 A Mag ik u een vraag _____?

  B Ja.

  A Welke krant leest u?

  B *De Telegraaf.*

2 A Hoeveel tijd _____ u daaraan?

3 B Nou, ... daar moet ik even over _____.

4 B Volgens mijn vrouw meer dan _____.

5 A Ja, maar hoeveel _____?

6 B Niet zo _____ veel, denk ik.

A Een uurtje?

7 B _____ ja.

A Welke artikelen leest u?

8 B Nou, niet over het parlement. Ik ben niet zo geïnteresseerd in _____ dingen.

9   Ik houd ook niet van al die problemen in de _____.

10 Ik heb _____ maar belangstelling voor sport.

A   5 Wat betekent ongeveer hetzelfde?

1 enkel	a alleen	1 _____
2 hulp	b groep	2 _____
3 journalist	c regering	3 _____
4 met name	d mening	4 _____
5 overheid	e interviewer	5 _____
6 partij	f steun	6 _____
7 reactie	g vooral	7 _____

A   6 Maak vragen.

Voorbeeld
Het boek gaat over Afrika.
Waar *gaat het over* ?

1 Agnes praat altijd over haar kinderen.

Waar _____?

2 Houden jullie van junglemuziek?

Waar _____?

3 Ik heb zin in een tosti Hawaïenne.

Waar _____?

4 Ik zal aan mijn Zantac denken.

Waar _____ ?

5 Ik wil er niet over praten.

_____ ?

6 Ze wil nooit meer aan *Mortal Combat* denken.

_____ ?

7 Hij houdt van witte wijn.

_____ ?

8 Ze stelt steeds vragen over *Die Hard*.

_____ ?

A   7 Beantwoord de vragen.

1 Luistert u vaak naar de radio?

☐ Ja, _____ luister ik vaak _____   ☐ Nee, _____ luister ik niet vaak _____

2 Houdt u van haring?

☐ Ja, _____ houd ik _____   ☐ Nee, _____ houd ik niet _____

3 Praat u vaak over uw land?

☐ Ja, _____   ☐ Nee, _____

4 Hebt u belangstelling voor politiek? _____

5 Hebt u zin in koffie? _____

6 Houdt u van de herfst? _____

A   8 Luister naar de docent. Let op het accent.
Herhaal de woorden.

1 enquête   7 regering
2 bezuinigen   8 journalist
3 besteding   9 Nederland
4 vergroten   10 ongeveer
5 politiek   11 nadenken
6 reactie   12 partij

A [ ] **9** Luister naar Tekst 1.
Maak de tekst compleet.

Op een bijeenkomst van een politieke partij stelt een journalist aan de heer Wubbels, die een lezing heeft gehouden, een paar vragen.

1 *journalist*   Er is pas een enquête gehouden _____ de hulp van

Nederland aan de derde _____. De meeste mensen

vinden dat Nederland genoeg steun geeft aan de derde wereld.

2   Wat vindt u _____?

3 *de heer Wubbels*   Daar ben ik het niet helemaal _____.

4   Ik vind _____ we de hulp _____ wat

kunnen vergroten.

5 *journalist*   Maar _____ dat niet dat we in Nederland nog meer

moeten bezuinigen?

6 *de heer Wubbels*   Ja, _____ zijn er nog wel _____

posten waarop we kunnen bezuinigen.

7 *journalist*   _____ denkt u dan?

8 *de heer Wubbels*   Dan denk ik _____ aan de bewapening.

journalist   In de enquête stond ook een vraag over de besteding van het geld.

9 *de heer Wubbels*   _____?

10 *journalist*   Over de besteding van het geld, _____: wat doet de

Nederlandse overheid _____?

11   _____ veertig procent van de mensen vindt dat

_____ goed wordt besteed.

12   Wat is uw reactie _____?

13 *de heer Wubbels*   Veertig procent vind ik _____. Daar moet de regering

maar eens _____.

A   10 Schrijf een tekst. Gebruik de woorden die hier staan. Schrijf maximaal vijf zinnen.

> **Voorbeeld**
>
> Annet jarig   *Gisteren was Annet jarig.*
>
> feest   *Ze gaf een groot feest. Ze nodigde veel mensen uit.*
>
> veel mensen   *Ik ging pas om twee uur 's nachts naar huis.*
>
> laat slapen   *Ik ging pas laat slapen.*

1 schoenen gekocht   _____

   drie paar   _____

   te wijd   _____

   niet zo mooi   _____

2 volgende week verhuizen _____

   Brussel / Wageningen   _____

   geen werk   _____

B   11 Vragen vooraf

   1 Wat is een monarchie?
   2 Wat is een democratie?

B   12 Oefening bij Tekst 2 en 3.
   Vul het juiste woord in.

1 Nederland is een   a _____   b _____

2 In de Tweede Kamer zaten in 1994 _____ partijen.

3 De vier grootste partijen zijn: a _____   b _____

                                               c _____   d _____

4 De vier kleinste partijen in de   a _____   b _____

   Tweede Kamer zijn: c _____   d _____

5 Hoeveel stemmen kreeg de SP in 1994? _____

6 Hoeveel procent is dat? _____

7 Hoeveel procent van de stemmen kreeg de VVD? _____

8 Hoeveel zetels is dat?   _____

B   **13**   Kies het goede woord.

1   *Inderdaad / Met name* de christelijke partijen hebben minder stemmen gekregen.

2   Nederlanders kijken steeds meer televisie, *vooral / waarnaar* in het weekend.

3   Iedereen kan meedoen aan politiek, *bijvoorbeeld / dat wil zeggen* door lid te worden van een politieke partij.

4   In Nederland heeft men stemrecht, geen stemplicht, *met name / dat wil zeggen:* je mag stemmen, je hoeft niet.

5   Er zijn vier christelijke partijen in de Tweede Kamer, *in de eerste plaats / namelijk* het CDA, de RPF, de SPG en de GPV.

6   Er zijn ook linkse partijen, *ten slotte / onder andere* de PvdA.

B   **14**   Maak het schema compleet.

> **Voorbeeld**
> lezing – *lezen*

1   staking   – _____   6   _____ – aanbieden

2   _____ – beslissen   7   organisatie   – _____

3   besteding   – _____   8   _____ – werken

4   _____ – stemmen   9   protest   – _____

5   regel   – _____

B   **15**   Welk woord hoort bij de zin?
beslissen, democratie, koning, overheid, recht, soort, standpunt, verkiezingen

> **Voorbeeld**
> Een land waar mensen mogen kiezen wie er in de regering komt.   *democratie*

1   Kiezen wat je gaat doen.   _____

2   Mensen of dingen die bij elkaar horen.   _____

3   Hoe je over iets denkt.   _____

4   Iets wat je mag doen of hebben.   _____

5   In sommige landen is hij het staatshoofd.   _____

6   Er wordt een regering gekozen.   _____

7   De regering van een land.   _____

B   **16** Hieronder staat in een tabel het resultaat van een enquête onder de Nederlanders over de hulp aan de derde wereld.
Kijk naar de tabel. Maak deze zinnen af.

Mening van Nederlanders over hulp van de Nederlandse overheid aan de derde wereld, in procenten						
	totaal	**mannen**	**vrouwen**	**PvdA**	**CDA**	**VVD**
genoeg	63	62	71	73	61	54
te veel	14	17	10	8	9	23
te weinig	11	8	9	13	16	6
geen mening	12	13	10	6	14	17

Voorbeeld

63 procent van de Nederlanders vindt dat *Nederland genoeg hulp geeft.*

1 14 procent van de Nederlanders vindt dat _____

2 13 procent van de PvdA _____

3 Van de vrouwen vindt 71 procent _____

_____

4 13 procent van de mannen _____

_____

5 Van de politieke partijen is de VVD het meest negatief over de hulp aan de derde wereld.

23 procent vindt dat _____

6 Van het CDA vindt 16 procent dat _____

7 9 procent van het CDA _____

B **17** Kijk naar de grafieken. Beantwoord de vragen.

Voorbeeld
Uit welke leeftijdsgroep kreeg de PvdA de meeste stemmen?
Uit de leeftijdsgroep van 65+.

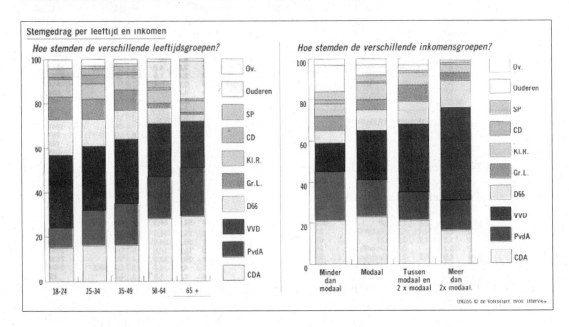

Stemgedrag per leeftijd en inkomen

1 Uit welke leeftijdsgroep kreeg het CDA de meeste stemmen? _____

2 Uit welke groep kreeg het CDA de minste stemmen? _____

3 Welke partij kreeg de meeste stemmen van de leeftijdsgroep van 25-34?

_____

4 Welke partij kreeg uit die groep de minste stemmen? _____

5 Op welke partij stemden de meeste mensen die meer dan tweemaal modaal verdienen?

_____

6 Op welke partij stemden de meeste mensen die minder dan modaal verdienen?

_____

7 Waar zijn de meeste D66 kiezers te vinden, bij modaal of minder dan modaal?

_____

B   18 Spreekoefening. Luister naar de docent.
U bent cursist A of B.

1 A wil geld van B voor een kopje koffie in de kantine.
2 A wil dat B hem helpt met zijn huiswerk.
3 A wil dat B de docent vertelt dat hij niet naar de les komt.
4 A wil dat B gaat verhuizen.

Nu speelt cursist A de rol van B en B de rol van A.

5 A wil dat B met hem naar de bioscoop gaat.
6 A wil het geld voor het kopje koffie terug.
7 A wil dat B naar de kapper gaat.
8 A wil dat B de radio harder zet.

C   19 Vragen vooraf

1 Wat is een actiegroep?
2 Kent u de naam van een activist?
3 Bent (of was) u lid van een actiegroep?

C   20 Lees de vragen. Luister naar Tekst 4.
Zijn de zinnen waar of niet waar?

1 'Brandnetel' is een politieke partij.   ☐ waar   ☐ niet waar

2 'Brandnetel' wil graag opvallen.   ☐ waar   ☐ niet waar

3 'Brandnetel' heeft geprotesteerd tegen het grote aantal bomen.   ☐ waar   ☐ niet waar

4 Ineke Peters is tegen geweld.   ☐ waar   ☐ niet waar

C   21 Lees de vragen. Luister nog een keer naar Tekst 4.
Kies het goede antwoord.

1 'Brandnetel' protesteert tegen: **a** het milieu
b geweld
c de auto

2 Welke zin is waar?   **a** De acties zijn grappig om de mensen aan het denken te zetten.
b De acties zijn grappig om te protesteren tegen het gebruik
van de auto.
c De acties zijn grappig om verkeersslachtoffers te veroorzaken.

3 Welke zin klopt niet?   **a** Zure regen veroorzaakt dode bomen.
b Auto's veroorzaken verkeersslachtoffers.
c Autotentoonstellingen veroorzaken verkeersslachtoffers.

C **22** Hieronder staan negen zinnen. Geef uw reactie op die zinnen.
Gebruik de volgende constructies:

Daar ben ik voor.
Daar ben ik tegen.
Daar ben ik het mee eens.
Daar ben ik het niet mee eens.
Dat vind ik ook.
Dat vind ik niet.
Dat weet ik niet.

1 Winkels moeten elke avond open zijn. _____

2 Veel Nederlanders praten te hard. _____

3 Iedereen moet altijd een legitimatie bij zich hebben. _____

4 Moeders met kinderen mogen niet werken. _____

5 Er zijn nog te weinig buitenlandse studenten aan de universiteiten.

_____

6 De trein is beter dan de auto. _____

7 Politiek is iets voor politici, niet voor gewone mensen. _____

8 Er zijn in Nederland teveel politieke partijen. _____

9 Nederlands is een makkelijke taal. _____

C **23** Schrijf hieronder vijf dingen op waar u voor bent, en vijf dingen waar u tegen bent.

voor	*tegen*
_____	_____
_____	_____
_____	_____
_____	_____
_____	_____

C **24** Welk woord hoort er niet bij?

1 actie voeren – protesteren – staken – veroorzaken

2 opvallen – spreken – verstaan – zien

3 bibliotheek – boek – geweld – woord

4 broek – gezicht – jas – vest

5 doorverbinden – opbellen – protesteren – telefoneren

6 groep – lid – taal – vereniging

7 actie – activist – protest – tentoonstelling

8 overheid – slachtoffer – staatshoofd – Tweede Kamer

C **25** Vul in: *auto, bang, boom, doodgaan, grond, pas, regen, toen, aan het denken zetten*
Verander zo nodig de vorm van de werkwoorden.

1 Ik ben gisteren met de _____ naar Maastricht gegaan.

2 Ik ben _____ tegen een _____ gereden.

3 Door de _____ zag ik de weg niet goed.

4 De auto reed nog wel, maar ik was _____ geworden.

5 Ik ben even op de _____ gaan zitten.

6 Zoiets _____ je _____.

7 Ik had wel _____ kunnen _____!

8 Maar daar denk je _____ aan als het te laat is.

C **26** Luister naar Tekst 4.
Maak de tekst compleet.

Nederland heeft niet alleen veel politieke partijen, maar ook veel actiegroepen.
Ineke Peters is lid van zo'n actiegroep.

journalist Ineke, jij bent _____ van de actiegroep 'Brandnetel'.

_____ 'Brandnetel'?

Ineke Peters 'Brandnetel' is een milieugroep.

journalist Waar protesteren jullie _____?

Ineke Peters Nou, wij protesteren _____ tegen het gebruik van de auto.

journalist Wat voor _____ acties voeren jullie?

Ineke Peters O, onze acties zijn _____ grappig.

Zo proberen we op te vallen en de mensen aan het _____ te zetten.

journalist Kun je _____ geven?

Ineke Peters Ja, we hebben pas _____ tegen het grote aantal auto's in

_____ land.

We zijn naar een grote autotentoonstelling _____.

En daar hebben we _____ gevoerd.

Ik was _____ boom.

journalist Boom?
Ineke Peters Ja kijk, omdat er zoveel auto's zijn, _____ er zure regen

en _____ gaan de bomen dood.

Andere mensen lagen op de _____, met tomatenketchup
op hun gezicht.

journalist   Hoezo?

Ineke Peters   Nou, de auto's veroorzaken _____ ook veel verkeersslachtoffers.

journalist   Jaja.

_____ jij ook voor harde acties, _____

auto's kapot maken?

Ineke Peters   Nee, _____ ben ik tegen. Ik ben tegen geweld.

journalist   Bedankt voor _____ interview.

Ineke Peters   Nou, graag gedaan.

C 27 Lees de vragen. Lees Tekst 5. Zijn de zinnen waar of niet waar?

1 Op Poetry International wordt in verschillende talen voorgelezen.   ☐ waar   ☐ niet waar

2 Remko is een beroemde dichter.   ☐ waar   ☐ niet waar

C 28 Maak nu zelf een gedicht over een boom. Lees het gedicht voor.

_____

_____

_____

_____

_____

_____

D 29 Vragen vooraf

1 Hebt u wel eens gestemd?

2 Wilt u zeggen op wie?

3 Op welke Nederlandse partij zou u willen stemmen?

D 30 Lees de vragen. Luister naar Tekst 6.
Beantwoord de vragen.

1 Hoeveel personen vertellen iets in deze tekst? _____

2 Hoeveel van die personen gaan altijd stemmen? _____

D ▭ **31** Lees de vragen. Luister nog een keer naar Tekst 6.
Beantwoord de vragen.

1 Waarom koopt Thérèse altijd een Duitse krant?

_____

2 Waarom kan Benji niet kiezen?

_____

3 Voor wie is stemmen belangrijk volgens Christine?

_____

4 Op wat voor partij stemt Rui Frederico?

_____

5 Op welke partij stemt Liesbeth?

_____

D **32** Maak de zinnen af.

1 Christine gaat altijd stemmen, want _____.

2 Christine vindt stemmen heel belangrijk.

Waarom? Omdat _____.

3 Thérèse vindt Nederlandse kranten moeilijk.

Waarom? Omdat _____.

4 Rui Frederico stemt op een christelijke partij, want _____.

5 Benji kan niet kiezen, want _____.

6 Liesbeth stemt op een grote partij, omdat _____.

7 Ze stemt VVD, want _____.

8 Ik vind het leuk om in Nederland te wonen omdat _____.

9 Maar soms wil ik hier niet wonen, want _____.

E   39 Lees de vragen. Lees Tekst 7 nog een keer.
Kies het goede antwoord.

1 Naar wie schrijft de Amnesty-schrijfgroep de brieven?   **a** Naar politieke gevangenen.
b Naar regeringen.
c Naar Deodatta Sharma.

2 Kent de Amnesty-schrijfgroep de gevangenen?   **a** Ja ze weten alles.
b Nee, ze weten bijna niets.

E   40 Lees de vragen. Lees Tekst 8.
Zijn de zinnen waar of niet waar?

1 In Bhutan is geen tv-station.   ☐ waar   ☐ niet waar

2 De krant van Bhutan is een dagblad.   ☐ waar   ☐ niet waar

3 De krant van Bhutan verschijnt in één taal.   ☐ waar   ☐ niet waar

E   41 Lees de vragen. Lees Tekst 8 nog een keer.
Beantwoord de vragen.

1 Hoeveel mensen wonen er in Bhutan?   _____

2 Wat is de naam van de krant van Bhutan?   _____

3 Hoe vaak verschijnt de krant?   _____

E   42 Wat is het woord? Luister naar de docent.

12 Mag ik jullie even onderbreken?

A **1 Vragen vooraf**

1 Wanneer onderbreekt u iemand?
2 Wat doet u als u iemand wilt onderbreken?

A **2** Lees de vragen. Luister naar Tekst 1.
Zijn de zinnen waar of niet waar?

1 Alex stoort het gesprek van Michel en Bettie. ☐ waar ☐ niet waar

2 Alex is met de auto naar het feest gekomen. ☐ waar ☐ niet waar

A **3** Lees de vragen. Luister nog een keer naar Tekst 1.
Kies het goede antwoord.

1 Waarom onderbreekt Alex het gesprek
tussen Bettie en Michel?
    a Hij wil Bettie en Michel groeten.
    b Hij wil dat Bettie meerijdt naar Utrecht.
    c Hij wil met Bettie meerijden naar Utrecht.

2 Wie woont er in de Tulpstraat in Utrecht?
    a Alex
    b Bettie
    c Michel

3 Sylvia nodigt haar gasten uit
    a om iets te eten.
    b om iets te drinken.
    c om te gaan dansen.

A **4** Lees de vragen. Luister naar Tekst 2.
Zijn de zinnen waar of niet waar?

1 Er zijn problemen op de afdeling van Wim Kaptein. ☐ waar ☐ niet waar

2 Dora Reitsma vindt het gesprek met Wim Kaptein belangrijk. ☐ waar ☐ niet waar

3 John belt Dora later nog een keer. ☐ waar ☐ niet waar

A **5** Lees de vragen. Luister nog een keer naar Tekst 2.
Maak de zinnen af.

1 Wim Kaptein wil met Dora Reitsma praten, maar _____.

2 John wil met Dora Reitsma praten, maar _____.

A   6 Kies de goede reactie. Er zijn meerdere mogelijkheden.

1 U hebt een formulier voor de belasting nodig. U gaat naar het
postkantoor. U weet niet of ze de formulieren hebben. Het is druk op
het postkantoor: er zijn vijf wachtenden voor u. U hebt weinig tijd.
Wat zegt u?
a Moment! Waar liggen de belastingformulieren?
b Neem me niet kwalijk, maar heeft u ook belastingformulieren?
c Ik heb weinig tijd. Geeft u mij snel belastingformulieren.

2 Uw vriend heeft uw boek over computers. U hebt dit boek nodig.
U belt uw vriend op. Hij zit net te eten. Wat zegt u?
a Dat boek over computers, weet je wel? Kan je dat even bij me
brengen?
b Neemt u me niet kwalijk, maar mag ik u even tijdens de maaltijd
onderbreken?
c Sorry dat ik je stoor, maar ik heb even een vraag.

3 U bent in een boekwinkel. U wilt *Wilde zwanen* van de Chinese
schrijfster Jung Chang kopen. In de winkel zijn twee verkopers.
Ze praten en lachen met elkaar. U wilt weten of ze het boek hebben.
Wat zegt u?
a Een ogenblik, kunt u me even helpen?
b Sorry, maar kunt u me even helpen?
c Mag ik u even onderbreken? U moet even helpen.

4 U wilt iets bestellen op een terras in Antwerpen. De ober zegt heel
veel. Maar hij praat Frans. U verstaat hem niet. Wat zegt u?
a Mag ik u even onderbreken? Ik spreek Nederlands.
b Kunt u misschien wat langzamer praten?
c Een ogenblik alstublieft. Ik spreek toch Nederlands!

A   7 Wat zegt u in deze situaties?

1 U staat bij de slager in de winkel. U bent aan de beurt. Een man die na
u binnenkomt, bestelt meteen een half pond salami. Wat zegt u?

_____

2 U hebt eten gekookt. U zit net aan tafel, dan gaat de telefoon. Het is
een goede vriendin van u. Ze heeft zin om lang met u te praten.
U wilt gaan eten. Wat zegt u?

_____

3 U staat met een meneer en mevrouw bij de bushalte te wachten.
De man en vrouw zijn in gesprek. U wilt graag weten hoe laat de bus
komt. Wat zegt u?

_____

4 In een groot warenhuis wilt u een sjaal kopen. U weet niet waar de
sjaals liggen. Bij de kassa is de caissière in gesprek met een
verkoopster. Wat zegt u?

5 U gaat met een vriendin naar de bioscoop. U heeft kaartjes nummer 6
en 7 in rij 19. Er zitten al mensen op nummer 6 en 7 van rij 19.
Ze praten met elkaar. Wat zegt u?

A **8** Vul in: *allemaal, blijven, gang, jongen, langs, midden, vlak bij, voordat*
Verander zo nodig de vorm van de werkwoorden.

Op straat
A Goedemiddag meneer, kent u het Historisch Museum?

1 B Ja natuurlijk _____.
  A Vindt u het …

2 B Eh, even denken. Het moet hier _____ zijn.
  A Neemt u me niet kwa…

3 B Even kijken, hier oversteken en als je dan rechts _____ lopen tot die
     winkels daar, dan…
  A Sorry, maar…

4 B … dan kom je _____ een groentewinkel.

5   In het _____ van die straat is een bibliotheek. Naast die bibliotheek is

     een smalle

6   _____. Als je daarin gaat ben je er bijna.

7   Heb je het _____ begrepen?

8 A Sorry, _____ u verder gaat, ik houd een enquête. Ik wilde u alleen maar

     vragen wat u van het museum vindt.

A 9 Luister naar Tekst 1.
Maak de tekst compleet.

Alex   _____, maar woon jij in Utrecht?

Bettie   Ja, dat _____.

Alex   Ja, _____ dat ik even stoor.

Michel   O, dat _____ niet, hoor.

          _____.

Alex   Ik hoor _____ dat jij hier met de auto bent.

          Kan ik _____ met je meerijden?

Bettie   Goed, maar _____ woon je?

Alex   In de Tulpstraat, _____ het station.

Bettie   Ja, prima, daar kom ik toch _____.

Sylvia   Sorry jongens, mag ik jullie _____?

Michel   Jij _____, Sylvia.

Sylvia   Ja, er staan _____ lekkere hapjes op tafel.

          _____ jullie?

Michel   Ja lekker, we _____ zo.

A 10 Luister naar Tekst 1. Herhaal de zinnen.

A 11 Luister nog een keer naar Tekst 1. Hoeveel vragen hoort u?

_____ vragen.

B 12 **Vraag vooraf**

Wat zegt u als iemand u onderbreekt?

B 13 Lees de vragen. Luister naar Tekst 3, 4 en 5.
Zijn de zinnen waar of niet waar?

1 De klant onderbreekt de lokettist.   ☐ waar   ☐ niet waar
2 Anne Zeilstra laat de voorzitter uitspreken.   ☐ waar   ☐ niet waar
3 Simon de Wit wordt onderbroken.   ☐ waar   ☐ niet waar

B ▭ **14** Lees de vragen. Luister nog een keer naar Tekst 3, 4 en 5.
Beantwoord de vragen.

1 Waar kan de man een aangetekende brief halen? _____

2 Wat betekent R.v.B.? _____

3 Wat is de grootste godsdienst in China? _____

B ▭ **15** Kies het goede antwoord.

1 Wanneer zegt u *Laat me even uitspreken*?
   a Als iemand u niet de tijd geeft om iets te vertellen.
   b Als de caissière van de bioscoop u vraagt of u een plaats op de eerste rij wilt hebben.
   c Als uw buurman vraagt hoe het met u gaat.

2 Wanneer zegt u *Ik heb een vraag*?
   a Als u iets niet begrijpt, bijvoorbeeld tijdens de Nederlandse les.
   b Als u bij de groenteboer iets koopt.
   c Als u bij een vriend bent en u gaat weer naar huis.

3 Wanneer zegt u *Moment, ik ben zo klaar*?
   a Als de politie vraagt naar uw rijbewijs.
   b Als een mevrouw in de trein vraagt of de plaats naast u vrij is.
   c Als een vriend op u staat te wachten.

4 Wanneer zegt u *Mag ik even iets vragen*?
   a Als u in een café een kopje koffie wilt drinken.
   b Als u op het postkantoor informatie over vreemd geld wilt hebben.
   c Als u de telefoon opneemt.

5 Wanneer zegt u *Een ogenblik*?
   a Als u wilt weten hoe laat het is.
   b Als iemand u iets vraagt en u nog een telefoonnummer moet opschrijven.
   c Als de les begint en u zin heeft in een kopje koffie.

B ▭ **16** Kies de goede reactie.

1 Uw Nederlandse vriend is jarig. Op het feest gaat het gesprek over
'de actie van Brandnetel'. U weet niet wat 'Brandnetel' is. Wat zegt u?
   a Mag ik even weten wat 'Brandnetel' betekent?
   b 'Brandnetel', denken jullie dat echt?
   c Hoe heet dat ook al weer?

2 Een Nederlander is twee weken in uw land geweest. In een lezing geeft
hij een beeld van de economische situatie in uw land. Dat beeld is
volgens u verkeerd. Wat zegt u?
   a Ik ben vóór de economie van mijn land.
   b Ik ben nog niet uitgesproken.
   c Ik wil graag iets zeggen.

3 U gaat met uw vriendin naar vrienden. Als u de deur uitgaat, gaat de
telefoon. Het is een vriend, die een afspraak met u wil maken.
U vriendin is bang dat jullie te laat komen en zegt: 'Schiet nou toch
op.' Wat zegt u tegen uw vriendin?
a Ja, ik heb even een vraag.
b Ja, ik ben zo klaar.
c Ja, dat vind ik ook.

4 U bent aan het koken, want vanavond komt er iemand bij u eten.
U wilt iets heel speciaals maken en dat is erg moeilijk. Dan komt uw
vriend binnen. Hij wil met u praten. Als u nu stopt gaat het verkeerd
met het eten. Wat zegt u?
a U kunt me niet onderbreken.
b Moment, ik wil even iets vragen.
c Sorry, ik ben even bezig.

5 Uw docent zegt dat u oefening 23 moet gaan maken. Maar die
oefening is al klaar. Misschien bedoelt uw docent oefening 32.
Wat zegt u?
a Mag ik even iets vragen? Welke oefening bedoelt u?
b Zeker weten?
c Het maakt mij niet uit.

B   **17**   Vul in: *akkoord, bestuur, bezig, laatst, plan, punt, uitspreken, vergadering, voorzitter*
Verander zo nodig de vorm van de werkwoorden.

1 Ik was gisteren op een _____ van de actiegroep.

2 We zijn wel drie uur _____ geweest met die autotentoonstelling.

3 Heinz had een _____ zei hij. Hij wilde alle auto's kapot maken.

Zeven mensen waren ervoor en zeven waren ertegen.

4 Ik was ertegen. Wie gaat er nou met zoiets _____?

5 Na anderhalf uur waren we op het _____ dat de een niet meer luisterde naar de

6 ander. Ook niet naar de _____.

7 We lieten elkaar niet meer _____.

8 Op het _____ is het hele _____ weggegaan, en nu zit ik

hier. Wat moeten we doen, denk je?

B   **18**   Spreekoefening. Bedenk een reactie.

1 Neem me niet kwalijk, maar kunt u misschien een tientje wisselen?

_____

2 Sorry dat ik even stoor …

_____

3 Sorry jongens, mag ik jullie even onderbreken?

_____

4 Mag ik u even onderbreken?

_____

5 O, een ogenblikje, de telefoon gaat.

_____

6 Ik heb even een vraag.

_____

7 Mag ik even iets vragen?

_____

B   19 Luister naar de docent.
Hoeveel woorden heeft elke zin?

1 _____ woorden   3 _____ woorden   5 _____ woorden   7 _____ woorden

2 _____ woorden   4 _____ woorden   6 _____ woorden   8 _____ woorden

C   20 Vragen vooraf

1 Onderbreekt u de docent wel eens?
2 Wat zegt u als u de docent onderbreekt?

C   21 Lees de vragen. Luister naar Tekst 6.
Zijn de zinnen waar of niet waar?

1 Er is vandaag geen test.   ☐ waar   ☐ niet waar

2 De docent wordt drie keer onderbroken.   ☐ waar   ☐ niet waar

3 De docent kijkt de test tijdens het huiswerk na.   ☐ waar   ☐ niet waar

C   22 Lees de vragen. Luister nog een keer naar Tekst 6.
Beantwoord de vragen.

1 Wat gebeurt eerst: de test of doorgaan met oefening 3?

a _____   b _____

2 Wat gebeurt eerst: de test of vragen over de vorige les?

a _____   b _____

3 Wat gebeurt eerst: de test of huiswerk bespreken?

a _____   b _____

C **23** Vul in: *bespreken, betekenen, nakijken, schoon, uitdelen, uitleggen, vergeten, vorige*
Verander zo nodig de vorm van de werkwoorden.

1 A Ik begrijp nog niet precies wat je bedoelt.

   B Goed, dan zal ik het je nog een keer _____.

2 A Ik wil graag een keer met u praten, want ik vind dat het de laatste tijd niet goed gaat.

   B Het spijt me, maar ik heb nu geen tijd. We moeten dat later maar een keer

   _____.

3 A Heb ik de test goed gemaakt?

   B Dat weet ik nog niet, maar na de les zal ik je werk meteen _____.

4 A Ik heb voor iedereen koffie meegenomen.

   B Wat aardig van je! Zal ik je even helpen met _____?

5 A Heb je al antwoord op de vraag of ze komt?

   B Ja, misschien, heeft ze gezegd. Maar dat kan natuurlijk van alles _____.

6 A Is er vanavond nog iets op tv?

   B Ja, een film, maar die is _____ maand ook al geweest.

7 A Neem me niet kwalijk maar wat is je naam ook al weer? Ik _____ het
   steeds.

   B Monica, ik ben Monica.

8 A Ober, heeft u een ander kopje, dit kopje is niet _____ !

   B Neemt u me niet kwalijk mevrouw.

C **24** Wat betekent ongeveer hetzelfde?

1 allemaal	a allerlei	1 _____	
2 daarna	b goed	2 _____	
3 doorgaan	c nadat	3 _____	
4 geven	d onderbreken	4 _____	
5 prima	e terwijl	5 _____	
6 storen	f uitdelen	6 _____	
7 tijdens	g verder gaan	7 _____	

C   **25** Vul in: *dat / of*

Een telefoongesprek

John   Met John Collins.

1 *Arno*   Hallo John met Arno. Ik wil weten _____ je morgen mee naar Arnhem gaat.

2 *John*   Nou, ik moet om zes uur thuis zijn. Ik weet niet _____ we voor zes uur thuis zijn.

3 *Arno*   Nee, ik geloof _____ we pas om zeven uur of zo terug zijn.

4 *John*   Ik denk _____ ik maar niet meega.

5   Nou, ik hoop _____ je een leuke dag hebt.

6 *Arno*   Ik ook, anders weet ik niet _____ ik volgend jaar weer meega.

   John   Tot ziens.

   Arno   Tot ziens.

C   **26** Maak de zinnen af.

1 Ik weet niet of _____.

2 Ik vind dat _____.

3 Volgens mij is het zo dat _____.

4 Weet jij of _____?

5 Ze weet niet waarom _____.

6 Weet iemand hoe _____?

7 Iedereen weet toch _____.

8 Ik weet niet _____.

9 Kunt u mij zeggen _____?

10 Ik wil even vragen _____.

11 Hij zegt dat _____.

C   **27** Zet de zinnen in de goede volgorde. Maak van de zinnen één verhaal.
Gebruik de woorden: *eerst, dan, daarna, ten slotte*

1 Kook het water. _____

2 Goed schudden. _____

3 Neem 200 ml drinkwater. _____

4 Doe de DIORALYTE in een fles of glas. _____

5 Doe het water bij de DIORALYTE. _____

C **28** Spreekoefening. Luister naar de docent.

C **29** Schrijf op wat u morgen gaat doen.
Gebruik de woorden: *eerst, daarna, dan, nadat, voordat, terwijl*

_____

_____

_____

_____

_____

_____

C **30** Luister naar Tekst 6. Herhaal de zinnen.

D **31 Vragen vooraf**

1 Kent u Nederlandse gebaren?
2 Welke?
3 Welk gebaar maakt u als u iemand niet begrijpt?

D **32** Lees de vragen. Lees Tekst 7. Beantwoord de vragen.

1 Wat doet men in Turkije als men wil zeggen: 'Het is klaar'?

_____

2 Wat bedoelt een Nederlander als hij naar zijn voorhoofd wijst?

_____

3 Wat doet men in Zuid-Italië als men wil zeggen: 'Niets mee te maken'?

_____

D **33** Een cursist maakt een gebaar. Wat betekent het?
Luister naar de docent.

D **34** Oefening bij Tekst 8. Kies het goede antwoord.

1 Op welke dag van de week heeft dit weerbericht in de krant gestaan?
 a dinsdag **b** zaterdag **c** maandag

2 Wanneer is de kans op regen het grootst?
 a zaterdag en zondag **b** zondag en maandag **c** maandag en dinsdag

3 Wanneer is de kans op mist het grootst?
 a zaterdag **b** zondag **c** maandag

D **35** Vul in: *blik, gek, hetzelfde, juist, mogelijk, neus, schudden, stof, tijdens*
 Verander zo nodig de vorm van de werkwoorden.

Bij Anneke en Gerard

A Hè? Wat ben jij aan het doen?

1 B Schoonmaken. Er ligt hier zoveel _____ en vanavond komen er wat vrienden.

2 A Komt André ook? Leuk! Hij doet altijd zo _____.

3 Eén _____ van André is genoeg om iedereen te laten lachen.

4 Wat zit je nou toch nee te _____?

5 Is André niet die man met die grote _____?

6 B Nee, dat is Hugo. Die is _____ altijd zo serieus.

7 _____ de verkiezingen heb ik eens uren met hem over de regering zitten praten.

8 We denken er precies _____ over.

9 A Hoe is dat toch _____?

D **36** Vul in: *droog, gebaar, graad, graden, leeg, rond, weer, wind*

Bij Teun en Maria

A Wil je iets drinken?

1 B Ja, iets fris graag. Zeg, weet je wat voor _____ het morgen wordt?

2 A Ze zeggen dat het overdag _____ blijft.

3 Misschien _____ de avond wat meer _____.

 B Warm?

4 A Ja, wat is warm? Ik geloof een _____ of twintig.

5 B Wat betetekent dat _____ eigenlijk?

6 A O, ongeveer, ik zei dat het ongeveer twintig _____ wordt.

7 Wil je nog iets drinken? Je glas is al weer _____.

13 Viel het mee of tegen?

A   **1 Vragen vooraf**

1 Waar woont u? In een flat, een kamer of een huis?
2 Hoeveel kamers heeft u?
3 Viel het mee om een kamer / woning te vinden?

A   **2** Lees de vragen. Luister naar Tekst 1.
Zijn de zinnen waar of niet waar?

1 De kamer in de Parnassiastraat was klein.   ☐ waar   ☐ niet waar

2 De kamer in de Parnassiastraat was op zolder.   ☐ waar   ☐ niet waar

3 De kamer had veel licht.   ☐ waar   ☐ niet waar

4 Er was een douche bij de kamer.   ☐ waar   ☐ niet waar

5 Bij de huur van de kamer was gas en licht inbegrepen. ☐ waar   ☐ niet waar

6 Theo de Zeeuw gaat de kamer in de Parnassiastraat huren. ☐ waar   ☐ niet waar

7 Gerrit Keizer weet een goede kamer voor Theo.   ☐ waar   ☐ niet waar

A   **3** Lees de vragen. Luister nog een keer naar Tekst 1.
Beantwoord de vragen.

1 Hoe groot was de kamer?

_____

2 Op welke verdieping was de kamer?

_____

3 Waarom viel de kamer tegen?

a _____

b _____

c _____

4 Wat gaat Theo nu doen?

_____

A **4** Geef uw mening.
Kies de goede reactie.

1 Viel het eten in Nederland mee? ☐ Ja, dat viel mee.
☐ Nee, dat viel tegen.

2 Valt het weer in Nederland mee? ☐ Ja, dat valt mee.
☐ Nee, dat valt tegen.

3 Vindt u het een voordeel om in een klein huis te wonen? ☐ Ja, dat vind ik een voordeel.
☐ Nee, dat vind ik een nadeel.

4 Vindt u het prettig om in een grote stad te wonen? ☐ Ja, dat vind ik een voordeel.
☐ Nee, dat vind ik een nadeel.

5 Valt het mee om Nederlandse vrienden te krijgen? ☐ Ja, dat valt mee.
☐ Nee, dat valt tegen.

6 Valt het mee om Nederlands te leren? ☐ Ja, dat valt mee.
☐ Nee, dat valt tegen.

7 Vindt u het prettig dat veel mensen in Nederland Engels spreken? ☐ Ja, dat is een voordeel.
☐ Nee dat is een nadeel.

A **5** Beantwoord de vragen.

1 Waar woont u? _____

2 Met hoeveel personen woont u samen? _____

3 Hoeveel kamers hebt u? _____

4 Op welke verdieping woont u? _____

5 Heeft u een zolder? _____

6 Hoeveel huur betaalt u? _____

7 Is dat all–in? _____

A **6** Vul in: *belachelijk, geluid, keuken, licht, luisteren, toevallig, vergeten*
Verander zo nodig de vorm van de werkwoorden.

1 A Pierre, Pierre, wat is dat voor _____?

B Hm? Geen idee.

2 A Doe het _____ eens aan!

B Laat me nou slapen.

3 A Ik geloof dat er iemand in de _____ is.

4 B Doe niet zo _____. Er is niemand.

5 A Wel! _____ dan toch!

      Ga nou even kijken.

    B Okee, okee.

6   Zeg, heb jij _____ de radio aangezet?

7 A Oei, helemaal _____.

A   **7** Luister naar de docent. Welk woord of woorddeel heeft accent? Zet daar een streep onder.

1 In de Parnassiastraat bedoel je?

2 Nee, dat viel erg tegen.

3 Dat is een voordeel.

4 Ja, daar heb je gelijk in.

5 Belachelijk!

6 En nu?

7 Nee, al sla je me dood.

A   **8** Luister naar de docent. Herhaal de zinnen.

1 O nee, dat viel erg tegen.
2 En je had zeker geen douche?
3 Dat is een voordeel.
4 Ik vind het juist een nadeel.
5 Belachelijk! Dat is toch veel te duur!
6 Weet jij toevallig iets?
7 Nee, al sla je me dood.

A   **9** Luister naar Tekst 1.
    Maak de tekst compleet.

Gerrit Keizer   Zeg, die kamer waar je _____ over had, is dat nog wat geworden?

Theo de Zeeuw   In de Parnassiastraat, bedoel je?

                      O nee, dat _____ erg _____.

Gerrit Keizer   Hoezo, was _____ een kleine kamer?

Theo de Zeeuw   Nou, dat _____ nog wel mee, hij was vier bij vijf.

Gerrit Keizer   Was het een zolderkamer?

Theo de Zeeuw   Nee, het was een kamer op de _____ grond, naast de keuken.

                      _____ was veel te weinig licht, vond ik.

Gerrit Keizer   En je had zeker geen douche?

Theo de Zeeuw   Ja, toch wel, ze hadden _____ douchecabine in de keuken gemaakt.

Gerrit Keizer .   En die kamer _____ naast de keuken?

Dat _____ een voordeel.

Theo de Zeeuw   Ik vind het juist een _____.

Je hoort dan _____ geluiden uit de keuken.

Gerrit Keizer   Ja, daar heb je _____ in.

Hoeveel was de huur eigenlijk?

Theo de Zeeuw   ƒ 450,–.

Gerrit Keizer   Belachelijk! Dat is toch veel te duur! Gas en licht inbegrepen?

Theo de Zeeuw   Ja, het _____ all–in, maar ik vind het ook _____ duur.

Gerrit Keizer   En nu?

Theo de Zeeuw   Ik ga maar weer _____ zoeken.

Weet jij toevallig _____?

Gerrit Keizer   Nee, al sla je _____ dood.

Maar als ik wat weet, dan _____ meteen.

A   10 Spreekoefening. Luister naar de docent.

B   11 Vragen vooraf

1 Waar ligt Almere?
2 Wat voor keuken heeft u?
3 Hoe groot is uw tuin?

B   12 Lees de vragen. Luister naar Tekst 2.
Zijn de zinnen waar of niet waar?

1 De familie Kastelein komt uit Amsterdam.   ☐ waar ☐ niet waar

2 In Amsterdam woonde de familie in een benedenhuis.   ☐ waar ☐ niet waar

3 De familie wil terug naar Amsterdam.   ☐ waar ☐ niet waar

B   **13**   Lees de vragen. Luister nog een keer naar Tekst 2.
Beantwoord de vragen.

1   Welke nadelen noemen Henk en Anja Kastelein van hun woning in Amsterdam?

_____

_____

_____

_____

_____

2   Welke voordelen noemen Henk en Anja Kastelein van hun woning in Almere?

_____

_____

_____

_____

_____

_____

B   **14**   Welk woord hoort er niet bij?

1   groen – wit – licht – zwart
2   keuken – slaapkamer – woonkamer – wandmeubel
3   meter – trap – balkon – zolder
4   bank – tafel – goud – bureau
5   bovenhuis – drie hoog – zolder – douche
6   kamer – kast – flat – woning

B   **15**   Wat betekent ongeveer hetzelfde?

1   Ik *vind* de film *het einde.*
     a   Ik vind het einde van de film erg goed.
     b   Ik vind de film erg goed.
     c   Ik vind dat de film lang duurt.

2   Hij loopt maar *op en neer* door de kamer.
     a   Hij loopt heen en weer door de kamer.
     b   Hij loopt van boven naar beneden door de kamer.
     c   Hij loopt hard door de kamer.

3   Ik ga *voor geen goud* verhuizen.
     a   Ik ga niet verhuizen; ik vind het hier erg goed.
     b   Ik ga niet verhuizen; er is te veel goud in dit huis.
     c   Ik ga alleen verhuizen als ik goud krijg.

4   Waar *heb* je *het* toch *over?*
     a   Waar zijn de dingen toch die je over hebt?
     b   Waar ga je toch naartoe?
     c   Waar praat je toch over?

5 *Al sla je me dood*, ik heb geen idee.　　**a** Ik weet niet wie je doodgeslagen hebt.
　　　　　　　　　　　　　　　　　　　　　b Sla me niet dood! Ik weet het niet.
　　　　　　　　　　　　　　　　　　　　　c Zelfs als je me doodslaat, weet ik het nog niet.

6 Wij wonen vier *hoog*.　　　　　　　　　**a** Wij wonen op de vierde verdieping.
　　　　　　　　　　　　　　　　　　　　　b Wij wonen vier meter hoog.
　　　　　　　　　　　　　　　　　　　　　c Wij wonen in een huis met vier verdiepingen.

B　**16**　Vul in: *familie, inrichten, missen, op en neer, reden, terug, ver, weg*
　　　　Verander zo nodig de vorm van de werkwoorden.

1 A　Fred gaat _____ uit Heemstede. Hij gaat verhuizen.

2 B　Waarom? Wat is de _____?

3 A　Hij moet nu steeds _____ naar Arnhem voor zijn werk.

4 　Hij is 's avonds pas om acht uur _____.

5 B　Is Arnhem zo _____?

　A　Ja zeker 120 kilometer.

6 B　Nee, dat is niet te doen. Ik zal hem _____.

7 A　Ja ik ook. Maar voor Fred is het beter. Zijn hele _____ woont daar.

　B　Heeft hij al een huis gevonden?

8 A　Ja. Hij is al druk bezig met _____.

B　**17**　Vul in: *bij, kast, bureau, keuken, trap, huur, vlak bij, ontzettend, wonen*
　　　　Verander zo nodig de vorm van de werkwoorden.

Beste Ahmed,

Vorige week ben ik verhuisd.

1 Mijn huis heeft drie kamers. De woonkamer is ongeveer 4 _____ 7 meter.

2 De _____ is veel kleiner.

3 De kleinste slaapkamer lijkt meer op een grote _____ dan op een kamer!

4 Mijn _____ past er maar net in.

5 Voor de twee slaapkamers moet je een hele smalle _____ op.

6 Het is niet erg groot, maar ik betaal ook maar ƒ 375,– _____.

7 Ik woon nu _____ mijn werk, en dat is _____ makkelijk.

8 Ik ben nu rond vijf uur thuis; toen ik nog in Heemstede _____ pas om acht uur.

Groeten van
Fred

B   **18** Wat vindt u niet, een beetje, of erg belangrijk bij het zoeken naar een kamer of woning?
Vul het schema in.

	niet belangrijk	*een beetje belangrijk*	*erg belangrijk*
1 een lage huur	☐	☐	☐
2 een rustige straat	☐	☐	☐
3 een grote keuken	☐	☐	☐
4 een badkamer	☐	☐	☐
5 een tuin	☐	☐	☐
6 een balkon	☐	☐	☐
7 veel zon	☐	☐	☐
8 veel winkels in de buurt	☐	☐	☐
9 goede buren	☐	☐	☐
10 dicht bij een bushalte	☐	☐	☐

Noem andere zaken die u ook belangrijk vindt bij het zoeken naar woonruimte.

_____

_____

_____

_____

B   **19** Vul in: *gaan, hebben, huren, kunnen, moeten, trouwen, verhuizen, worden, zijn*
Zet de werkwoorden in de o.v.t.

1 In 1968 t_____ mijn moeder met een Nederlander.

2 Samen g_____ ze naar Nederland.

3 Eerst h_____ ze een bovenwoning in Rotterdam.

4 Later v_____ ze naar Den Haag.

5 Ik w_____ in Den Haag geboren.

6 We h_____ er een groot huis.

7 Het w_____ een mooi, oud huis.

8 Jammer genoeg k_____ we er maar zes jaar wonen.

9 Er m_____ een flat op die plaats komen.

B **20** Vul in: *gaan, hebben, komen, krijgen, moeten, spreken, verhuizen, wonen, zijn*
Zet de werkwoorden in de o.v.t.

1 Mijn oma _____ jaren in Parijs.

2 Ze _____ er een kleine verdieping met twee kamers.

3 Toen ze kinderen _____, _____ ze naar Brussel.

4 Ze _____ toen twintig jaar.

5 Mijn moeder _____ dus in Brussel naar school.

6 Op school _____ ze Frans spreken.

7 Thuis _____ ze Spaans.

8 Haar moeder, mijn oma dus, _____ namelijk uit Spanje.

B **21** Luister nog een keer naar Tekst 2.
Welke zinnen hoort u?

	ja	*nee*
1 Nou, in de eerste plaats toch wel het huis, hè?	☐	☐
2 Woonde u daar dan niet goed?	☐	☐
3 Ja, altijd die trappen op hè?	☐	☐
4 Dat was niet te doen op den duur.	☐	☐
5 En Patrick vond het ook meteen het einde.	☐	☐
6 En daar zette ik hem op het balkon.	☐	☐
7 Dus u mist Antwerpen niet?	☐	☐

B **22** Geef een beschrijving van uw woning.
U kunt gebruik maken van de volgende woorden: *kamer – flat – huis – woning – lift – trap – beneden – boven – verdieping – gang – douche – woonkamer – slaapkamer – keuken – badkamer – wc – kelder – zolder – balkon – deur – raam – tuin*

_____

_____

_____

_____

_____

_____

_____

_____

_____

B   **23** Spreekoefening. Luister naar de docent.

_____ werd in oktober geboren

_____ werkte in een café

_____ woonde in een grote stad

_____ moest meer dan tien kilometer lopen naar school

_____ woonde in meer dan twee verschillende landen

_____ had geen buren

_____ had in zijn / haar eigen land een auto

_____ moest vóór acht uur naar bed

_____ hield niet van huiswerk maken

_____ kwam vaak te laat thuis

_____ was een rustig kind

_____ speelde vaak op straat

_____ moest van zijn / haar moeder altijd vis eten

_____ was enig kind

_____ hield niet van de winter

_____ rookte op zijn / haar zevende jaar

_____ ging voor zijn / haar derde jaar naar het buitenland

_____ had familie in Amerika

B   **24** Beantwoord de vragen.

1 Welke stoel zou u het liefst willen hebben?
2 Waarom?
3 Welke stoel wilt u niet in uw huis?
4 Waarom niet?
5 Vertel over een stoel, tafel, enzovoort, die u
gekocht heeft. Was het een goede
of een slechte koop?
Waar heeft u ze gekocht? Wanneer?

C   **25 Vragen vooraf**

1 Wat voor meubels heeft u?
2 Hebben Nederlanders mooie meubels?

C   **26** Lees de vragen. Luister naar Tekst 3.
Vul in: *Donatella, Craig, Jaime.*

1 _____ komt uit Italië.

2 _____ heeft een tante in Gouda.

3 _____ vindt Nederland een grijs land.

4 _____ woont op een studentenflat.

5 _____ houdt niet van buren.

6 _____ had een grote tuin.

7 _____ vindt dat Nederlanders altijd binnen zitten.

C 📼 **27** Lees de zinnen. Luister nog een keer naar Tekst 3.
Wie zou het volgende *kunnen* zeggen? Vul de naam in.

1 In Nederland zijn minder kleuren.   _____

2 Jammer genoeg heb ik nu buren.   _____

3 Het is in de huizen zo lekker warm.   _____

4 Nederlanders hebben een goede smaak.   _____

5 De huizen zijn in Nederland kleiner.   _____

6 Op mijn balkon kunnen de honden niet spelen.   _____

7 Na acht uur 's avonds zie je bijna niemand op straat.   _____

8 Hier is antiek echt oud.   _____

C 📼 **28** Lees de vragen. Luister nog een keer naar Tekst 3.
Beantwoord de vragen.

1 Wat is het verschil tussen het huis van Donatella in Italië en haar huis in Nederland?

_____

2 Wat is het verschil tussen Amerika en Nederland volgens Craig?

a _____

b _____

3 Wat is het verschil tussen Mexico en Nederland volgens Jaime?

a _____

b _____

c _____

C **29** Vul in: *begin, bos, buren, contact, hond, oranje, ruimte*

1 A Greta, heb jij veel _____ met Nederlanders?

2 B Nu wel, maar in het _____ niet zo veel.

3   Toen eigenlijk alleen met de _____.

  A Rechts of links naast je?

4 B Links, bij die _____ deur.

5   Ze zijn erg aardig. Ze hebben ook een _____.

6   Soms nemen we de honden mee naar het _____.

7   Daar hebben ze nog _____ om lekker los te lopen.

C **30** Vul in: *beneden, centrale verwarming, eeuw, gebouw, keuken, koud, tante, noemen*
Verander zo nodig de vorm van het werkwoord.

1 Ik ga vanmiddag naar mijn _____ en haar man.

2 Ze hebben feest. Ze zijn een halve _____ getrouwd.

3 Ze wonen al vijftig jaar in hetzelfde grote huis. Ze hebben geen

  _____, alleen maar kachels.

4 Het is er meestal _____ vind ik. Ze gebruiken eigenlijk alleen maar twee kamers

5 boven. Ze komen bijna nooit meer _____.

6 Er is ook een kleine _____ boven.

7 Ze willen niet naar een bejaardenhuis. Wat moeten wij in zo'n _____ met

  allemaal oude mensen, zeggen ze.

8 Ze zijn zelf 75 en 77 en ze _____ anderen oud!

C **31** Beantwoord de vragen.

1 Hoe groot is de ruimte waarin u nu bent?   _____

2 Hoe groot is uw keuken?   _____

3 Hoe groot is de tafel waaraan u zit?   _____

4 Hoe groot is het tekstboek van *Code Nederlands*?   _____

5 Hoe groot is het raam?   _____

6 Hoe groot is de deur?   _____

7 Hoe groot is een telefoonkaart?   _____

8 Hoe groot is een strippenkaart?   _____

C   **32** Deze voorwerpen zijn gemaakt van de volgende materialen:
hout – leer – goud – glas – plastic – papier
Vul bij elk voorwerp een materiaal in.
Verander zo nodig de vorm.

> **Voorbeeld**
>
> een *houten* tafel

1 een _____ asbak		5 een _____ sticker
2 een _____ stoel		6 een _____ kist
3 een _____ jack		7 een _____ schrift
4 een _____ kopje		8 een _____ riem

C   **33** Vul een bijvoeglijk naamwoord in. Verander zo nodig de vorm.

1 roze   Van wie is die _____ sjaal?

2 beroemd   De *Rolling Stones* zijn _____ in heel Europa.

3 koud   1963 had de _____ winter van de eeuw.

4 marmer   Die oude huizen hebben vaak _____ vloeren.

5 bruin   Ik heb alleen maar een _____ riem.

6 gebakken   Geef mij maar een _____ ei.

7 smal   Wat een _____ straat is dit.

8 schitterend Deze muziek vind ik _____.

9 hout   Die _____ tafel is voor zes personen.

C   **34** Spreekoefening. Luister naar de docent.

C **35** Geef een beschrijving van uw vorige woning.
Gebruik de onvoltooid verleden tijd.

Voorbeeld

Mijn vorige huis was erg klein.
Het lag in het midden van een klein dorp.
We hadden wel een grote tuin.
Maar de kamers waren erg klein, net als de keuken en er was geen badkamer.

_____

_____

_____

_____

_____

_____

_____

_____

C **36** Spreekoefening. Luister naar de docent.

C **37** Beantwoord de vragen.

1 Hoe groot is uw huis (in vierkante meters)?

_____

2 Hoe groot is uw woonkamer?

_____

3 Welke meubels staan er in uw woonkamer?

_____

4 Wat zijn de voordelen van het huis waar u nu woont?

_____

5 En wat zijn de nadelen?

_____

6 Hoe vaak bent u verhuisd?

_____

D   **38 Vragen vooraf**

1 Hoe kan brand ontstaan?
2 Hoe kunt u brand voorkomen?

D   **39** Lees de vragen.
Lees Tekst 4. Kies de goede antwoorden.

1 Brand komt vaak door:
    a roken in een oude stoel
    b de vlam in de pan
    c de vlam in de kachel
    d een kachel die schoon is
    e elektrische apparatuur die niet goed schoon is
    f te weinig ruimte rond elektrische apparatuur

2 Wat moet u doen bij brand?
    a de politie bellen
    b het alarmnummer bellen
    c de buren bellen
    d alle ramen en deuren dicht doen
    e zorgen dat iedereen weg gaat uit het huis
    f de familie waarschuwen
    g de buren waarschuwen
    h buiten op de brandweer wachten

D   **40** Lees Tekst 4 nog een keer. Wat moet u doen bij brand? Kies de goede volgorde.

a Waarschuw de buren.   1 _____

b Bel 06–11.   2 _____

c Wacht buiten op de brandweer.   3 _____

d Sluit de ramen en deuren.   4 _____

e Zorg dat iedereen het huis verlaat. 5 _____

D   **41** Maak combinaties van twee woorden.
Er zijn meerdere mogelijkheden.

1 eet   a keuken   1 _____

2 zolder   b café   2 _____

3 hoek   c verdieping   3 _____

4 woon   d meubel   4 _____

5 slaap   e kast   5 _____

6 keuken   f kamer   6 _____

7 wand   g bank   7 _____

D **42** Vul in: *dagelijks, elektrische, onmiddellijk, raam, roken, stoel, verlaten, zorgen*
Verander zo nodig de vorm van het werkwoord.

1 Donna gaat _____ met de trein naar haar werk.

2 Ze _____ haar huis om 7.45u, om te _____ dat ze

de trein haalt.

3 Donna _____ niet, dus ze gaat in het niet–roken stuk zitten.

4 Vandaag heeft ze een plaatsje bij het _____.

5 Donna gaat eerst met een dieseltrein, maar in Arnhem stapt ze op de

_____ trein.

6 Die vertrekt _____.

7 In die trein is er geen _____ meer voor haar. Dus moet ze staan.

D **43** Oefening bij Tekst 5. Beantwoord de vragen.

1 Wat is een hofje?

_____

2 Wie woonden er vroeger in de hofjes?

_____

D **44** Vul in: *brand, kletsen, regels, rijk, speciaal, stil, streng, waarschuwen*
Verander zo nodig de vorm van de werkwoorden en de bijvoeglijke naamwoorden.

1 Op mijn school waren de docenten ontzettend _____.

2 Er waren veel _____.

3 Je moest er bijvoorbeeld 's middags _____ zijn.

4 Dat was voor mij erg moeilijk, ik _____ erg veel.

5 Als we wilden praten, _____ er altijd wel iemand als er een docent aankwam.

6 Gisteren was er _____ in de bibliotheek.

7 De brandweer kwam veel te laat. Er waren veel _____ boeken in de bibliotheek.

8 Die kun je nooit meer kopen, al ben je nog zo _____.

D   **45** Welke woorden betekenen ongeveer hetzelfde?
Gebruik zo nodig een woordenboek.

1 kachel	a moeder	1 _____ .	
2 vloer	b sluiten	2 _____	
3 huis	c prachtig	3 _____	
4 ouder	d centrale verwarming	4 _____	
5 schitterend	e dicht	5 _____	
6 dicht doen	f grond	6 _____	
7 rustig	g woning	7 _____	
8 gesloten	h stil	8 _____	

D   **46** Kijk naar de afbeeldingen. Beantwoord de vragen.

1 Wat is het oudste huis? _____

2 Wat vindt u het mooiste huis? _____

3 Waar wilt u het liefst wonen? _____

4 Doe uw boek dicht. Beschrijf een huis. Een cursist kijkt of het klopt.

E   47 Oefening bij Tekst 6. Kies het goede antwoord.

1 Waarom is er in het huis van Mustafa
   vaak ruzie?

    a Door de herrie.
    b Door de buren.

2 Wat schrijft de oom van Mustafa?

    a Mustafa is maar kort in dit land.
    b Mustafa wordt te Nederlands.

3 Waarom wil Mustafa de buurt verlaten?

    a Hij houdt van de buurt.
    b Hij wil anders leven.
    c Hij wil weg uit de kou.

4 Waarom worden de vader en de oom
   van Mustafa verdrietig?

    a Omdat ze in het land niet meteen vloeken.
    b Omdat Mustafa droomt van een land.
    c Omdat Mustafa zelf een meisje gaat zoeken.

E   48 Oefening bij Tekst 6. Beantwoord de vragen.

1 In welk land woont Mustafa? _____

2 Uit welk land komt Mustafa? _____

3 Van welk land droomt Mustafa? _____

E   49 Oefening bij Tekst 7. Beantwoord de vragen.

1 Wie hebben de gedichten gemaakt?

_____

2 Wat vindt u van de gedichten?

_____

E   50 Schrijfoefening. Luister naar de docent.

14 Van harte beterschap!

A   1 Vragen vooraf

1 Wie is uw huisarts?
2 Bent u wel eens duizelig?
3 Hoe bent u verzekerd?

A   2 Lees de vragen. Luister naar Tekst 1.
Kies het goede antwoord.

1 Waarom gaat Margret Werner naar de dokter?
   a Ze heeft last van hoofdpijn.
   b Ze heeft last van duizeligheid.
   c Ze heeft last van haar bril.

2 Margret Werner heeft er:
   a de hele dag last van.
   b vooral op haar werk last van.
   c regelmatig achter de computer last van.

3 Dokter Mulder denkt dat:
   a de bloeddruk te hoog is.
   b Margret Werner een bril nodig heeft.
   c het iets ernstigs is.

A   3 Lees de vragen. Luister nog een keer naar Tekst 1.
Beantwoord de vragen.

1 Waar maakt Margret Werner zich zorgen over?

_____

2 Waarom zegt Margret Werner: 'O, gelukkig?'

_____

A   4 Kies de goede reactie.

1 A Wat ga je vanavond doen?
   B ☐ Ik blijf thuis. Ik hoop dat er iets moois op tv komt.
      ☐ Ik blijf thuis. Ik ben bang dat er iets moois op tv komt.

2 A Waarom loop je zo hard?
   B ☐ Ik ben bang dat ik te laat kom.
      ☐ Ik hoop dat ik te laat kom.

3 A Dag meneer Simons. Zegt u het eens.

B ☐ Dag dokter. Ik heb last van mijn linker oog.

☐ Dag dokter. Ik heb interesse in mijn linker oog.

4 A ☐ Ik heb last van mijn ouders.

☐ Ik maak me zorgen over mijn ouders.

B Hoezo?
A Ik heb al heel lang niets van ze gehoord.

5 A ☐ Ben jij bang voor honden?

☐ Ben jij tegen honden?

B Soms. Voor grote.

6 A Hoe ging je test?

B ☐ Ik ben bang dat ik hem niet goed gemaakt heb.

☐ Ik hoop dat ik hem niet goed gemaakt heb.

7 A Kunt u uw hoofd eens draaien?

B ☐ Nee, daar maak ik me zorgen over.

☐ Nee, dat doet pijn.

8 A ☐ Ik doe het raam open. Ik ben bang van de warmte.

☐ Ik doe het raam open. Ik heb last van de warmte.

B Ik vind het juist lekker.

A **5** Wat zegt u?
Soms zijn er meerdere mogelijkheden.

1 Tegen de groenteboer?
  a Mag ik een rode paprika alstublieft?
  b Wat is dat voor groente?
  c Wie is er aan de beurt?
  d Ik heb pijn in mijn handen.
  e Hebt u zin om mee naar de film te gaan?

2 Tegen de dokter?
  a Waar woont u?
  b Kunt u dat nog een keer zeggen?
  c Mijn schoenen zijn te klein.
  d Ik maak me zorgen over mijn gezondheid.
  e Ik heb last van mijn ogen.

3 Tegen uw docent?
  a Opschieten!
  b Ik heb even een vraag...
  c Kunt u mijn huiswerk maken?
  d Dat doet pijn.
  e Hoe spel je dat?

4 Tegen iemand op straat?
  a Pardon, weet u waar het station is?
  b Kunt u iets vragen?
  c Ik heb last van uw schoenen.
  d Mag ik een appelsap?
  e Kunt u mijn koffer dragen?

A **6** Vul in: *af en toe, dokter, ernstig, gelukkig, kantoor, overgaan, verzekeren, waarschijnlijk*
Zet de woorden zo nodig in de goede vorm.

1 A Uw _____ is naast de kantine. Heeft u daar veel last van?

2 B Nou, _____. Vooral tussen de middag.

3   Maar dat duurt _____ niet lang.

4   De straatgeluiden zijn veel _____.

5   Die _____ niet zo snel _____.

6   In november krijgen we _____ nieuwe ramen. Dan hebben we van de
      straat geen last meer.

7   Anders moeten we allemaal naar de _____ met hoofdpijn.

8   Dat kan ik je _____!

A   7 Welk woord hoort er niet bij?

1 dokter – huisarts – telefonist – oogarts
2 hoofd – bril – schouder – heup
3 gezondheid – verkoudheid – duizeligheid – hoofdpijn
4 last – pijn – gelukkig – bang
5 neus – knie – oog – mond
6 elleboog – hand – navel – arm

A   8 Luisteroefening. Luister naar de docent.

A   9 Zoek op. Doe deze oefening met een cursist.

1 Zoek in het woordenboek twee betekenissen van *hoofd*.

   het hoofd is   a _____   b _____

   Welke betekenis staat in Tekst 2? _____

2 Zoek in het woordenboek twee betekenissen van *oor*.

   het oor is   a _____   b _____

   Welke betekenis staat in Tekst 2? _____

3 Zoek in het woordenboek twee betekenissen van *arm*.

   arm is   a _____   b _____

   Welke betekenis staat in Tekst 2? _____

4 Zoek in het woordenboek twee betekenissen van *hart*.

   het hart is   a _____   b _____

   Welke betekenis staat in Tekst 2? _____

5 Zoek in het woordenboek twee betekenissen van *been*.

   het been is   a _____   b _____

   Welke betekenis staat in Tekst 2? _____

6 Zoek in het woordenboek twee betekenissen van *oog*.

het oog is   a _____   b _____

Welke betekenis staat in Tekst 2? _____

7 Hebben deze woorden in uw taal ook meer dan één betekenis?

Welke? _____

_____

A   **10** Luister naar de docent. Welk woord of woorddeel heeft accent?
Zet daar een streep onder.

1 Goedemorgen, mevrouw Werner.

2 Dag dokter.

3 Wat kan ik voor u doen?

4 Ik heb de laatste tijd zo'n last van hoofdpijn.

5 Ja, iedereen heeft natuurlijk wel eens hoofdpijn, maar dit is wel wat anders, want het gaat

maar niet over.

6 Daar maak ik me een beetje zorgen over.

7 Hoe lang heeft u er al last van?

8 Een paar weken.

A   **11** Spreekoefening. Luister naar de docent.

_____ is verkouden.

_____ had het weekend hoofdpijn.

_____ draagt soms / regelmatig / altijd een bril.

_____ heeft een vrouwelijke huisarts.

_____ heeft een te hoge bloeddruk.

_____ heeft af en toe last van duizeligheid.

B   **12 Vragen vooraf**

1 Wat is een polikliniek?
2 Waarom ga je naar een polikliniek?

B 🔊 **13** Lees de vragen. Luister naar Tekst 3.
Zijn de zinnen waar of niet waar?

1 Margret Werner praat met dokter Lim. ☐ waar ☐ niet waar

2 Dokter Lim is huisarts. ☐ waar ☐ niet waar

3 Dokter Lim werkt op donderdag. ☐ waar ☐ niet waar

B 🔊 **14** Lees de vragen. Luister nog een keer naar Tekst 3.
Beantwoord de vragen.

1 Waarom belt mevrouw Werner de polikliniek van Sint Jan op?

_____

2 Wanneer mag mevrouw Werner bij dokter Lim komen?

_____

3 Wat is het telefoonnummer van Margret Werner?

_____

B **15** Kies de goede reactie.

1 U bent bij de dokter. Ze neemt uw bloeddruk op en zegt: 'Die is goed'. Wat zegt u?
a Dat doet pijn.
b Gelukkig.
c Daar was ik al bang voor.

2 U moet eigenlijk voetballen vanavond, maar uw knie doet pijn.
U belt op om te zeggen dat u niet kunt komen. Wat zegt u?
a Ik heb last van mijn knie.
b Ik ben bang dat het iets ernstigs is.
c Hebt u last van uw knie?

3 U hebt een cursus Nederlands gevolgd. Aan het eind van de cursus is er een toets.
U vraagt aan een vriendin wat u moet doen voor de toets. U dacht dat u heel veel
moest doen, maar het zijn maar twee hoofdstukken uit uw boek. Wat zegt u?
a Dat gaat niet.
b Dat valt mee.
c Wat vreselijk!

4 Een Nederlandse vriend vraagt of u mee gaat naar een feest. U kent niemand
op het feest en u spreekt nog niet zo goed Nederlands. Wat zegt u?
a Dat valt mee.
b Een feest? Zeg je dat zo in het Nederlands?
c Ik ben bang dat ik iets verkeerds zeg.

5 U bent bij de dokter. Hij zegt dat het niet goed is met uw ogen. Wat zegt u?
a Ik ben bang dat er iets met mijn ogen is.
b O, gelukkig!
c Daar was ik al bang voor.

6 U wilt naar een sportschool. Om lid te worden moet u *f* 25,– betalen. U vindt dat veel, maar
u wilt toch graag naar die sportschool. Wat zegt u?
a Nou, dan moet het maar.
b Ik maak me zorgen over *f* 25,–.
c Dat valt mee.

B **16** Luister naar Tekst 3. Maak de tekst compleet.

telefoniste Polikliniek Sint Jan. Afsprakenbureau.

Margret Werner Goedemorgen, _____ mevrouw Werner.

Ik wilde een _____ maken met dokter Lim, de oogarts.

Hopelijk hoef ik niet al te _____ te wachten?

telefoniste Het kan _____ twee weken.

Margret Werner O, dat _____.

telefoniste Donderdagmiddag _____ april, kan dat?

Margret Werner Eh... ik kan nooit op donderdag. Zou het op een _____

dag kunnen?

telefoniste Nee, het spijt me, dokter Lim heeft hier alleen _____ op

donderdag.

Margret Werner Nou, dan moet het maar op donderdag.

telefoniste Goed, _____ noteer ik u voor donderdag 14 april,

15.00 uur.

Kunt u uw naam _____ zeggen?

Margret Werner Mevrouw Werner.

telefoniste Ik wil ook graag uw adres en telefoonnummer hebben.

Margret Werner Draadzegge 33, in Laren, telefoon _____.

telefoniste Dank u wel.

C **17** **Vragen vooraf**

1 Wanneer was u voor het laatst in een ziekenhuis?
2 Hebt u wel eens een ongeluk gehad?

C ▦ 18 Lees de vragen. Luister naar Tekst 4.
Zijn de zinnen waar of niet waar?

1 Het gaat goed met Michel.   ☐ waar   ☐ niet waar

2 Andrea ligt in het ziekenhuis.   ☐ waar   ☐ niet waar

3 Andrea wordt morgen geopereerd.   ☐ waar   ☐ niet waar

C ▦ 19 Lees de vragen. Luister nog een keer naar Tekst 4.
Beantwoord de vragen.

1 Hebben Michel en Jeannette elkaar pas nog gezien?

_____

2 Ligt Andrea al lang in het ziekenhuis?

_____

3 Hoe komt het dat Andrea haar been gebroken heeft?

_____

4 Wanneer komt Andrea thuis?

_____

C 20 Kies de goede reactie.

1 U bent bij de dokter. U hebt last van uw knieën. Wat zegt de dokter?
   a Wat scheelt u precies?
   b Van harte beterschap.
   c Waarschijnlijk heeft u een bril nodig.

2 U bent op bezoek bij een vriend in het ziekenhuis. Wat zegt u als u weggaat?
   a Ik weet zeker dat je gauw weer naar huis mag.
   b Ik wil dat je gauw weer naar huis komt.
   c Ik hoop dat je gauw weer naar huis mag.

3 U belt naar de polikliniek om een afspraak te maken. Wat vraagt de telefonist?
   a Wat kan ik voor u doen?
   b Doet het pijn?
   c Wat heb je precies?

4 U komt thuis en u hoort dat uw vriendin een ongeluk heeft gehad. Wat zegt u?
   a Wat vreselijk!
   b Dat gaat niet.
   c Dat doet pijn.

5 U bent op uw werk. Uw collega is ziek en gaat naar huis. Wat zegt u tegen haar?
   a Wat scheelt haar?
   b Beterschap.
   c Dat is vreselijk!

6 U kunt vandaag niet naar uw werk. U heeft vreselijke pijn in uw nek.
Wat zegt u tegen uw collega?
a Doet het pijn?
b Ik heb last van mijn nek.
c Ik kan gelukkig niet werken.

C **21** Wat zegt u in deze situaties?

1 Het is zaterdag. U zou uitgaan met een vriend van u. Hij belt u op om te zeggen dat hij ziek is.
Wat vraagt u aan hem?

_____

2 Uw vriend vertelt dat er in zijn land oorlog is. Wat zegt u?

_____

3 Uw collega gaat een reis maken van ongeveer zes maanden. Wat zegt u?

_____

4 Uw vriendin ziet er slecht uit. Wat zegt u?

_____

5 U heeft een test voor Nederlands. U denkt dat u hem niet goed heeft gemaakt.
Wat zegt u tegen uw docent?

_____

6 Wat schrijft u op een kaart aan iemand die ziek is?

_____

C **22** Wat betekent ongeveer hetzelfde?

1 achteruitgaan	a af en toe	1 _____	
2 dokter	b arts	2 _____	
3 erg verkouden	c erg	3 _____	
4 flink	d groot	4 _____	
5 noteren	e slechter worden	5 _____	
6 regelmatig	f schrijven	6 _____	
7 soms	g steeds	7 _____	
8 vreselijk	h ziek	8 _____	

C   23 Vul in: *boodschap, breken, fiets, geval, groeten, thuiskomen, ongeluk, uitkijken, ziekenhuis*
Verander zo nodig de vorm van de werkwoorden.

1 A Hé, kunt u niet _____?

2 B O sorry. Ik zag je niet. Dat was bijna een _____ hè?

3   Niets _____? Niets kapot?

4 A Nee, alleen mijn _____ misschien.

5 B Kun je nog _____ denk je?

6   Of moet ik je naar het _____ brengen?

7 A Nee dank u. Ik moet nog even een _____ doen.

8 B Nou in dat _____ ga ik maar weer.

9   De _____!

C   24 Zoek op. Doe de oefening met een cursist.

Schrijf een aantal dingen op die kunnen breken.
Gebruik zo nodig een woordenboek.

_____

_____

C   25 Beantwoord de vragen.

1 Komt u wel eens bij de huisarts?

_____

2 Bent u vaak ziek?

_____

3 Hebt u vaak last van hoofdpijn?

_____

4 Bent u wel eens geopereerd?

_____

5 Hebt u wel eens in een ziekenhuis gelegen?

_____

C   26   Luister naar Tekst 4. Maak de tekst compleet.

Jeannette	Hé, hallo Michel, tijd _____, zeg!
	Hoe gaat het ermee?
Michel	Goed, dank je.
Jeannette	En _____ Andrea?
Michel	Nou, niet zo goed. Ze ligt al _____ weken in het ziekenhuis.
Jeannette	O ja? Wat _____ haar?
Michel	Ze heeft een _____ gehad. Ze ging even boodschappen doen
	op de fiets en _____ heeft een auto haar aangereden.
	Die man _____ niet goed uit.
Jeannette	Wat _____! Wat _____?
Michel	Een gebroken been en verder een _____ wond aan haar hoofd.
Jeannette	_____! Wat hebben ze gedaan?
Michel	Ze hebben _____ geopereerd en een plaat in haar been gezet.
	Ze heeft heel veel _____ gehad.
Jeannette	Moet ze nog lang in het _____ blijven?
Michel	Ik _____ ze volgende week weer thuiskomt.
Jeannette	_____ haar in ieder geval _____ van me.
Michel	Dat zal ik doen.
Jeannette	En jij ook _____, Michel.
Michel	Bedankt. En de groeten aan Robert.
Jeannette	Zal ik doen. Dag.

C   27   Luister naar Tekst 4.
Herhaal de zinnen.

C   28   Schrijfoefening. Luister naar de docent.

D   29 Vragen vooraf

1 Wat is aids?
2 Hoeveel mensen in de wereld hebben aids, denkt u?

D   30 Oefening bij Tekst 5.
Zijn de zinnen waar of niet waar?

1 Gwanda was vroeger wereldberoemd.   ☐ waar   ☐ niet waar

2 In Gwanda komt aids veel voor.   ☐ waar   ☐ niet waar

D   31 Vragen bij Tekst 5.
Beantwoord de vragen.

1 Waarom is Gwanda zo beroemd?

_____

2 Hoe komt het dat het meisje alleen haar opa nog maar heeft?

_____

3 Binnen hoeveel tijd hebben het meisje en haar opa hun familie verloren?

_____

D   32 Vul in: *hoofd, opa, opereren, rest, verliezen, vroeger, wensen, zonder*
Verander zo nodig de vorm van de werkwoorden.

1 Mannen _____ hun haar sneller dan vrouwen.

2 Mijn _____ heeft bijvoorbeeld helemaal geen haar meer.

3 Bij de _____ van de mannen in mijn familie is het niet veel beter.

4 Zo heb ik bijna geen haar meer op mijn _____.

5 Tegenwoordig zie je het vaker, omdat mannen minder vaak een hoed dragen dan

_____.

6 Af en toe _____ ik dat ik een boel haar heb.

7 Maar ja, ik doe het nog maar even _____.

8 Om me nu aan zoiets te laten _____.

D **33** Oefening bij Tekst 6. Kies het goede antwoord.

1 Aids zorgt voor slachtoffers: **a** vooral in de Verenigde Staten
    b in de hele wereld
    c in sommige landen

2 Aids krijg je via: **a** het ziekenhuis
    b bloed of seks

3 Wie kunnen aids krijgen?   **a** alleen Amerikanen
    b bijna alleen homo's
    c bijna alleen junks
    d iedereen

D **34** Oefening bij Tekst 6. Beantwoord de vragen.

1 Vanaf 1981 zijn _____ Amerikanen aan aids gestorven.

2 Vanaf 1981 zijn _____ Amerikanen met aids besmet.

3 In de hele wereld hebben _____ mensen aids of zijn er aan gestorven.

4 In de hele wereld zijn _____ mensen met aids besmet.

5 Waarom is het belangrijk dat mensen leren omgaan met aids?

_____

D **35** Wat betekent ongeveer hetzelfde?

1 enorm	a doodgaan	1 _____
2 inmiddels	b door	2 _____
3 internationaal	c groot	3 _____
4 zich realiseren	d nu	4 _____
5 sterven	e in meerdere landen	5 _____
6 strijd	f op hetzelfde ogenblik	6 _____
7 tegelijk	g weten	7 _____
8 via	h oorlog	8 _____

D **36** Vul in: *algemeen, blijken, bloed, gezond, opvolgen, vanaf, ziek, ziekte*
Verander zo nodig de vorm van de werkwoorden en de bijvoeglijke naamwoorden.

1 _____ 1800 zijn er miljoenen mensen aan malaria gestorven.

2 Malaria is een ernstige _____.

3 In het _____ is malaria te genezen.

4 Maar voor veel mensen is het al te laat wanneer _____ dat ze de ziekte hebben.

5 De dokter ontdekt malaria in het _____.

6 Maar vaak is de man of vrouw dan zo _____ dat hij toch doodgaat.

7 Alleen wanneer je op tijd medicijnen krijgt, heb je kans _____ te blijven.

8 Je moet dan wel alle adviezen van de dokter _____.

D   **37** Maak van twee zinnen één zin.

> **Voorbeeld**
> Ik zit lekker op de bank. (en) Ik lees een mooi boek.
> *Ik zit lekker op de bank en lees een mooi boek.*

1 Ze heeft een gebroken been. (en) Ze heeft een wond aan haar hoofd.

_____

2 Ze ligt in het ziekenhuis. (maar) Ze mag morgen naar huis.

_____

3 Je krijgt de ziekte via seks. (en) Je krijgt de ziekte via bloed.

_____

4 Hij heeft spreekuur op donderdag. (en) Hij heeft spreekuur op vrijdag.

_____

5 Ik kan niet op donderdag. (maar) Ik kan wel op vrijdag.

_____

6 Het kan over twee weken. (of) Het kan over drie weken.

_____

7 Heeft u last van duizeligheid? (of) Heeft u last van verkoudheid?

_____

8 Auto's veroorzaken zure regen. (en) Auto's veroorzaken verkeersslachtoffers.

_____

D **38** Vul de goede vorm van het werkwoord in.
Gebruik de voltooid tegenwoordige tijd.

> **Voorbeeld**
>
> Michel *heeft* gisteren een nieuwe fiets voor Andrea *gekocht*. (kopen)

1 Vorige week _____ ik naar de polikliniek van het ziekenhuis

_____ voor onderzoek. (zijn)

2 Bij de administratie _____ ze al mijn gegevens in de computer

_____. (stoppen)

3 Ik _____ een uur _____ voordat ik aan de beurt was.

(wachten)

4 In die tijd _____ ik maar eens wat _____ in de

wachtruimte van de polikliniek. (rondkijken)

5 Naast mij zat een mevrouw steeds maar koffie te drinken. Ze _____ in dat

uur zeker acht koppen koffie _____. (drinken)

6 Na een uur was ik aan de beurt op de röntgenafdeling. De röntgen–assistente

_____ twee foto's van mijn rug _____. (maken)

7 Daarna kon ik weer naar huis gaan. Ik _____ de hele ochtend bezig

_____. (zijn)

D **39** Oefening bij Tekst 6.
Schrijf de vormen van de onvoltooid verleden tijd en de voltooid deelwoorden uit Tekst 6 op.
Schrijf de infinitief erachter.

> **Voorbeeld**
>
> *werd – worden*
>
> *geconstateerd – constateren*

_____   _____

_____   _____

_____   _____

D   **40** Beantwoord de vragen.

1 Wat vindt u gezond?

_____

2 Wat vindt u ongezond?

_____

3 Wat doet u zelf om gezond te blijven?

_____

4 Vindt u de mensen in Nederland gezond vergeleken met de mensen in uw land?

_____

5 In Nederland zijn de mensen heel erg bezig met hun gezondheid.
   Zijn de mensen in uw land er op dezelfde manier mee bezig?

_____

6 Kunt u iets vertellen over de gezondheidszorg in uw land?

_____

E   **41** Oefening bij Tekst 7. Beantwoord de vragen.

1 Wanneer heeft dokter Birnie dienst?

_____

2 Hoe laat begint de dienst van dokter Zaaijer?

_____

3 Wie is de homeopatische arts in Leiden?

_____

4 Wat is het adres van de apotheek in Roelofarendsveen?

_____

5 Hoe laat hebben de tandartsen spreekuur?

_____

6 Op welk telefoonnummer is de _Dierenhulp_ te bereiken?

_____

E **42** Oefening bij Tekst 8. Kies het goede antwoord.

1 Wie hoesten er in de schouwburg?
    a de artiesten
    b de directie
    c het publiek

2 Waarom was de bezoeker van *Amadeus* boos?
    a Omdat de winter zacht was.
    b Omdat er veel gehoest werd.
    c Omdat de stad verkouden is.

3 Waarom staat Brugge bekend als 'een verkouden stad'?
    a Omdat de directie veel klachten krijgt.
    b Omdat er tijdens de voorstelling veel gehoest wordt.
    c Omdat mensen begrijpen dat lawaai storend is.

4 Welke woorden in de tekst betekenen: *bezoekers*?
    a de artiesten
    b de directie
    c het publiek
    d mensen in de zaal

E **43** Oefening bij Tekst 9. Beantwoord de vragen.

1 Waarom heeft de dichter het over kattenkeeltje, vachtje, rugje, oortje?

_____

2 Waarom roept de dichter de kat niet meer, denkt u?

_____

E **44** Schrijf een gedicht over iets of iemand waar u van houdt.

E **45** Hieronder staan enkele klachten. Bij welke lichaamsdelen kunnen die voorkomen?

stijf: _____

kramp: _____

steken: _____

pijn: _____

klopping: _____

suizing: _____

15 Moet dat echt?

A   1 Vragen vooraf

1 Welke soorten scholen kent u in Nederland?
2 Welke cursussen heeft u gevolgd in Nederland?
3 Wat is een buurthuis?

A   2 Lees de vragen. Luister naar Tekst 1.
Zijn de zinnen waar of niet waar?

1 Santiago Ledesma wil in een buurthuis werken.   ☐ waar   ☐ niet waar
2 De cursus Nederlands voor gevorderden zit vol.   ☐ waar   ☐ niet waar

A   3 Lees de vragen. Luister nog een keer naar Tekst 1.
Kies het goede antwoord.

1 Wat voor cursus gaat Santiago Ledesma doen?   **a** Een beginnerscursus Nederlands.
                                                 b Een gevorderdencursus Nederlands.

2 Wanneer begint de gevorderdencursus?   **a** Volgende week.
                                                 b Maandagochtend.
                                                 c Overdag.

3 Hoe vaak is de cursus?   **a** Eén keer per week.
                                                 b Twee keer per week.
                                                 c Drie keer per week.

4 Op welke dagen is de cursus?   **a** Maandagochtend.
                                                 b Dinsdagochtend.
                                                 c Dinsdagmiddag.
                                                 d Donderdagmiddag.

A   4 Lees de vragen. Luister nog een keer naar Tekst 1.
Beantwoord de vragen.

1 Voor wie is de beginnerscursus Nederlands?

_____

2 Waarom geeft Santiago Ledesma zich op voor een gevorderdencursus Nederlands?

_____

3 Vindt Santiago Ledesma het vervelend dat hij op een wachtlijst moet?

_____

A   5 Vragen vooraf

1 Welk buurthuis is bij u in de buurt?
2 Bent u er wel eens geweest?
3 Waarvoor?

A   6 Oefening bij Tekst 2. Beantwoord de vragen.

1 Wanneer is de cursus *Dansen voor kinderen*?

_____

2 Wat kost de jongerencursus *Theater en muziek*?

_____

3 Voor wie is de cursus *Kunst*?

_____

4 Wat leert u in de cursus *Koken*?

_____

5 Voor wie is de cursus *Alleen dames*?

_____

6 Wat is het telefoonnummer van het buurthuis *de Pancrat*?

_____

7 Welke cursus is er op woensdagavond?

_____

A   7 Kies het goede antwoord.

1 U ligt in het ziekenhuis voor een operatie aan uw been. U vraagt de
  dokters: 'Mag ik in het weekend naar huis?' Welke arts geeft u
  daarvoor geen toestemming, a, b of c?
  a Dat is goed.
  b Dat kan niet.
  c Dat hangt ervan af.

2 U komt op een avond thuis en ziet dat er brand is bij u in de straat.
  Van de politie mag niemand de straat in. U zegt: 'Ik woon hier. Mag ik
  doorlopen?' Van één agent mag dat niet. Welke agent is dat, a, b of c?
  a Natuurlijk, mevrouw.
  b Gaat uw gang, mevrouw.
  c Dat gaat niet, mevrouw.

3 U zit in de wachtkamer bij de tandarts. U vraagt aan de andere
  wachtenden: 'Mag ik hier roken?' Wie wil niet dat u rookt, a, b of c?
  a Nee, het spijt me.
  b Nee, ik heb er geen last van.
  c Het maakt me niet uit.

4 U bent op het station. U wilt een kaartje kopen. U bent nog niet aan
de beurt, maar uw trein gaat over drie minuten. U vraagt aan de
wachtenden: 'Mag ik even voor?'
Eén persoon vindt het geen probleem. Wie is dat? a, b of c?
a Nee, dat kan niet.
b Gaat uw gang.
c Dat hangt van uw trein af.

5 Uw broek is veel te klein. U wilt hem wijder laten maken. U belt een
kleermaker op en vraagt: 'Kunt u mijn broek wijder maken?'
De kleermaker weet dit niet precies. Wat zegt hij? a, b of c?
a Het is niet zeker of uw broek te klein is.
b Dat gaat niet.
c Dat hangt van de broek af.

A   **8** Beantwoord de vragen.

1 Gaat u dit jaar op vakantie?

Waar hangt dat van af?

a Ja, dat denk ik wel.
b Misschien.
c Ik denk het niet.

2 Wanneer spreekt u goed Nederlands, denkt u?

Waar hangt dat van af?

a Over een maand.
b Over een jaar.
c Over vijf jaar.

3 Denkt u dat het leven in het jaar 2050 beter is dan nu?

Waar hangt dat van af?

a Ja, dat denk ik wel.
b Misschien.
c Nee, dat denk ik niet.

4 Hoe oud wordt u, denkt u?

Waar hangt dat van af?

a Zestig.
b Tachtig.
c Honderd.

5 Wat denkt u, bent u over tien jaar gelukkiger dan nu?

Waar hangt dat van af?

a Dat denk ik wel.
b Ik weet het niet.
c Nee, ik denk het niet.

6 Studeert u graag?

Waar hangt dat van af?

a Ja, meestal wel.
b Dat hangt er van af.
c Nee, meestal niet.

A **9** Vul in: *aan de orde, docent, hartstikke, inschrijven, kunst, meenemen, tekst*
Verander zo nodig de vorm van de woorden.

A Buurthuis de Pancrat, met Fouad.

1 B Met Ulrich Brenner. Is er nog plaats voor de _____-avonden?

A Eens even kijken. Ja, er is nog plaats meneer.

2 Maar u moet zich hier even komen _____ en betalen.

3 B Dat zal ik doen. Hoeveel geld moet ik _____?

A De cursus kost *f* 60,– meneer.

4 B Ik heb nog een vraag. Wat komt er in de cursus eigenlijk _____?

5 Lezen we bijvoorbeeld ook _____?

6 A Dat weet ik niet meneer, dat moet u de _____ vragen.

7 Maar komt u gauw betalen, want het is _____ snel vol.

A **10** Vul in: *basis, cursus, dame, dansen, gezellig, opgeven, vol, wachtlijst*
Verander zo nodig de vorm van de woorden.

A Buurthuis de Pancrat, met Fouad.

1 B Goedemiddag, met Paula, ik wil iets vragen over een _____.

A Dat kan. Welke?

2 B De cursus _____ op donderdag. Is die alleen voor vrouwen?

3 A Nee hoor, de cursus is voor _____ en heren.

4 B Is het een gevordendencursus of leer je er de _____?

A Ja, het is een beginnerscursus, mevrouw.

5 B Dan wil ik me graag _____.

6 A Het spijt me mevrouw, maar de cursus is _____.

7 Ik kan u wel op de _____ zetten.

B Nou, ik weet het niet.

8 A Het is een _____ cursus hoor!

B Nou, vooruit dan maar.

A **11** Maak de zinnen af.

1 Ga jij die cursus *Koken* nog doen? Ja, maar het is niet zeker of _____.

2 Heb je je test voor Nederlands al gehad? Ja, maar ik weet niet of _____.

3 Ga je ook naar Monique? Ja maar ik weet niet of _____.

4 Hoe laat kom je? Dat hangt van _____ af.

5 Wilt u leren of rubber zolen? Dat hangt van _____ af.

6 Zullen we hier gaan eten? Ja, maar ik weet niet of _____.

A **12** Luister naar Tekst 1. Herhaal de zinnen.

B **13 Vragen vooraf**

1 Heeft u wel eens een toelatingsexamen gedaan?
2 Waarvoor?
3 Moet u binnenkort toelatingsexamen doen?

B **14** Lees de vragen. Luister naar Tekst 3.
Zijn de zinnen waar of niet waar?

1 Abderrahim Badr wil techniek studeren.   ☐ waar   ☐ niet waar
2 Abderrahim Badr heeft een diploma van de middelbare school.   ☐ waar   ☐ niet waar

B **15** Lees de vragen. Luister nog een keer naar Tekst 3.
Zijn de zinnen waar of niet waar?

1 Abderrahim Badr moet een examen Nederlands doen.   ☐ waar   ☐ niet waar
2 Abderrahim Badr heeft zijn diploma bij zich.   ☐ waar   ☐ niet waar
3 Kees Stellingwerf moet het diploma van Abderrahim Badr zien.   ☐ waar   ☐ niet waar

B **16** Lees de vragen. Luister nog een naar Tekst 3.
Beantwoord de vragen.

1 Welke nationaliteit heeft Abderrahim Badr?

_____

2 Hoe lang woont Abderrahim in Nederland?

_____

3 Waar is het diploma van Abderrahim?

_____

4 Waarom wil Kees Stellingwerf het diploma van Abderrahim zien?

_____

5 Wanneer is het examen Nederlands?

_____

B   **17** Wat zegt u in deze situaties? Kies de goede reactie.

1 Uw schoenen moeten nieuwe hakken hebben. U brengt uw schoenen
naar de schoenmaker. 'Uw schoenen zijn vanmiddag om vier uur
klaar,' zegt de schoenmaker, 'maar u moet nu betalen.' U hebt geen
geld bij u.
Wat zegt u?
a Moet ik nu echt betalen?
b Hoef ik nu niet te betalen?
c Durf ik nu te betalen?

2 U wilt zich telefonisch opgeven voor een cursus in het buurthuis.
De vrouw van het buurthuis zegt dat u dan zelf even langs moet
komen. U wilt weten of ze een legitimatie wil zien. Wat vraagt u?
a Hoef ik geen legitimatie mee te nemen?
b Mag ik een legitimatie meenemen?
c Moet ik een legitimatie meenemen?

3 Wat kan het antwoord van de vrouw van het buurthuis zijn?
a Nee, u hoeft geen legitimatie mee te nemen.
b Nee, u gaat geen legitimatie meenemen.
c Nee, u mag uw legitimatie niet meenemen.

4 U hebt voor morgen een afspraak met de tandarts. U belt de tandarts
op om te vragen of de afspraak een dag later kan. Wat kan het
antwoord zijn?
a Nee, dat is niet nodig.
b Nee, dat kan niet.
c Nee, dat hoeft niet.

5 Het kind van Frans Kempers heeft een feest. Frans wil dat hij om
   12 uur thuis is. Wat zegt hij tegen zijn kind?
   a Je wilt om 12 uur thuis zijn.
   b Je mag om 12 uur thuis zijn.
   c Je moet om 12 uur thuis zijn.

6 U brengt uw jas bij de stomerij. U wilt uw jas morgen weer aan.
   De man van de stomerij zegt dat uw jas maandag pas klaar is.
   Wat kan hij zeggen?
   a Het spijt me meneer, uw jas moet maandag klaar zijn.
   b Het spijt me meneer, uw jas moet klaar zijn.
   c Het spijt me meneer, het kan niet anders. Morgen is het zondag.

B **18** Vul in: *best, cijfer, doorbrengen, examen, laag, leren, slagen, technisch, vak*
Verander zo nodig de vorm van de woorden.

1 A Morgen heb ik een _____.

   B Waarvoor?

2 A O, iets _____. Voor elektrotechniek.

3 B Denk je dat je _____?

4 A Ik weet het niet. Het hangt van mijn _____ af natuurlijk.

5   Ik ben niet zo goed in dat _____.

6 B Heb je het goed _____?

7 A Ik geloof van wel. Ik heb uren boven mijn boeken _____.

8   Maar als het cijfer te _____ is …

9 B Nou, doe maar goed je _____.

   A Ik zal het doen.

B **19** Beantwoord de vragen ontkennend.

1 Moeten we reserveren?

_____

2 Moet ik nog lang wachten?

_____

3 Moet ik me legitimeren?

_____

4 Moet ik nu betalen?

_____

5   Moeten we vroeger komen?

B 🔊 **20** Luister naar Tekst 3. Welke woorden zijn veranderd?

1	*Abderrahim Badr*	Ik heb me laatst ingeschreven voor Elektrotechniek.
2		Kunt u mij informatie geven over het toelatingsexamen?
3	*Kees Stellingwerf*	Wat is uw naam?
4	*Abderrahim Badr*	Abderrahim Badr.
5	*Kees Stellingwerf*	Moment, dan neem ik even uw formulier.
6		U bent Marokkaan, denk ik?
7	*Abderrahim Badr*	Dat klopt.
8	*Kees Stellingwerf*	Nou, in ieder geval moet u dan een examen Nederlands doen.
9	*Abderrahim Badr*	Maar..., ja, ik woon toch twee jaar in Nederland.
10		Moet dat echt?
11	*Kees Stellingwerf*	Ja, u moet toch dat examen afleggen.
12		Wat is uw vooropleiding?
13	*Abderrahim Badr*	Ik heb in Marokko de middelbare school gehad.
14	*Kees Stellingwerf*	O ja, dat zie ik hier staan. Heeft u uw diploma bij u?
15	*Abderrahim Badr*	Nee, dat is nog in Marokko.
16	*Kees Stellingwerf*	Maar we willen weten met welke cijfers u geslaagd bent.
17	*Abderrahim Badr*	Is dat echt nodig?
18	*Kees Stellingwerf*	Ja, als u voor wiskunde, natuurkunde en Engels slechte cijfers had, moet u ook nog in die vakken examen doen.
19	*Abderrahim Badr*	O, maar ik heb allemaal goede cijfers.
20	*Kees Stellingwerf*	Dan hoeft u geen examen in die vakken te doen. Maar we willen dat liever even controleren.
21	*Abderrahim Badr*	Dus ik moet u mijn diploma laten zien?
22	*Kees Stellingwerf*	Ja, dat is niet anders.
23	*Abderrahim Badr*	Wanneer is het examen Nederlands?
24	*Kees Stellingwerf*	Dat is dit jaar op 21 en 24 juni. Maar zorgt u nu eerst dat wij uw diploma krijgen.
25	*Abderrahim Badr*	Mag ik hier anders niet studeren?
26	*Kees Stellingwerf*	Nee, nee, dat is niet mogelijk.
27	*Abderrahim Badr*	Okee, ik zal mijn best doen. Bedankt voor uw informatie.
28	*Kees Stellingwerf*	Graag gedaan, dag meneer Badr.

C   21 Vragen vooraf

1 Zou u iemand uw eigen taal kunnen leren denkt u?
2 Wat zou u de eerste les leren / vertellen?
3 Wat leerde u het eerst van het Nederlands?

C   22 Lees de advertentie. Beantwoord de vragen.

1 Wat vindt u van de ruil?
2 Zou u op zo'n soort advertentie reageren?

C 📼 **23** Lees de vragen. Luister naar Tekst 4.
Kies het goede antwoord.

1 Wat voor les wil Gilberto Riveira hebben?
    a Portugese les
    b Nederlandse les
    c conversatieles

2 Wat doet Harm-Jan Heddema?
    a Hij geeft Nederlandse les.
    b Hij studeert Nederlands.
    c Hij is onderwijzer.

3 Waarom wil Harm-Jan Portugees leren?
    a Hij spreekt al een beetje Portugees.
    b Hij gaat met vakantie naar Brazilië.
    c Het is handig om Portugees te praten.

4 Wanneer gaat Harm-Jan naar Gilberto?
    a Donderdagavond om half acht.
    b Donderdagavond om acht uur.
    c Dinsdagavond om half acht.
    d Dinsdagavond om acht uur.
    e Maandagavond om half acht.
    f Maandagavond om acht uur.

C 📼 **24** Lees de vragen. Luister nog een keer naar Tekst 4.
Vul in: Gilberto of Harm-Jan.

1 _____ heeft belangstelling voor Portugese les.

2 _____ heeft nog niet eerder les gegeven.

3 _____ wil geen Nederlandse grammatica.

4 _____ heeft in Brazilië gewerkt.

5 Harm-Jan en Gilberto ontmoeten elkaar in het huis van _____.

C **25** Beantwoord de vragen. Kies uit: *nooit, soms, vaak, meestal, regelmatig, altijd*

1 Studeert u graag? _____

2 Studeert u hard? _____

3 Bent u wel eens gezakt voor een examen? _____

4 Komt u wel eens te laat? _____

5 Spreekt u vaak Nederlands? _____

6 Hebt u wel eens lesgegeven? _____

7 Leest u veel? _____

C   **26**   Hoe is uw Nederlands?
Beantwoord de vragen. Kies uit: *altijd, regelmatig, meestal, soms, nooit*

1 Spreekt u Nederlands met uw buren? _____

2 Spreekt u Nederlands in winkels? _____

3 Spreekt u Nederlands met de andere cursisten? _____

4 Houdt u telefoongesprekken in het Nederlands? _____

5 Kijkt u naar Nederlandstalige tv-programma's? _____

6 Kijkt u naar het Nederlandse journaal? _____

7 Luistert u naar Nederlandstalige radioprogramma's? _____

8 Schrijft u brieven in het Nederlands? _____

9 Leest u een Nederlandse krant? _____

10 Leest u een Nederlands tijdschrift? _____

11 Gebruikt u een Nederlands-Nederlands woordenboek? _____

C   **27**   Vul in: *doorbrengen, fout, middelbaar, onderwijzer, redelijk, reizen, school, vakantie, vroeg*
Verander zo nodig de vorm van de woorden.

1 A Wanneer gaan jullie op _____?

2 B Over twee weken. De kinderen moeten nog naar _____.

3   De _____ scholen zijn pas over twee weken vrij.

    Wanneer ga jij?

4 A Morgen. We _____ eerst een weekje bij vrienden in Frankrijk

    _____.

5   Hij is ook _____.

6 B Moet je ver _____?

7 A Ja _____ ver. We willen om zes uur morgenochtend vertrekken.

8 B Dat is toch niets voor jou, zo _____!

9   Ik hoop maar dat dat niet _____ gaat.

C   **28** Kijk naar het rooster. Beantwoord de vragen.

DAG	TIJD	VAK	DOCENT	LOKAAL	VAKANTIES
maandag	9-11	Geschiedenis	Lex van Rooijen	302	14 oktober t/m 20 oktober (herfstvakantie)
	11-12	Geschiedenis	Lex van Rooijen	204	23 december t/m 4 januari (kerstvakantie)
	12-13	pauze			6 februari t/m 10 februari (voorjaarsvakantie)
	13-15	Engels	Wendy Fletcher	116	24 maart t/m 31 maart (paasvakantie)
dinsdag	9-12	Nederlands	Eddy Hermans	221	
	12-13	pauze			
	13-15	Nederlands	Marjan Brood	302	
donderdag	9-11	Nederlands	Ruud Mertens	109	
	11-12	Nederlands	Ruud Mertens	302	
	12-13	pauze			
	13-15	Nederlands	Linda Stam	221	
vrijdag	9-10	Nederlands	Ruud Mertens	302	
	10-11	Wiskunde	Henk Boelen	302	
	11-12	Wiskunde	Henk Boelen	204	
	12-13	pauze			
	13-15	Nederlands	Linda Stam	221	

1 Hoeveel vakken hebben de cursisten?

2 Welke vakken zijn dat?

3 Hoeveel dagen per week is er les?

4 Hoeveel uur per week krijgen de cursisten Nederlands?

5 Krijgen de cursisten ook 's avonds les?

6 Hoe vaak staat Engels op het rooster?

7 Hoe heet de docent geschiedenis?

8 Wanneer is de paasvakantie?

9 Hoe lang duurt de voorjaarsvakantie?

10 Hoe laat beginnen de lessen?

C 29 Luister naar Tekst 4. Maak de tekst compleet.

Gilberto Riveira	Ja.
Harm-Jan Heddema	Met Harm-Jan Heddema.
	Spreek ik _____ Gilberto?
Gilberto Riveira	Ja.
Harm-Jan Heddema	Ik heb je advertentie _____ over Portugese les.
	Ik heb daar wel belangstelling _____.
Gilberto Riveira	O, leuk. Maar heb je begrepen dat ik dan _____
	Nederlandse les wil?
Harm-Jan Heddema	Ja, dat vind ik _____ een prima idee.
	Maar jij spreekt al goed Nederlands, zeg!
Gilberto Riveira	Ja, _____, maar ik maak nog heel veel fouten.
	Heb je al _____ lesgegeven?
Harm-Jan Heddema	Nee, _____, maar ik studeer Nederlands.
Gilberto Riveira	O, maar ik wil absoluut geen grammatica, hoor.
	Ik wil _____ vloeiend Nederlands leren praten.
Harm-Jan Heddema	Heb jij _____ lesgegeven?
Gilberto Riveira	Ja, ik geef _____ conversatieles.
	En in Brazilië was ik onderwijzer.
	Spreek jij al _____ Portugees?
Harm-Jan Heddema	Nee, nog niet.
	Maar ik ga van de zomer met vakantie naar Brazilië.
	En dan is het handig om een _____ woorden
	Portugees te kunnen praten.
Gilberto Riveira	_____ we een afspraak maken?
	Kun je donderdagavond?
Harm-Jan Heddema	Nee, dan heb ik _____ conditietraining.
	Wat denk je van dinsdagavond?
Gilberto Riveira	Nee, dan kom ik heel _____ laat thuis.
	Maandagavond _____?

Harm-Jan Heddema	Dat is goed.
	Doen we _____ bij jou of bij mij?
Gilberto Riveira	Kom maar naar mij _____.
	Ik woon in de Kruisstraat 54.
Harm-Jan Heddema	Zal ik dan om een uur _____ half acht komen?
Gilberto Riveira	Eh, _____ iets later, acht uur, half negen.
	Ik eet _____ niet zo vroeg.
Harm-Jan Heddema	Goed, dan kom ik _____ uur.
	Tot dan, hè?
Gilberto Riveira	Ja, tot ziens.

C 🔊 **30** Luister naar Tekst 4. Herhaal de zinnen.

D **31** Oefening bij Tekst 5. Kies het goede antwoord.

1 Wanneer mag een kind in Nederland naar school?

  a Als het vier jaar is.
  b Als het vijf jaar is.
  c Tot het zestien jaar is.

2 Welke twee vormen van voortgezet onderwijs zijn er?

  a de basisschool
  b het algemeen voortgezet onderwijs
  c het beroepsgericht onderwijs
  d het voorbereidend wetenschappelijk onderwijs

3 Tot welke opleiding geeft de mavo toegang?

  a Tot het voorbereidend beroepsonderwijs.
  b Tot het middelbaar beroepsonderwijs.
  c Tot het hoger beroepsonderwijs.

D **32** Oefening bij Tekst 5. Beantwoord de vragen.

1 Wanneer moet je in Nederland verplicht naar school?

_____

2 Tot welke leeftijd gaan kinderen naar de basisschool?

_____

3 Wat is het verschil tussen het algemeen voortgezet onderwijs en het beroepsgericht onderwijs?

_____

4 Welk schooltype moet je doorlopen als je aan een universiteit wilt studeren?

_____

5 Behoort de hogere technische school tot het vbo, het mbo of het hbo?

_____

D **33** Vul in: _dezelfde, direct, gemakkelijk, manier, niveau, studierichting, universiteit, voorbereiden, vorm, wetenschappelijke_
Verander zo nodig de vorm van de woorden.

A Ik heb morgen een examen Nederlands.

1 B Welk _____?

A Het hoogste.

B Van wie?

2 A Ik ben zijn naam vergeten. Het is _____ man als vorig jaar.

3 B Heb je je goed _____?

4 A Het gaat wel. Volgens mij is het een _____ examen.

B Wat voor examen is het?

A Nederlands. Dat zei ik toch.

5 B Nee, ik bedoel de _____.

6 A O, meestal krijg je een _____ tekst met vragen.

7 B Op die _____ gaat het bij mij bijna altijd.

Wat ga je na je examen doen?

A Op vakantie!

8 B Nee, ik bedoel of je naar de _____ gaat of zo.

9 A Ik hoop het. Ik heb me ingeschreven voor de _____ medicijnen.

B Bel je me als je klaar bent met je examen?

10 A Okee, ik bel je _____.

D **34** Wat hoort bij elkaar?

1	Het hbo en de universiteiten	a	maar je mag er zes jaar over doen.	1	_____
2	De studie aan een universiteit	b	maar een klein aantal mensen toegang.	2	_____
3	De eerste fase duurt vier jaar,	c	hebt, kun je naar het hbo.	3	_____
4	Aan het einde van deze fase	d	moet je examen doen.	4	_____
5	Tot de tweede fase heeft	e	bestaat uit twee fasen.	5	_____
6	Alleen met een vwo- of een hbo-diploma	f	kun je naar de universiteit.	6	_____
7	Wanneer je een havo- of een mbo-diploma	g	vormen samen het hoger onderwijs.	7	_____

D **35** Maak de zinnen af.

1 Toen ik voor de eerste keer naar school ging, _____.

2 De docenten van mijn school waren _____.

3 Het leukste vond ik _____.

4 Omdat ik nu hier woon, _____.

5 Anders _____.

6 Gelukkig weet niemand dat ik _____.

7 Daarom _____.

D **36** Spreekoefening. Luister naar de docent.

D **37** Schrijfoefening. Luister naar de docent.

D **38** Spreekoefening. Luister naar de docent.

1 Dat hangt ervan af.
2 Ik weet niet of ik meega.
3 Nee, dat is niet mogelijk.
4 Het spijt me, maar het kan niet anders.
5 Is dat echt nodig?
6 Tot dan, hè?

E **39** Oefening bij Tekst 6. Beantwoord de vragen.

1 Wanneer zijn er zwemlessen in zwembad *De Zijl*? _____

2 Hoe lang duurt de theoriecursus bij J. Dam? _____

3 In welke steden zit rijschool van J. Dam?

_____

_____

_____

4 a Komen twee vrienden van 12 en 14 jaar in dezelfde club bij danscentrum *Evert Castelein*?

_____

b En vrienden van 15 en 17 jaar?

_____

5 Hoe laat beginnen de danslessen?

_____

E **40** Oefening bij Tekst 7. Beantwoord de vragen.

1 Wat is een 'verlengde schooldag'?

_____

2 Wat is een taalachterstand?

_____

3 Welke twee dingen zijn belangrijk voor kinderen op school volgens Fryja Zandbergen?

_____

_____

4 Als u kind was, wat zou u dan kiezen voor de 'verlengde schooldag'?

_____

16 Wat voor werk doet u?

A   **1 Vragen vooraf**

1 Zoekt u werk?
2 Heeft u baantjes gehad? In uw eigen land? In Nederland?
3 Vond u dat werk leuk?
4 Wat is een uitzendbureau?

A   **2** Lees de vragen. Luister naar Tekst 1.
Zijn de zinnen waar of niet waar?

1 Humphrey Tamara zoekt vakantiewerk.   ☐ waar   ☐ niet waar

2 Het uitzendbureau heeft nu geen vakantiebaantje voor hem.   ☐ waar   ☐ niet waar

A   **3** Lees de vragen. Luister nog een keer naar Tekst 1.
Kies het goede antwoord.

1 Wat doet Humphrey Tamara?

    a Hij is student.
    b Hij is schoonmaker.
    c Hij werkt op een kantoor.

2 Wat voor werk vindt Humphrey Tamara
   niet leuk?

    a vakantiewerk
    b schoonmaakwerk
    c administratief werk

3 Welke diploma's heeft Humphrey Tamara?

    a een rijbewijs
    b een typediploma

4 Welke maand is Humphrey Tamara weg?

    a juni
    b juli
    c augustus

5 Wat moet Humphrey Tamara doen om
   werk te krijgen?

    a Hij moet het formulier invullen.
    b Hij moet bellen als er iets geschikts is.
    c Hij moet direct beginnen.

A ▭ **4** Luister nog een keer naar Tekst 1.
Vul het formulier in voor Humphrey Tamara.

1 Naam: _____

2 Beroep: _____

3 Wat voor soort werkt zoekt u? _____

_____

4 In welke periode zoekt u werk? Van _____ tot _____

5 Hebt u eerder gewerkt? _____

Zo ja, wat voor werk was dat? _____

6 Bent u in het bezit van een rijbewijs?   Ja/Nee

7 Bent u in het bezit van een typediploma?   Ja/Nee

A ▭ **5** Beantwoord de vragen. Er zijn meerdere mogelijkheden.

1 In de kantine op uw werk koopt u een kopje koffie. De koffie kost
vijfenzeventig cent. U hebt alleen een tientje. U zegt tegen de
kantinemedewerker: 'Het spijt me, maar ik heb geen kleingeld.'
Wat kan de kantinemedewerker zeggen?
a O, het geeft niet, ik kan wel wisselen.
b Het maakt niet uit meneer, ik heb genoeg wisselgeld.
c Dat klopt niet meneer, ik heb wisselgeld genoeg.

2 U helpt een vriendin bij haar verhuizing. U hebt zaterdag een afspraak
met haar, maar u wilt dan graag naar een voetbalwedstrijd. U vraagt
haar: 'Is het goed dat ik vrijdag kom?' Uw vriendin vindt dat goed.
Wat kan ze zeggen?
a Ja, dat maakt me niet uit.
b Ja, dat is moeilijk te zeggen.
c Ja, dat is best.

3 Eén keer per week krijgt u Nederlandse les van een student. Deze
week hebt u geen geld. U vraagt: 'Mag ik je volgende week betalen?'
Voor de student is dat geen probleem. Wat kan zijn reactie zijn?
a O ja, dat hoeft niet.
b O ja, dat maakt niet uit.
c O nee, dat is niet nodig.

4 U bent met uw vriend in een restaurant. U vriend vraagt wat u wilt
drinken. Het maakt u niet uit. U neemt hetzelfde als uw vriend.
Wat kunt u zeggen?
a Geef mij maar rode wijn.
b Dat kan me niet schelen. Wat jij neemt.
c Ik weet niet wat jij neemt.

5 U wilt een pond kaas op de markt kopen. De verkoper zegt: 'Is 650
gram ook goed?' U vindt dat geen probleem. Wat zegt u?
a Ja, hoor.
b Ik vroeg toch een pond?
c Ja, maar hoe zwaar is het?

A   **6** Wat zegt u? Geef verschillende reacties.

1 U bent bij een vriendin op bezoek. Uw vriendin vraagt: 'Wil je koffie of thee?' U hebt geen voorkeur. Wat zegt u?

_____

2 Op het werk maakt u een afspraak met uw collega. Uw collega vraagt: 'Donderdag of vrijdag?' U kunt op donderdag en op vrijdag. Wat zegt u?

_____

3 Voor het werken in een bioscoop krijgt u *f* 800,–. De man van de bioscoop vraagt: 'Mag ik je betalen in briefjes van tien?' Voor u is dat geen probleem. Wat is uw reactie?

_____

4 U brengt uw jas bij de stomerij. De medewerker van de stomerij zegt dat hij op vakantie gaat. Hij vraagt of u het erg vindt dat de jas pas over twee weken klaar is. U vindt het geen probleem. Wat zegt u?

_____

A   **7** Zoek op. Doe deze oefening met een cursist.

1 Zoek in het woordenboek twee betekenissen van *baan*.

de baan is   **a** _____   **b** _____

Welke betekenis staat in Tekst 1?   _____

2 Zoek in het woordenboek twee betekenissen van *bureau*.

het bureau is   **a** _____   **b** _____

Welke betekenis staat in Tekst 1?   _____

3 Zoek in het woordenboek twee betekenissen van *bevallen*.

bevallen is   **a** _____   **b** _____

Welke betekenis staat in Tekst 1?   _____

A   **8** Vul in: *bedrijf, beschikbaar, bevallen, diploma, eerder, geschikt, periode, werk*
Verander zo nodig de vorm van de woorden.

1 Wat voor _____ zoekt u?

2 Voor welke _____?

3 Welke dagen bent u _____?

4 Heeft u al _____ gewerkt?

5 Zo ja, in wat voor _____?

6 Denkt u dat u _____ bent voor alle soorten werk?

7 Welk werk _____ u absoluut niet, denkt u?

8 Welke _____ heeft u?

A   **9** Spreekoefening. Luister naar de docent.

A   **10** Vul in: *iets, niets, iemand, niemand, ergens, nergens*

1 A Werkt Jan niet meer bij Philips?

B Nee, volgens mij werkt hij tegenwoordig _____ anders.

2 A Hebben ze al _____ voor die baan gevonden?

3 B Nee, ik denk dat ze voor dat werk ook _____ zullen vinden.

A Ben jij ook nog steeds werkloos?

4 B Ja, maar ik heb nu _____ interessants in de krant gezien. Daar ga ik

zeker een brief naar schrijven.

5 A Heb je nog _____ over je brief gehoord?

6 B Ja, ze vonden dat ik te weinig ervaring had; daarom hebben ze _____

anders genomen.

A Dus jij vindt ook dat ik die baan moet nemen?

7 B Ja, ik ben er zeker van dat je _____ zo'n leuke baan zult vinden.

8 A Weet jij niet _____ een baantje voor me?

9 B Nou, misschien komt er bij mij op de afdeling wel _____ voor je vrij.

10 A Pardon mevrouw, ik kan *de Volkskrant* _____ vinden.

11 B Als er _____ meer ligt is hij uitverkocht meneer.

12 A Wat zegt hij toch? Ik versta er _____ van!

13 B Ik ook niet. Maar ik geloof dat _____ hem verstaat.

A   **11** Oefening bij Tekst 2.
Beantwoord de vragen

1 Wat betekent: 'er vallen doden'?

_____

2 Wat betekent: 'er vallen woorden'?

_____

A 🔊 **12** Luister naar Tekst 1. Maak de tekst compleet.

Humphrey Tamara	Goedemiddag, ik zoek een _____.
medewerker	Wat is _____ beroep?
Humphrey Tamara	Ik ben student.
medewerker	En _____ werk zoekt u?
Humphrey Tamara	Dat _____ niet uit.
medewerker	In _____ periode bent u beschikbaar?
	_____ u vakantiewerk?
Humphrey Tamara	Ja, ik zoek _____ in juni en juli.
medewerker	Hm, moeilijk.
	Wilt u schoonmaakwerk doen?
Humphrey Tamara	Heeft u niets _____?
	Ik heb dat _____ jaar ook al gedaan, maar dat is me
	toen _____ bevallen.
medewerker	Ja, u bent natuurlijk niet de _____ die in die periode
	iets zoekt.
	Hebt u een rijbewijs?
Humphrey Tamara	Nee, maar ik heb _____ een typediploma.
	Heeft u _____ op een kantoor of zo geen werk voor me?
medewerker	Nee, niets, _____ schoonmaakwerk.
	O, wacht even.
	Dit bedrijf zoekt _____ voor administratief werk.
	_____ is dat iets voor u.
	Het is wel _____ de stad.
Humphrey Tamara	O, dat doet _____ niet toe.
	_____ wanneer tot wanneer is het?
medewerker	Van 15 juni tot 15 augustus.
Humphrey Tamara	Nee, in augustus ben ik _____ weg.
medewerker	Niet in augustus.

| | _____ wilt u beginnen? |

Humphrey Tamara	Dat kan me niet _____.
	Nu, _____ het moet.
	Krijgt u nog _____ werk binnen, denkt u?
medewerker	Tja, dat is moeilijk _____ zeggen.
	U kunt het _____ dit formulier invullen.
	Dan kunnen we u bellen, _____ we iets geschikts
	voor u hebben.
	En misschien moet u _____ ergens anders nog eens
	proberen.
Humphrey Tamara	Ja, dat zal ik doen, dank u wel.

A   🔊 **13** Luister naar Tekst 1. Herhaal de zinnen.

B   **14 Vragen vooraf**

1 Wat is uw beroep?
2 Waar werkt u?

B   🔊 **15** Lees de vragen. Luister naar Tekst 3.
Zijn de zinnen waar of niet waar?

1 Meneer Smeets is conducteur bij de Nederlandse Spoorwegen.   ☐ waar   ☐ niet waar
2 Meneer Smeets is niet tevreden met zijn werk.   ☐ waar   ☐ niet waar

B   🔊 **16** Lees de vragen. Luister nog een keer naar Tekst 3.
Kies het goede antwoord.

1 Hoe lang werkt de heer Smeets bij het bedrijf?
　a twaalf jaar
　b zestien jaar

2 Wat was zijn eerste baan bij het bedrijf?
　a conducteur
　b stationsassistent

3 Wat voor werk doet een conducteur?
　a Kaartjes knippen.
　b Collega's helpen
　c Informatie geven.
　d Zorgen voor orde en veiligheid in de trein.
　e Stevig in zijn schoenen staan.

4 Is meneer Smeets tevreden over zijn salaris?
　a Ja, door extra toeslagen is het een goed betaald beroep.
　b Nee, een mens wil altijd meer.
　c Nee, maar hij wil het werk graag blijven doen.

B 🔊 **17** Lees de vragen. Luister nog een keer naar Tekst 3.
Beantwoord de vragen.

1 Welke voordelen noemt de heer Smeets van zijn werk?

_____

2 Wat betekent: 'stevig in je schoenen staan'?

_____

3 Wanneer vindt meneer Smeets het moeilijk om zijn werk goed te doen?

_____

B **18** Vul in: *afwisselend, collega, kantoor, lichamelijk, onregelmatig, salaris, solliciteren, tevreden, verantwoordelijk, voelen*
Verander zo nodig de vorm van de woorden.

1 A Heeft Angelo eigenlijk nog bij het Ziekenfonds _____?

2 B Ja, hij heeft die baan gekregen, en hij _____ zich er al snel thuis.

3   Hij is er heel _____.

4 A Wat doet hij daar eigenlijk precies? Zit hij daar op _____?

5 B Nee, de hele dag achter een bureau is niets voor hem. Hij moet _____

   werk hebben.

6   Hij is _____ voor de computers.

7   Zijn werktijden zijn wel _____: soms werkt hij overdag en soms ook

   's avonds, maar dat vindt hij niet erg.

8   Bovendien krijgt hij op die manier extra geld, dus hij heeft nu een redelijk

   _____.

9   Ik wilde er eerst ook gaan werken, maar ik was bang voor het _____

   onderzoek. Mijn ogen zijn nogal slecht.

10   Het lijkt me wel aardig om Angelo als _____ te hebben.

B **19** Maak de zinnen af.

1 Ik heb spijt van _____.

2 Om in contact te komen met Nederlanders moet je _____.

3 Momenteel ben ik verantwoordelijk voor _____.

4 Je moet stevig in je schoenen staan als je _____.

5 Alle mensen hebben recht op _____.

B **20** Beantwoord de vragen.

1 Hebt u een beroep? Zo ja, wat is uw beroep? _____

2 Hebt u werk? Zo ja, wat voor werk doet u? _____

3 Wat vindt u het leukste beroep? _____

4 Welk werk wilt u absoluut niet doen? _____

5 Vindt u studeren leuker dan werken, of maakt het u niet uit? _____

6 Wat doet u liever: buiten werken, op een kantoor zitten of kan het u niet schelen waar u werkt?

_____

7 Bent u iemand die later veel geld wil verdienen of zegt u: het salaris is niet zo belangrijk, als ik maar een leuke baan heb?

_____

B **21** Schrijfoefening. Luister naar de docent.

C **22** **Vragen vooraf**

1 Heeft u wel eens gesolliciteerd?
2 Wat doet u als u wilt gaan solliciteren?

C **23** Lees de vragen. Luister naar Tekst 4.
Zijn de zinnen waar of niet waar?

1 Gerard wil graag een andere baan. ☐ waar ☐ niet waar

2 Marijke wil het liefst naar het vbo. ☐ waar ☐ niet waar

3 Elektrotechniek lijkt Harmen leuk. ☐ waar ☐ niet waar

4 Cor heeft al verschillende baantjes gehad. ☐ waar ☐ niet waar

C 🔲 **24** Lees de vragen. Luister nog een keer naar Tekst 4.
Kies het goede antwoord.

1 Wie is in het bezit van een havo-diploma?
a Gerard
b Marijke
c Harmen
d Cor

2 Wie heeft een universitaire studie afgemaakt?
a Gerard
b Marijke
c Harmen
d Cor

3 Wie is op zoek naar een baan als elektrotechnisch monteur?
a Gerard
b Marijke
c Harmen
d Cor

4 Wie werkt bij een technisch bedrijf?
a Gerard
b Marijke
c Harmen
d Cor

5 Wie zoekt iets in de hout- en meubelindustrie?
a Gerard
b Marijke
c Harmen
d Cor

6 Wie heeft een tijdje in de levensmiddelenbranche gewerkt?
a Gerard
b Marijke
c Harmen
d Cor

C 🔲 **25** Lees de vragen. Luister nog een keer naar Tekst 4.
Wie zou het kunnen zeggen?

1 Als ik promotiekansen had, vond ik mijn baan veel interessanter.
a Gerard ⟵ (gekozen)
b Marijke
c Harmen
d Cor

2 Ik vond school vreselijk.
a Gerard
b Marijke
c Harmen ⟵ (gekozen)
d Cor

3 Ik dacht altijd dat ik later meteen als arts aan het werk kon.
a Gerard
b Marijke
c Harmen
d Cor ⟵ (gekozen)

4 Zonder opleiding doe je niets.
a Gerard
b Marijke
c Harmen
d Cor ⟵ (gekozen)

5 Een diploma alleen is niet genoeg, je moet ook ervaring hebben.
a Gerard
b Marijke ⟵ (gekozen)
c Harmen
d Cor

6 Ik houd ervan om zelf iets te maken.
a Gerard
b Marijke ⟵ (gekozen)
c Harmen
d Cor

7 Ik ben niet gewend om niets te doen.
a Gerard ⟵ (gekozen)
b Marijke
c Harmen
d Cor

8 Jammer genoeg ben ik ontslagen.
a Gerard
b Marijke
c Harmen ⟵ (gekozen)
d Cor

C **26** Wat zegt u? Kies de beste reactie.

1 U werkt af en toe als ober in een restaurant. Uw chef vraagt of u het
vervelend vindt administratief werk voor hem te doen. Dat vindt u
niet. Wat zegt u?
a Nee, dat is niets voor mij.
b Nee, vergeet het maar.
c Nee, dat maakt me niet uit.

2 Uw vriend heeft een winkel. Hij heeft het erg druk en hij vraagt of u
hem af en toe wilt helpen. U wilt dat wel. Wat zegt u?
a Daar ben ik het mee eens.
b Dat lijkt me leuk.
c Dat geloof ik graag.

3 U hebt bij een bedrijf gesolliciteerd naar een 20-urige baan. Tijdens
het sollicitatiegesprek vraagt men of u misschien 38 uur wilt werken.
Daar hebt u geen zin in. Wat zegt u?
a Daar baal ik van.
b Dat kan me niet schelen.
c Dat lijkt me geen goed idee.

4 Uw collega vraagt aan u om samen naar het werk te gaan. U heeft daar
geen zin in. U gaat liever op de fiets. Wat zegt u?
a Dat is niets voor mij.
b Het maakt mij niet uit.
c Wat kost dat?

C **27** Wat zegt u? Geef verschillende reacties.

1 Een cursist vraagt aan u of hij tijdens de les mag roken. U denkt dat dat niet mag. Wat zegt u?

_____

2 Een cursist vraagt of u samen met haar en twee andere cursisten mee naar de biscoop gaat.
U vindt het een leuk idee. Wat zegt u?

_____

3 U bent gek op Chinees eten. Uw vriend nodigt u uit voor een Kantonees feest met echt
Kantonees eten. U wilt graag mee. Wat zegt u?

_____

4 U loopt 's avonds met uw vriendin op straat. Achter u loopt al een hele tijd een man. U wordt
een beetje bang. Wat zegt u tegen uw vriendin?

_____

C   28 Zoek op. Doe deze oefening met een cursist.

> **Voorbeeld**
> Wat is de betekenis van *zich zorgen maken over?* (les 14)
> Bij welk woord zoekt u dat in het woordenboek?
>
> Bij: *zorg*   De betekenis is: *Ergens ongerust over zijn*

1 Wat is de betekenis van: *het doet er niet toe?*
  Bij welk woord zoekt u dat in het woordenboek?

  Bij: _____   De betekenis is: _____

2 Wat is de betekenis van: *dat kan me niet schelen?*
  Bij welk woord zoekt u dat in het woordenboek?

  Bij: _____   De betekenis is: _____

3 Wat is de betekenis van: *stevig in je schoenen staan?*
  Bij welk woord zoekt u dat in het woordenboek?

  Bij: _____   De betekenis is: _____

4 Wat is de betekenis van: *een gat in de lucht springen?*
  Bij welk woord zoekt u dat in het woordenboek?

  Bij: _____   De betekenis is: _____

5 Wat is de betekenis van: *met beide benen op de grond staan?*
  Bij welk woord zoekt u dat in het woordenboek?

  Bij: _____   De betekenis is: _____

C   29 Welk woord hoort er niet bij?

1 bedrijf – fabriek – klus – zaak

2 dansen – lopen – springen – zitten

3 baan – beroep – ontslag – vak

4 allebei – allerlei – beide – twee

5 colporteur – kapper – politicus – reiziger

C **30** Wat betekent ongeveer hetzelfde?

1	ouder	a	in de toekomst	1 _____
2	beide	b	loon	2 _____
3	solliciteren	c	passend	3 _____
4	balen	d	slagen	4 _____
5	een diploma halen	e	werk zoeken	5 _____
6	geschikt	f	twee	6 _____
7	later	g	vader	7 _____
8	salaris	h	vervelend vinden	8 _____

C **31** Vul in: *zich afvragen, chef, diploma, geleden, kennis, lucht, opleiding, trouwens, willen*
Verander zo nodig de vorm van de woorden.

A Roberta werkt op een bank hè?

1 B Ja, ze is daar _____.

A Werkt ze er al lang?

2 B Ja, ze is achttien jaar _____ daar gaan werken.

Ze was de eerste buitenlandse daar.

3 Ze konden haar gebruiken door haar _____ van de Italiaanse banken.

4 A Heeft ze veel _____?

5 B Dat weet ik niet precies. Ze heeft haar _____ in Italië gedaan.

6 Waarom _____ je dat eigenlijk allemaal weten?

7 A O, ik _____ of ze misschien een baantje voor me weet.

8 B Ik zal het haar eens vragen. Dat zal _____ wel even duren.

9 Roberta zit op het moment al in de _____ denk ik.

Voor zaken naar Milaan.

C **32** Spreekoefening. Luister naar de docent.

C **33** Luister naar de docent. Welk woord of woorddeel heeft accent?
Zet daar een streep onder. Herhaal de zinnen.

1 Dat is niets voor mij.

2 Nee, het lijkt me niet zo leuk.

3 Nou, het bevalt me wel.

4 Dat doet er niet toe.

5 Hij woont hier ergens in de buurt.

6 Er is niemand.

7 Dat is echt iets voor jou!

C **34** Luister nog een keer naar Tekst 4, naar Gerard en Marijke.
Welke woorden zijn veranderd?

Gerard
Mijn naam is Gerard, ik ben 23 jaar en ik heb mavo. Ik werk al jaren
als assistent inkoper in een technisch bedrijf. Promotiekansen binnen
het bedrijf heb ik eigenlijk niet. De chef is maar twee jaar ouder dan ik,
dus als ik moet wachten totdat die met pensioen gaat…
Ik heb al een aantal keren gesolliciteerd. Ik heb natuurlijk veel praktijk-
ervaring, maar ja, ik kan geen diploma's laten zien. Toch ben ik nog
nooit één dag werkloos geweest, maar ik vraag me eigenlijk af: 'Is er
voor mij nou niet een manier om hogerop te komen?'

Marijke
Ik ben Marijke, 19 jaar. Toen ik twaalf jaar geleden mijn hbo-diploma
haalde, sprong ik een gat in de lucht. Nou, ik kan nou wel zeggen dat
ik nu weer met beide benen op de grond sta. Er zijn wel banen, maar
ja, net nooit iets voor mij. Overal vragen ze iemand met ervaring.
Ik wil het liefst iets met de handen doen. Timmeren of meubelmaken,
dat lijkt me nou nogal leuk. Voor mijn kamer heb ik een tafel gemaakt
en een boekenkast. Maar nu weer naar het vbo? Dat zie ik echt niet
zitten. Maar ja, hoe dan wel…?

D **35** **Vragen vooraf**

1 Is het belangrijk hoe je eruit ziet als je gaat werken?
2 Wat is volgens u de Raad voor Gelijke Behandeling?

D **36** Oefening bij Tekst 5.
Zijn de zinnen waar of niet waar?

1 Veertig jaar geleden vonden we mannen met lang haar vies. ☐ waar ☐ niet waar

2 Tegenwoordig vinden we mannen met lang haar vies. ☐ waar ☐ niet waar

3 Vrouwen met snorren mogen niet in het Amerikaanse hotel werken. ☐ waar ☐ niet waar

4 De chef van de vrouw met de snor is ontslagen. ☐ waar ☐ niet waar

D **37** Beantwoord de vragen.

1 Waarom is het voor een man moeilijk om een baan te vinden als hij lang haar heeft?

_____

2 Zou u een vrouw met een snor ontslaan?

_____

3 Wat vindt u van mannen met lang haar?

_____

4 Wat vindt u van vrouwen met lang haar?

_____

5 Hebt u wel eens gedacht: 'Ik ga naar de Raad voor Gelijke Behandeling'? Wanneer?

_____

D **38** Oefening bij Tekst 6. Beantwoord de vragen.

1 Wat is de opleiding van Turan Gürçay?

_____

2 Heeft hij werkervaring? Zo ja, waar?

_____

3 Wat zijn zijn hobby's?

_____

4 Wat voor werk doet hij?

_____

5 Hoe maakt Turan Gürçay zijn klanten tevreden?

_____

D **39** Vul in: _baard, bijzonder, immers, kapper, knippen, leven, meisje, opleiding, zich scheren, vies_
Verander zo nodig de vorm van de woorden.

1 A Ik ga naar de _____.

B Alweer?

A Ik ga iedere zes weken. Je kunt er niet alleen je haar, maar ook je

2 _____ en snor laten _____.

3 B Het lijkt mij toch zo'n _____ klusje.

4   Waarom doet zo'n jongen of _____ dat?

5   Nee, ik _____ liever zelf.

6 A Waarom? Die kappers hebben er _____ zelf voor gekozen.

7   Ze hebben er een _____ voor gehad, hoor.

8   Ze doen soms hele _____ dingen.

9 B Nee, niets voor mij. Naar de kapper? Nooit van mijn _____.

D   40 Gesprek in de auto
Vul in: *bouwen, gat, minstens, optreden, spijt, stuk, wet*
Verander zo nodig de vorm van de woorden.

1 A De regering gaat strenger _____ tegen chauffeurs die drinken.

2   Er komt een nieuwe _____ voor mensen die rijden met een borrel op.

3   Die mensen mogen dan _____ tien dagen geen auto meer rijden.

4 B Goed zeg. Hopelijk krijgen die chauffeurs er _____ van.

     Zo we zijn er.

5 A Hé, wat ben je aan het _____?

6 B Een _____ aan de keuken.

7   Kijk, daar links komt een deur, en waar dat _____ zit, komt een groot raam.

E   41 Oefening bij Tekst 7.
Lees het gedicht. Wat betekenen de woorden?

E   42 Schrijfoefening.
Luister naar de docent.

E   43 Oefening bij Tekst 8.
Beantwoord de vragen.

1 In welke stad zit het het Handels- en Konstruktiebedrijf Hardeman?

_____

2 Welke kandidaten genieten de voorkeur?

_____

3 Hoeveel bedrijfsartsen werken er voor De Bedrijfsgezondheidsdienst van AZL en RUL?

_____

4 Wanneer moet de nieuwe arts beginnen?

_____

5 Wanneer is zijn dienstverband afgelopen?

_____

E   **44** Luister naar Tekst 9. Maak de tekst compleet.

Het is weer _____ om op te staan.

Maar ik heb geen zin

(hij _____ geen zin)

om naar m'n _____ te gaan.

Met m'n blote voeten

op het kouwe _____.

(met _____ blote voeten

op het kouwe zeil)

Ik heb geen zin om _____ te staan. (2x)

Was jij maar hier,
was jij maar hier.

_____ het is zo fijn

(het is zo fijn)

om hier _____ jou te zijn.

Met m'n voeten tegen je pyjama aan.

(met z'n _____ voeten

tegen je pyjama aan)
Ik heb geen zin om op te staan. (2x)

Ik blijf in bed, de _____ dag.

Want ik heb geen zin
(hij heeft geen zin)

om d'r _____ nog uit te gaan.

Met m'n blote handen
naar m'n baas te gaan.

(met z'n _____ blote handen

naar z'n baas te gaan)
Ik heb geen zin om op te staan. (5x)

1 Hoe heet u?

A

4
1 Arthur Prins.
2 Anna.
3 Nee, ik ben mevrouw
De Graaf.
4 Carolien.
5 Ik ben mevrouw Jansen.
6 Jos de Beer.
7 Nee, ik ben Rob
Witteman.

5
1 informeel
2 informeel
3 formeel
4 formeel
5 formeel
6 informeel
7 informeel

6
1 c, f
2 c, f
3 d, f
4 b, e
5 a
6 b, e

7
1 a, c, d, e
2 a, e
3 b, c
4 a, c, e
5 c, e

8
1 heet
2 jij
3 Ja

9
1 voorstellen
2 Ik
3 u, mevrouw
4 Nee

10
1 Mag, even
2 Mijn
3 Prettig
4 ben

11
1 Dag, hoe
2 Ik, En
3 naam, is

B

13
1 twee
2 twee

14
1 waar
2 niet waar
3 waar
4 waar

15
1 nee
2 ja
3 ja
4 ja
5 nee

16
1 c; 2 e; 3 a; 4 f; 5 b;
6 d

17
Nee. *Otto Kern* staat
volgens achternaam op
alfabetische volgorde,
Caugie Giannelli en *Umberto
Ginocchietti* niet.

18
heten, kennismaken,
spellen, voorstellen, zijn

19
1 Egypte, Liberia, Sierra
Leone, Somalië, Sudan,
Togo
2 Argentinië, Colombia,
Cuba, Guatamala, Haïti,
Peru
3 India, Indonesië, Irak,
Iran, Israël, Jordanië
4 Frankrijk, Italië,
Nederland, Spanje,
Turkije, Zweden

20
1 Mag, uw
2 Kunt, spellen

21
1 Wat, naam
2 ben
3 spel
4 Met
5 Nee

C

27
1 twee
2 twee

28
1 niet waar
2 niet waar
3 niet waar
4 waar

29
1 ja
2 ja
3 nee
4 nee
5 nee
6 ja
7 ja
8 nee

31
meer dan twee

32
1 b
2 a

33
c

34
1 Nee, uit Nederland.
2 Ik kom uit India.
3 Nee, in Marokko.
4 In Utrecht.
5 Nee, in de Fabriekstraat.
6 Uit Canada.
7 Op 23.
8 Karin Witteman.

35
1 b; 2 d; 3 a; 4 e; 5 c

37
1 b; 2 e; 3 d; 4 c; 5 a

38
1 vandaan
2 nummer
3 Waar
4 welk
5 Wat

D

45
1 Monique   5 Ramón
2 Gent   6 Spanje
3 Nederland 7 Nederland
4 werkt   8 student

46
1 uit, vriend, beste
2 Dit, ook, buurman
3 komen, maar, student,
Ze
4 wonen, in, woont

47
1 Hij
2 Hij
3 Zij
4 Zij
5 Zij

48
1 Dit is
2 Hij komt
3 Hij woont
4 Dit is
5 Ze / Zij woont
6 Ze / Zij komt

51
1 kaart
3 met, en
4 nog
5 schrift, schrijven

2 Hoe gaat het ermee?

A

2
1 3
2 4
3 1
4 2
5 a en b

3
1 a; 2 b; 3 b; 4 b; 5 a;
6 c; 7 c; 8 a;

4
1 c, d, e
2 a, b
3 b
4 c, e
5 c, d, e

5
1 hallo
2 mevrouw
3 hoe maakt u het
4 nou
5 park

6
1 Hoe gaat het met u?
2 Hoe is het ermee?
3 Hoe is het met jou?
4 Hoe maakt u het?
5 Op welk nummer
woont u?
6 Hoe spel je dat?

B

11
1 5
2 7
3 8
4 6

12
1 waar; 2 niet waar;
3 niet waar; 4 waar;
5 waar; 6 niet waar;
7 niet waar; 8 waar

13
1 c; 2 b; 3 c; 4 a; 5 b;
6 c; 7 c; 8 b; 9 a

14
1 b; 2 b; 3 b; 4 a; 5 c

15
1 a, f, h
2 d
3 a, f, h
4 a
5 a, f, g, h
6 b
7 c, e
8 c

16
1 vandaag
2 's ochtends, 's middags
3 ochtend
4 middag
5 Vanavond
6 's Avonds
7 vanmiddag

17
1 werk
2 ergens, stad
3 's Avonds, naar
4 jarig
5 Nodigt ... uit
6 veel, leuk
7 morgen

18
1 ga
2 Ga
3 Gaat
4 ga
5 Heb
6 hebben
7 heeft
8 heb
9 zullen
10 Zal
11 Zullen
12 zal

22
1 4
2 6
3 2
4 4
5 1
6 5
7 3
8 3
9 2

C

25
1 a; 2 b; 3 b; 4 b; 5 a;
6 b

26
1 nee
2 ja
3 ik weet het niet
4 ja
5 nee
6 nee
7 ja
8 ja
9 ik weet het niet

27
1 Ja, leuk.
2 Ja, goed.
3 Nee, ik heb geen zin.
4 Ik weet het niet.
5 Ik zie wel.
6 Nee, ik heb geen zin.
7 Wanneer, 's middags of
's avonds?
8 Ja, tot vanmiddag.
9 We zien wel.

28
1 doen, weet, Blijf,
misschien
2 Ga, zin, maar, jij, zie
3 Gaan, concert,
Vanavond, Ga, geen

29
1 zondag
2 Wanneer
3 ergens
4 dan
5 ook
6 In de kantine
7 heel
8 Zal

30
1 de; 2 het;
3 de; 4 het;
5 het; 6 de;
7 het; 8 de;
9 het; 10 de

31
1 Nee, ik ga **niet** naar
Groningen.
2 Nee, Stephan en Lucy
drinken **niet** veel koffie.
3 Nee, hij werkt 's nachts
niet. / Nee hij werkt **niet**
's nachts.
4 Nee, ik zie **niet** veel
mensen.
5 Nee, het gaat **niet** goed
met Paul.
6 Nee, ik ben zondag **niet**
thuis.
7 Nee, ze is **niet** bij Anne.
8 Nee, Erik en John
komen 's morgens **niet**. /
Nee, Erik en John komen
niet 's morgens.

32
1 Wat, Hoe
2 Waar
3 welk
4 Wanneer, Hoe
5 Hoe
6 Wie
7 Wanneer
8 Waar
9 Wanneer

33
1 Wat is zijn naam? / Hoe
heet hij?
2 Waar woont hij? / Waar
woont Charles?
3 Wie is dat?
4 Wat zullen we gaan
doen?

35
1 vandaag (r.1)
2 's middags (r.2)
4 wil (r.4)
6 Nou (r.6)

D

37
1 markt
2 dinsdag
3 lente
4 kantine
5 les
6 jarig
7 overdag
8 wij

38
1 de maand
2 het jaar
3 het seizoen
4 maart
5 de maand
6 het weekend

39
1 maandag
2 vrijdag
3 zaterdag
4 zondag
5 dinsdag

40
1 Nee.
2 Maandag(ochtend).
3 Dinsdag.
4 Werken.

41
2 In de zomer.
3 In de winter.

43
1 Op maandag
21 november.
2 Koning Aap zet het
godenrijk op stelten.
3 (030) 231 45 44.
4 Gerardjan Rijnders.
5 (A.s.) zaterdag.

3 Ja, lekker!

A

2

1 b; 2 b; 3 c; 4 b; 5 c;
6 b

3

1 a; 2 b; 3 a; 4 b; 5 a;
6 c

4

1 a, c, e
2 c, e, g
3 d
4 b
5 f, i
6 f, i
7 a, h
8 a, d, h
9 c, e, g

7

1 honger
2 iets, thuis
3 liever
4 nemen
5 kaas, mij

8

1 neem
2 natuurlijk
3 suiker (melk), melk (suiker)
4 ijs
5 Alstublieft

9

1 voor
2 dorst
3 thee, maken
4 zeg
5 of
6 citroen

11

1 2
2 5
3 4
4 1
5 2
6 3
7 2
8 7
9 5

B

15

1 drie
2 u
3 aan de bar

16

1 niet waar
2 waar
3 niet waar
4 niet waar

21

1 Zegt
2 graag
3 ook
4 liever
5 en

22

1 Wat
2 neem
3 heb
4 van
5 ook
6 mogen

23

1 h i e r
2 m o e t e n
3 f l e s j e
4 z i t
5 a p p e l s a p
6 t h u i s
7 r e s t a u r a n t
8 w a c h t
9 e t e n
10 i e t s

C

29

1 c; 2 b; 3 b

30

1 a; 2 a; 3 b

31

1 b; 2 a; 3 a; 4 a; 5 b;
6 a; 7 a; 8 b; 9 a; 10 b;
11 a

34

1 Zoet
2 lekker
3 Bedankt
4 Eet u smakelijk
5 Dank u

36

eten	*drinken*
broodje	appelsap
citroen	melk
friet	pils
kaas	spa
sla	thee
suiker	tonic
tosti	wijn
vis	

37

1 vraagt
2 vind, wel
3 kiezen
4 zoet
5 Bedankt

38

1 hem
2 Daar
3 tafel
4 restaurant
5 eten, heerlijk
6 komt ... aan
7 Eet smakelijk

39

1 Kunnen wij bestellen?
2 Wat willen jullie drinken?
3 Kunnen we hier eten?
4 Zullen we dat doen?
5 Laten we even een broodje kopen.
6 Zullen we een fles wijn nemen?
7 Zal ik vis kopen?
8 Ik wil iets drinken.
9 Gaan we in een restaurant eten?
10 U kunt aan de bar wachten.
11 Wil je iets drinken?

40

3 veel (r.3)
4 maar (r.4)
5 Kijk (r.5)
7 hoor (r.7)

D

42

1 Ramón
2 Monique
3 Angela
4 cola, ijs
5 haring, bier
6 appelsap, cola, tonic
7 kaas, vlees, chips

44

1 glas
2 zout
3 water
4 zoet
5 jong
6 smaak
7 rood
8 kind

45

zuur	*bitter*	*zoet*	*zout*
appel	tonic	suiker	ham
wijn		ijs	kaas
haring		appel	haring
			friet

47

1 menu, ober, restaurant
2 bedanken, dank je
3 honger, eten
4 heerlijk, lekker
5 dorst, drinken, water
6 bitter, zuur
7 suiker, zoet
8 bier, pils

48

1 brood
2 loop
3 vlees
4 liever, dan
5 jonge

49

1 heerlijk, lekker
2 lekkere
3 rode, zoete
4 jonge
5 leuke
6 zout
7 zoet

50

1 Richard houdt **niet** van zoet.
2 Wil je dit **niet** aan Oscar geven?
3 Carla gaat **niet** met mij mee.
4 Ik ga **niet** woensdag. / Ik ga woensdag **niet**.
5 De les begint **niet** om 14.00u.
6 Wij wonen **niet** in Maastricht.
7 Ik zal **niet** op je wachten.
8 Sjef en Carla komen **niet** vanavond. / Sjef en Carla komen vanavond **niet**.

E

53

1 *f* 10,–
2 tomaten, kaas, zalm, uien, paprika
3 *f* 13,50
4 tomatensaus

4 Wat bedoelt u?

A

2
1 waar
2 waar
3 niet waar

3
1 niet waar
2 waar
3 niet waar
4 niet waar
5 waar

4
1 in dialoog 1
2 in dialoog 2
3 in dialoog 2
4 in dialoog 1

6
1 c; 2 a; 3 c; 4 b; 5 c

7
1 bioscoop
2 bedoel
3 Sorry, versta
4 buurt
5 taxi
6 naast

8
1 <u>Nederlands</u>
2 <u>nummer</u>
3 tele<u>foon</u>
4 's morgens
5 na<u>tuur</u>lijk
6 uit<u>stek</u>end
7 <u>achter</u>naam

B

11
1 c; 2 b; 3 a

12
1 eten
2 soep
3 kroket
4 snel
5 ei
6 uitsmijter

13
1 b
2 b, c
3 a, b
4 a
5 b
6 a
7 c
8 a, b

14
1 tosti
2 kaas
3 kroket
4 asbak
5 soep
6 thuis
7 serveerster
8 geboortedatum

15
1 wat
2 verder
3 praat
4 sneller
5 ons
6 ogenblik
7 keer

16
1 mij / ons
2 u
3 ons / mij
4 u
5 mij
6 mij
7 u
8 mij

17
1 A haar
  B ze
2 A u
  B het
3 A Ik
  B Wij
4 A je / jij
  B jij
5 B Hij, hem

19
1 welke
2 welke
3 welke
4 (In) welk
5 (Op) welke
6 (In) welke
7 (Naar) welk
8 (In) welk

20
1 zo (r.1)
3 heel (r.5)
4 ook (r.6)
5 gaan (r.8)
8 met (r.12)
10 en (r.15)
14 Dus (r.20)
15 Ja (r.21)

C

25
1 waar; 2 waar; 3 niet waar

26
1 b; 2 c; 3 b; 4 c

27
1 ja
2 nee
3 ja
4 nee
5 nee
6 ja
7 nee
8 ja

28
1 Kunt u alstublieft wat harder praten? / Kunt u wat harder praten, alstublieft?
2 Het maakt mij niet uit.
3 Ik houd niet van theater.
4 Waar kom je vandaan?
5 Ik heb zin om naar het theater te gaan.
6 Kunt u dat nog een keer zeggen?

29
1 c; 2 b; 3 f; 4 d; 5 a; 6 e

30
I
1 wit
2 alles, uitverkocht
3 harde
4 paar

II
1 kaartjes, voorstelling
2 duur
3 een beetje
4 plaatsen
5 per persoon

III
1 kost
2 gulden
3 andere
4 die
5 wat

32
1 obers
2 seizoenen
3 lessen
4 mensen
5 broodjes
6 dagschotels
7 boterhammen

34
1 lekkerder
2 goedkoop
3 hard
4 leuke
5 slechte
6 het liefst
7 slechte
8 dure, het lekkerst
9 meeste, langzaam
10 zoeter

36
1 sneller
2 verder (2x)
3 duurder
4 meer, meest
5 veel, minder
6 zoete, zure
7 liever, lekkerder

D

41
1 niet waar; 2 niet waar; 3 niet waar; 4 waar; 5 niet waar

42
1 a; 2 b; 3 b; 4 b

43
1 ja
2 nee
3 ja
4 nee
5 nee
6 ja

44
1 d, e
2 c, d, f
3 d
4 b, d, f
5 d, f
6 a, d

45
1 Wat is dat? / Wat bedoel je?
2 Wat betekent dat? / Wat bedoel je?
3 Wat betekent dat? / Wat is dat? / Wat bedoelt u?
4 Wat is dat?
5 Wat betekent dat? / Wat bedoelt u?

46
1 langzaam
2 voorstelling
3 donderdag
4 uitverkocht
5 interessant
6 aanbieding
7 belangstelling
8 woordenboek
9 boekenclub
10 plaatsen
11 uitzoeken
12 volledig

47
1 wat
2 de helft
3 kost
4 volledig
5 belangstelling
6 echt
7 geen
8 betekent
9 Wat
10 nog

49
1 d; 2 c; 3 a; 4 e; 5 g;
6 f; 7 b

50
1 d; 2 b; 3 f; 4 g; 5 i;
6 c; 7 e; 8 a; 9 h

51
1 interessant
2 nu
3 politiek
4 tuin
5 reis
6 tijd
7 ver
8 lid

55
1 Ik wil **geen** melk, wel
suiker graag.
2 Heinz heeft **geen** zin.
3 Heb jij **geen** honger?
4 Ik heb **geen** dorst.
5 Ze heeft **geen** plaatsen
voor zondag.
6 We hebben **geen**
dagschotel.
7 We hebben vandaag
geen les.
8 In die wijk is **geen**
bioscoop.
9 Hier is **geen** kantine.

57
1 wil / wou, graag
2 welke
3 u
4 voorstelling
5 (voor) die
6 is alles / zijn we
7 is alles / zijn ze
8 zullen, we
9 heb, je / jij
10 niet
11 gaan, we
12 twee, kaartjes
13 gulden
14 Dank u wel / Bedankt

5 Anders nog iets?

A

2
1 waar
2 waar

3
1 b; 2 b; 3 a; 4 a; 5 b;
6 c

4
1 c; 2 a; 3 b; 4 c; 5 b;
6 a; 7 c; 8 a; 9 c

5
1 a; 2 c; 3 b; 4 c; 5 a;
6 c; 7 c

7
1 Wat kosten ze?
2 Ze zijn heerlijk.
3 Dank u wel.
4 Wat is uw naam?
5 Het gaat wel.
6 Ik weet het niet.
7 Anders nog iets? /
Anders nog iets?
8 Ik versta u niet.

8
1 b, c
2 a, e
3 e
4 c
5 d, e

9
1 flessen
2 druiven
3 tosti's
4 glazen
5 paprika's
6 citroenen
7 maanden
8 restaurants

B

13
1 waar
2 waar

14
1 twee
2 beter
3 niet zo
4 niet zo

15
1 a; 2 b; 3 c; 4 b

17
1 niet waar
2 waar

18
1 twee broeken
2 twee broeken
3 één broek

19
1 c; 2 e; 3 a; 4 f; 5 d;
6 b

20
1 b; 2 c; 3 a; 4 b; 5 a;
6 c

21
1 positief
2 positief
3 negatief
4 negatief
5 negatief
6 positief
7 positief
8 negatief

23
1 beurt
2 kilo
3 vrij
4 eerste
5 belangstelling
6 bij elkaar

24
1 Goedemiddag
2 Ja, hoor
3 deze
4 passen
5 natuurlijk
6 Probeert
7 goed
8 mee
9 neem

25
1 halen
2 smal
3 probeer
4 draag
5 schoenen, Eens
6 eigenlijk
7 Verkoopt

26
1 echt
2 duur
3 slecht
4 weinig
5 drie
6 daar

27
1 klein
2 zuur
3 langzaam
4 slecht
5 goedkoop

28
1 deze, die / deze, die
2 deze, die / Die
3 Dat, Dit / dat, dit / dat,
dit
4 Deze, Die / die
5 Deze, Die / deze, die /
deze, die
6 deze, die / deze, die /
deze, die
7 Dat, Dit / dat, dit / dat,
dit
8 dat, dit / die
9 dat, dit

30
die: vijf keer
deze: drie keer

C

33
1 waar
2 waar
3 niet waar

34
1 d; 2 a; 3 c

35
1 d; 2 b; 3 g; 4 e; 5 a;
6 b; 7 f

36
1 *f* 1,29
2 *f* 5,98
3 de Summa roodmelange
koffie 500 gram
4 250 gram
5 zes
6 de Summa roodmelange
koffie 250 gram

41
1 kilo
2 minder
3 O, dat geeft niet.

42
1 Ik
2 Verkoopt
3 Natuurlijk
4 eerste
5 Doet

43
1 pond
2 stuk
3 weegt
4 anderhalf
5 maat
6 klein
7 Hoeveel

D

47
1 waar
2 niet waar
3 niet waar
4 waar

49
1 koken
2 deur
3 buitenlands
4 geld
5 bestaat ... uit
6 Meestal, rijst
7 extra

50
1 ontbijt
2 al
3 alleen
4 zwarte
5 warm
6 dicht
7 altijd
8 overal

51
1 rode
2 witte
3 snelle
4 dure
5 verre
6 halve
7 grote
8 gele

60
1 wijn, enzovoort
2 Oostrum Versmarkt
3 bij Appelboom
4 een café(-biljart)
5 Torenzicht 66 a

6 Hoe heet dat ook al weer?

A

2
1 *f* 35,–
2 *f* 12,50
3 *f* 145,–
4 de regenjas
5 de kousen
6 de jas
7 de blouse
8 het vest

3
1 wel; 2 wel; 3 niet;
4 wel; 5 wel; 6 niet;
7 wel; 8 niet;

5
1 niet waar; 2 waar

6
1 b; 2 a; 3 b; 4 a

7
1 Ik zal even kijken.
2 Eens kijken,
vrijdagmorgen?
3 Ja, wat kost die, hoe heet
dat, die sjaal?
4 Zaterdag? Ik zal eens
even kijken…
5 Is die… eh… hoe heet
dat… van u?

8
1 d; 2 f; 3 e; 4 g; 5 b;
6 a; 7 c

9
1 b; 2 a; 3 a; 4 a; 5 b;
6 a; 7 a

10
1 A mijn
   B uw
2 A mijn
   B je
3 B zijn
4 A jouw / zijn / haar
   B mijn / jouw
5 A zijn
   B mijn
6 A jouw / mijn
   B haar
7 A mijn
   B je
8 A zijn
   B zijn
9 A jullie
   B ons

12
1 *f* 35,–

2 020-6629629
3 020-6105206
4 ja
5 Polen

13
1 c; 2 a; 3 c; 4 a

B
16
1 waar; 2 waar

17
1 c; 2 a; 3 a; 4 b; 5 c

18
1 b; 2 a; 3 a; 4 c; 5 c

20
1 ja; 2 nee; 3 ja; 4 ja;
5 nee; 6 ja; 7 nee

22
1 i; 2 e; 3 d; 4 g; 5 b;
6 f; 7 h; 8 a; 9 c

23
1 zo'n
2 problemen
3 lukt
4 eerder
5 precies
6 Liggen
7 toch, Dus
8 klaar
9 hangt

24
1 iets; 2 iemand; 3 iemand;
4 iets; 5 iemand; 6 iets;
7 iets; 8 iemand; 9 iets

30
1 niet waar; 2 niet waar

31
1 de zolen
2 zolen van rubber
3 rubber
4 na een uur

32
1 Zeg je dat <u>zo</u> in het
Nederlands?
2 Nou, ik <u>weet</u> het niet
precies.
3 Nee, ik bedoel de <u>zolen</u>.
4 Nee, dat <u>hoeft</u> niet.
5 <u>Zeker weten</u>?
6 Nee, <u>dank</u> u, dat is <u>echt</u>
niet nodig.
7 O, geen <u>idee</u>…

33
1 hij bedoelt innemen.
2 ze bedoelt de zolen (zijn
kapot).
3 hij bedoelt duurder.
4 zij bedoelt kleiner.
5 ze bedoelt tot morgen.
6 ze bedoelt in de zomer.

36
1 Kunt
2 hakken
3 bedoelen
4 bedoel
5 Zeker weten
6 dank u
7 Een uurtje ongeveer
8 tot zo dan

37
1 klaar; 2 jas; 3 die;
4 deze / die; 5 deze / die;
6 ziens

38
1 repareren
2 mankeert
3 zolen
4 hakken
5 Hakken, zo
6 of
7 even

39
1 kapot
2 nieuwe
3 leer
4 idee
5 Duurt
6 Ongeveer
7 gewoon

40
1 Nee, ik heb hem **niet**
gezien.
2 Ik weet het **niet**.
3 Nee, ik eet **niet** veel vis.
4 Nee, ik vind hem **niet**
mooi.
5 Nee, ik vind de koffie
niet lekker.
6 Nee, ik houd **niet** van
druiven.
7 Nee, ik kom morgen
niet. / Nee, ik kom **niet**
morgen.
8 Ik weet het **niet** precies.
9 Nee, ik heb hem **niet**
gezien.

41
1 jullie; 2 ze; 3 het;
4 hem; 5 haar; 6 jullie;
7 ze; 8 ze; 9 haar / hem

42
1 nee; 2 ja; 3 nee; 4 ja;
5 nee; 6 ja

D
46
1 waar; 2 niet waar

47
1 b; 2 e; 3 c; 4 a; 5 d

48
1 h; 2 g; 3 i; 4 d; 5 e;
6 c; 7 a; 8 f; 9 b

49
1 kleur; 2 nooit
3 overal; 4 collega
5 bruin; 6 meteen
7 vrouw

50
voor de winter
de handschoen
de kous
de laars
de mantel
de muts
de sjaal
de sok

alleen voor vrouwen
de beha
de jurk
de kous
de mantel
de rok

daar draag je er twee van
de handschoen
de kous
de laars
de sok

51
1 lachen; 2 kamers;
3 Sommige; 4 bijvoorbeeld;
5 hoop; 6 Soms; 7 dat;
8 want

52
1 over; 2 Daarom;
3 weg; 4 oma; 5 leggen;
6 knopen; 7 pakken;
8 gordijn; 9 staat

53
1 kledin(g)reparaties
2 De leerlooier
3 1
4 Voorschoten
5 Bernard

7 Bent u hier bekend?

A

2

1 waar; 2 niet waar

3

1 niet waar; 2 niet waar;
3 waar; 4 waar

4

1 a; 2 b; 3 a

5

1 a; 2 b; 3 b, c; 4 b; 5 a

9

1 Op de Hof / Op 't Zand
2 de St. Joriskerk / de St.
Franciscus Xaveriuskerk
3 In de Lieve
Vrouwestraat / In de
Coninckstraat
4 Theater de Lieve Vrouw /
Theater de Flint
5 Kleine Haag
6 Mariënhof Culinair
museum

B

15

1 niet waar; 2 niet waar

16

1 Naar Haarlem.
2 ƒ 20,25
3 Om kwart over tien.
4 Van spoor zeven a.

17

1 Het spijt me.
2 Bij de stoplichten steekt
u over.
3 Bent u hier bekend?
4 Het museum is aan uw
rechterhand.
5 Waarnaartoe?
6 Elk half uur, zegt u?
7 Van welk spoor?
8 Ook tomatensoep, zegt
u?

18

vertrektijd	spoor
1 14.49	5b
2 13.44	13b
3 13.49	5b
4 13.32	2b

19

1 a, e; 2 b; 3 d, f; 4 c;
5 e, g; 6 e, g; 7 d

22

1 Retour
2 vertrekt
3 trein
4 spoor, klopt dat
5 elk
6 Tot uw dienst.

23

1 station; 2 links; 3 laat;
4 Kwart; 5 Graag gedaan

24

1 de fiets, het station
2 kaartje, het loket
3 een dagretour
4 9.25u, spoor
5 kopje, broodje

25

1 d; 2 c; 3 a; 4 h; 5 g;
6 e; 7 b; 8 f

26

1 drie uur
2 half elf
3 tien over half vijf
4 vijf over zes
5 tien voor acht

28

1 A Hoe laat begint de
voorstelling?
  B Om acht uur.
2 A Hoe laat gaat u naar
huis?
  B Om half vijf.
3 A Hoe laat vertrekt de
trein?
  B Om tien voor half
zeven.
4 A Hoe laat komen jullie?
  B Om twee uur.
5 A Hoe laat ga je?
  B Om kwart voor elf.
6 A Hoe laat vertrekt de
bus naar Hilversum?
  B Om tien over half
acht.

C

32

1 waar; 2 waar; 3 waar

33

1 a; 2 b; 3 b; 4 c; 5 b

34

1 d; 2 g; 3 f; 4 h; 5 c;
6 b; 7 a; 8 e

35

1 eens (r.1)
3 graag (r.3)
6 het (r.6)
7 nu (r.7)
11 eigenlijk (r.14)
12 maar (r.15)
15 snel (r.19)
16 gaan (r.22)
17 helemaal (r.23)
19 Ja (r.25)
23 dus (r.29)
26 dan (r.33)
28 weer (r.35)

36

1 retour; 2 moment;
3 binnen; 4 staan; 5 trein;
6 vooruit; 7 betalen

37

1 Hij heeft in Rotterdam
de tram naar het station
genomen.
Infinitief: nemen
2 Maar hij heeft geen
kaartje gekocht.
Infinitief: kopen
3 Op de halte Coolsingel
zijn vier controleurs
ingestapt.
Infinitief: instappen
4 Ze hebben alle
passagiers gecontroleerd.
Infinitief: controleren
5 Ze hebben ook het
plaatsbewijs van mijn broer
gevraagd.
Infinitief: vragen
6 'Het spijt me', zei mijn
broer, 'maar ik heb geen
kaartje'.
7 Zo is het een dure reis
voor mijn broer geworden.
Infinitief: worden
8 Het ritje met de tram
heeft hem ƒ 60,– gekost!
Infinitief: kosten

38

1 ik heb (al) thee
gedronken.
2 ik heb nog nooit tosti's
gemaakt.
3 ik heb haar niet gezien.
4 ik heb (al) een tosti
gegeten.
5 ik heb je boek aan Jan
gegeven.
6 ik heb (woensdag)
televisie gekeken.
7 ik heb drie kilometer
gelopen.
8 ik heb (gisteren) naar
muziek geluisterd.

39

1 En u gaat naar het
Centraal Station?
2 Neemt u me niet kwalijk.
3 Dat is toch één zone?
4 U bent nu te laat.
5 Kunt u zich legitimeren?
6 Mag ik dat even zien?
7 Waar moet ik dat
betalen?
8 Kijk, hier staat het adres.

40

1 zich, me; 2 je, me;
3 je, me; 4 ons, je

42

1 f; 2 h; 3 d; 4 c; 5 g;
6 b; 7 a; 8 e

43

1 b; 2 a; 3 c; 4 c; 5 b

D

45

1 Met een beetje alcohol is
er niets aan de hand.
2 Je kunt beter helemaal
niet drinken als alcohol een
probleem voor je is.
3 Het is beter helemaal
niet te drinken als je
medicijnen gebruikt.
4 Elk jaar zijn er 34.000
mensen die met te veel
alcohol toch rijden.
5 De bus na een feestje is
beter.

46

1 naar; 2 van; 3 met;
4 op, in; 5 uit; 6 naast;
7 over

47

1 b; 2 d; 3 f; 4 a; 5 e;
6 c

48

1 gebruiken; 2 al; 3 grens;
4 Men; 5 bus; 6 slapen;
7 centrum; 8 verdeeld;
9 begin; 10 spelen

E

49

1 om 7.26 uur
2 om 8.1 uur
3 om 22.42 uur
4 één keer per uur
5 83 minuten

50

1 niet waar; 2 niet waar;
3 waar; 4 waar; 5 niet waar

8 Met wie spreek ik?

A

2
1 waar
2 waar
3 niet waar
4 waar

3
1 c; 2 b; 3 c

4
1 niet waar
2 waar

5
1 b, e; 2 b; 3 a

6
6, 1, 4, 2, 5, 3

8
1 d; 2 a; 3 f; 4 e; 5 c; 6 b

10
1 jarig
2 sturen
3 postzegels
4 verhuizen
5 invullen
6 onder
7 post
8 brievenbus
9 brief

11
1 b, e, f
2 a
3 a, c, d, g, h
4 e

12
1 U moet een verhuisbericht invullen.
2 Het is er morgenmiddag.
3 Ik wil dit aangetekend versturen.
4 Wat een leuke kaarten!
5 Mag ik zo'n formulier?
6 Wat is je telefoonnummer?
7 Is hier ergens een brievenbus?
8 Hij werkt op het postkantoor.

13
1 a; 2 b; 3 a; 4 a; 5 b; 6 b; 7 b; 8 a

14
1 ... woon er bijna ...
2 ... is er vandaag ...
3 ... moet er ook ...
4 ... we er, mevrouw.
5 ... staat er nog ...

15
1 ƒ 1,80
2 ƒ 1,–
3 ƒ 1,–
4 ƒ 7,50

B

17
1 niet waar
2 niet waar
3 waar

18
1 waar
2 niet waar

19
1 f, g
2 f, g
3 e, f, g
4 a, b, c,
5 a, b
6 a, c, d

20
3, 2, 5, 4, 1

21
1, 3, 4, 2

22
3, 1, 2, 4

26
1 opbellen
2 telefooncel
3 moeder
4 roepen
5 draait
6 wie
7 spreek
8 verkeerd

27
1 Kan ik mevrouw Prins even spreken?
2 Ik zal haar even roepen.
3 Wilt u even wachten?
4 Mevrouw Prins is niet thuis.
5 Wanneer komt ze thuis?
6 Dat weet ik niet precies.
7 Kunt u vanavond terugbellen?
8 Ja, natuurlijk meneer.

28
1 Is je moeder thuis?
2 Momentje, alstublieft.
3 Met Veenstra.
4 Met wie zegt u?
5 Wie moet u hebben?
6 Kan ik haar even spreken?

C

30
1 niet waar
2 niet waar
3 niet waar
4 waar

31
1 a, b
2 a

32
1 niet waar
2 waar

33
1 c
2 b

34
1 c; 2 a; 3 c; 4 c; 5 a; 6 a; 7 b

35
1 toestel
2 betaalpas
3 telefoonkaart
4 gesprek
5 versturen
6 wachtende
7 opnemen
8 klant

36
1 vullen ... in, stuurt ... door
2 gaan ... uit, blijven thuis
3 komt ... aan, belt ... op, neemt ... mee
4 neemt ... op, terugkomen
5 nodigt ... uit, belt ... terug
6 uitzoeken, uitstappen

37
1 goedemiddag (r.1)
2 goedemiddag (r.2)
3 wou (r.2)
4 onze (r.4)
5 -
6 Kunt (r.5)
7 maar (r.6)
8 -
9 Dag (r.8)
10 iets (r.8)
11 meneer (r.10)
12 dollar (r.12)
13 betaalt (r.13)
14 -

D

41
c

42
1 b
2 a, c

44
1 b; 2 f; 3 c; 4 h; 5 i; 6 a; 7 d; 8 e; 9 g

45
1 instelling
2 zoals
3 bibliotheek
4 aanvragen
5 getrouwd
6 krant
7 in gesprek
8 vervelend
9 bericht

46
1 mijn, je / jouw
2 mijn, jouw
3 uw, mijn
4 je
5 je
6 mijn, uw
7 je / jouw
8 mijn
9 uw, mijn

9 Wat staat er in de krant?

A

2
1 waar
2 niet waar

3
1 a; 2 a; 3 c; 4 c

4
1 a; 2 b; 3 a; 4 a; 5 c;
6 b; 7 b; 8 c

6
1 meent
2 net
3 vast
4 radio, nieuws
5 verzorgt, Inderdaad
6 bijna, lastig

B
13
1 Monique; 2 Ramón;
3 Ramón; 4 Richard

14
1 Ramón; 2 Richard;
3 Monique; 4 Monique;
5 Angela; 6 Richard;
7 Ramón; 8 Angela

15
1 actie / staking
2 onderwijs
3 voorbeeld
4 boel
5 vaak
6 door
7 belangrijke
8 actie / staking

17
12 keer

19
1 vijf
2 a, c, e, g, i

20
1 niet waar; 2 waar;
3 waar; 4 niet waar;
5 niet waar; 6 niet waar

21
1 a Nieuws.
  b Een mening over het
nieuws.
2 Elke dag, behalve op
zondag.
3 Wekelijks.
4 a Libelle.
  b Panorama.
  c Viva.
  d Nieuwe Revu.
5 Sensatieverhalen.
6 Een vakblad of
hobbyblad.

22
1 e, f
2 c, i
3 a, g
4 b, h
5 d

23
1 bijvoorbeeld / zoals
2 In de eerste plaats, In de
tweede plaats,
bijvoorbeeld / zoals
3 Verder, bijvoorbeeld,
zoals
4 Tot slot, bijvoorbeeld /
zoals
5 bijvoorbeeld
6 in de eerste plaats,
verder, zoals
7 bijvoorbeeld, verder
8 Verder, bijvoorbeeld

24
1 mening
2 artikelen
3 gezondheid
4 tegenover
5 Behalve
6 biedt
7 gauw
8 Bovendien
9 los
10 allerlei
11 duidelijk
12 Belangrijke
13 situaties
14 foto
15 bladen

25
1 tiende; 2 derde;
3 negende; 4 twaalfde;
5 achtste; 6 eenentwintigste;
7 vierde; 8 eerste

C
27
1 a; 2 b; 3 a

28
1 Er zijn geen Franse
kranten binnengekomen.
2 De NRC en Vrij
Nederland.
3 Niets.

29
1 c; 2 b; 3 a; 4 c; 5 a

31
1 binnengekomen
2 groepje
3 lijkt
4 gebeurt
5 lezers
6 zogenaamde
7 politie
8 bepaald
9 vooral

32
1 a; 2 a; 3 b; 4 b; 5 a;
6 a; 7 a; 8 b

33
1 b; 2 a; 3 b; 4 a; 5 a;
6 a; 7 b; 8 a

34
2 augustus
4 juni
5 april
7 februari
9 maart
10 december
11 oktober

1 juli
3 september
4 januari
6 november
8 mei

D
37
2 tijdschrift (weekblad)
3 Stichting Kerken en
Multiculturele Samenleving
4 KMS organiseert de
migrantenweek

38
1 d; 2 a; 3 f; 4 b; 5 e;
6 g; 7 c

39
1 voorbeeld; 2 allerlei;
3 gauw; 4 staking;
5 bovendien; 6 gepast;
7 gelijk; 8 terecht; 9 stuurt

43
1 Rubriek 1
2 Rubriek 2
3 Rubriek 2
4 Rubriek 2
5 Rubriek 5
6 Rubriek 2
7 Rubriek 1, 3
8 Rubriek 1
9 Rubriek 1, 4
10 Rubriek 1, 4

44
1 eisen; 2 beslissing;
3 samenleving; 4 vormen;
5 kans; 6 bespreking

45
1 tussen; 2 betrekkingen;
3 minister; 4 oorlog;
5 volgende; 6 ministerie;
7 kritiek; 8 vrede; 9 reis

46
1 open
2 Economisch
3 cultureel
4 museum
5 georganiseerd
6 buitenlandse
7 besprekingen

49
1 waar
2 niet waar
3 niet waar

50
2 kranten bezorgen
3 één uur per dag
4 's ochtends voor het
Algemeen Dagblad,
's middags voor NRC
Handelsblad
5 15 jaar of ouder
6 a bellen
  b de bon invullen

E
52
1 5
2 23 - 28
3 2 - 3, 11
4 23 - 28
5 5, 6
6 6
7 23 - 28
8 21
9 4, 5
10 5, 15
11 6
12 4, 5
13 5
14 8

10 Wat vind jij?

A
2
1 waar
2 niet waar
3 waar

3
1 a De tweedehands computer is veel te duur.
  b Nieuwe zijn sneller.
2 Ze wacht nog even.

4
1 b; 2 a; 3 b; 4 b; 5 b;
6 a; 7 a; 8 b; 9 a

6
1 allebei
2 kook, kookt
3 eenvoudige
4 rustig
5 mogelijkheid, werken
6 Volgens
7 advies

B
10
1 waar
2 niet waar
3 niet waar

11
1 niet waar
2 niet waar
3 niet waar
4 waar
5 waar

12
1 <u>Mag</u> ik je even iets <u>vragen</u>?
2 Wat voor comp<u>ut</u>er is het?
3 Volgens <u>mij</u> kun je het <u>veel</u> goedkoper krijgen.
4 <u>Denk</u> je dat <u>echt</u>?
5 Daar heb je ta<u>lent</u> voor nodig.
6 <u>Waar</u>om vindt u dat be<u>lang</u>rijk?
7 U bent dus niet <u>bang</u> voor concur<u>ren</u>tie?

15
1 aantal
2 absoluut
3 iedereen
4 zoveel
5 teken
6 juist
7 ervaring
8 geloof
9 moeilijk

16
1 ontwikkeling
2 Eerst
3 ontdekte
4 ineens
5 tegen, omdat
6 bang
7 begrijpt
8 Dus

17
1 denkt (r.2)
2 leuke (r. 4), interessant (r.5)
3 Je (r.6) , elkaar (r.8)
4 geld (r.10)
5 beroemde (r.11)
6 ook (r.13)
7 snel (r.14)
8 andere (r.15)

C
20
1 waar
2 niet waar
3 waar

21
1 steeds meer, minder
2 a kabeltelevisie
  b meer kanalen
  c videorecorder
3 radio, grammofoon, bioscoop, stripboeken

22
2, 3, 5, 7

23
1 b; 2 a; 3 a; 4 a; 5 b;
6 a; 7 b; 8 b

25
1 d; 2 a; 3 g; 4 h; 5 b;
6 c; 7 f; 8 e

26
1 terwijl
2 steeds
3 oorzaak
4 onderzoeken
5 tegenwoordig
6 gelegenheid
7 resultaat
8 aandacht

27
1 onderzoek
2 gebruik
3 geconstateerd
4 daalt
5 geldt
6 Dus
7 conclusie

28
1 c; 2 a; 3 f; 4 b; 5 e;
6 d

D
33
1 walkman / radio
2 ƒ 69,–

35
1 ƒ 199,–
2 ƒ 85,–
3 ƒ 799,–
4 ƒ 139,–
5 ƒ 499,–
6 ƒ 199,–

37
1 waar
2 ik weet het niet

38
1 d; 2 f; 3 c; 4 a; 5 b;
6 e

E
40
1 om 18.30u op Nederland 3
2 om 19.25u op Nederland 3
3 Aad van den heuvel en Martin Ros
4 een (Engelse) natuur-serie over de Zuidpool
5 naar Nederland 2 om 18.39u, en naar Nederland 3 om 22.16u
6 Nederland 1: Ik Mik Loreland, Paulus de Boskabouter, Wat gebeurt er later, Medisch Centrum Muis, Doug, Robbedoes
Nederland 2: Jody en het hertejong, De troon van Koning Kunstgebit
Nederland 3: Villa achterwerk, Potje Sport, Fabeltjeskrant, Sesamstraat, Jeugdjournaal, Klokhuis

43
1 24 uur
2 nee

11 Daar ben ik tegen

A

2
1 niet waar
2 waar

3
1 b; 2 b; 3 b; 4 c

4
1 stellen
2 besteedt
3 nadenken
4 genoeg
5 precies
6 erg
7 Zoiets
8 politieke
9 wereld
10 enkel

5
1 a; 2 f; 3 e; 4 g; 5 c;
6 b; 7 d

B
12
1 a parlementaire
democratie
   b constitutionele
monarchie
2 12
3 PvdA, CDA, VVD, D66
4 GPV, SP, Unie 55+,
SGP
5 118.535
6 1,3 %
7 19,9
8 31

13
1 Met name
2 vooral
3 bijvoorbeeld
4 dat wil zeggen
5 namelijk
6 onder andere

14
1 staken
2 beslissing
3 besteden
4 stemming
5 regelen
6 aanbieding
7 organiseren
8 werking
9 protesteren

15
1 beslissen
2 soort
3 standpunt
4 recht
5 koning
6 verkiezingen
7 overheid

16
1 ... Nederland te veel
hulp geeft aan de derde
wereld.
2 ... vindt dat Nederland
te weinig hulp geeft aan de
derde wereld.
3 ... dat Nederland genoeg
hulp geeft aan de derde
wereld.
4 ... heeft geen mening.
5 ... Nederland te veel
hulp geeft aan de derde
wereld.
6 ... Nederland te weinig
hulp geeft aan de derde
wereld.
7 ... vindt dat Nederland
te veel hulp geeft aan de
derde wereld.

17
1 65+
2 18 - 24
3 de VVD
4 Ouderen
5 de VVD
6 de PVDA
7 modaal

C
20
1 niet waar
2 waar
3 niet waar
4 waar

21
1 c; 2 a; 3 c

24
1 veroorzaken
2 opvallen
3 geweld
4 gezicht
5 protesteren
6 taal
7 tentoonstelling
8 slachtoffer

25
1 auto
2 toen, boom
3 regen
4 bang
5 grond
6 zet ... aan het denken
7 dood ... gaan
8 pas

27
1 waar
2 niet waar

D
30
1 5
2 3

31
1 Het is voor haar veel
makkelijker iets over Duitse
politici te lezen, want ze
kent de personen.
2 Hij vindt geen enkele
partij goed.
3 Zowel voor
Nederlanders als voor
buitenlanders.
4 Op een christelijke
partij.
5 Op de VVD.

33
1 bezuinigen
2 makkelijk
3 stemmen
4 belasting
5 zonder
6 meerderheid
7 spiegel
8 horen bij

34
1 meedoen
2 namelijk
3 plaatsen
4 stemrecht
5 zowel
6 invloed
7 programma
8 telden ... mee

E
38
1 niet waar
2 niet waar
3 waar

39
1 b; 2 b

40
1 waar
2 niet waar
3 niet waar

41
1 700.000
2 de Kuensel
3 één keer per week

12 Mag ik jullie even onderbreken?

A

2

1 waar

2 niet waar

3

1 a; 2 b; 3 c

4

1 a; 2 a; 3 b

6

1 a, b

2 a, c

3 b

4 a, b

8

1 jongen

2 vlak bij

3 blijft

4 langs

5 midden

6 gang

7 allemaal

8 voordat

11

5

B

13

1 waar

2 niet waar

3 waar

14

1 aan loket 7

2 Raad van Bestuur

3 het taoïsme

15

1 a; 2 a; 3 c; 4 b; 5 b

16

1 a; 2 c; 3 b; 4 c; 5 a

17

1 vergadering

2 bezig

3 plan

4 akkoord

5 punt

6 voorzitter

7 uitspreken

8 laatst, bestuur

19

1 5

2 6

3 3

4 7

5 6

6 5

7 8

8 8

C

21

1 niet waar

2 waar

3 waar

22

1 test, oefening 3

2 vragen, test

3 test, huiswerk

23

1 uitleggen

2 bespreken

3 nakijken

4 uitdelen

5 betekenen

6 vorige

7 vergeet

8 schoon

24

1 a; 2 c; 3 g; 4 f; 5 b;
6 d; 7 e

25

1 of

2 of

3 dat

4 dat

5 dat

6 of

27

Volgorde: 3, 1, 4, 5, 2

D

32

1 Men veegt met zijn ene hand de andere leeg.

2 Je bent gek.

3 De hand draait om een uitgestokken wijsvinger.

34

1 b; 2 c; 3 b

35

1 stof

2 gek

3 blik

4 schudden

5 neus

6 juist

7 Tijdens

8 hetzelfde

9 mogelijk

36

1 weer

2 droog

3 rond, wind

4 graad

5 gebaar

6 graden

7 leeg

E

39

b

40

1 Direct naar binnen gaan.

2 a De deuren en ramen sluiten.

b De radio of televisie aanzetten.

13 Viel het mee of tegen?

A

2
1 niet waar; 2 niet waar;
3 niet waar; 4 waar;
5 waar; 6 niet waar;
7 niet waar

3
1 4 x 5
2 begane grond
3 a te donker
   b naast de keuken
   c te duur
4 verder zoeken

6
1 geluid
2 licht
3 keuken
4 belachelijk
5 Luister
6 toevallig
7 vergeten

7
1 In de Parnassiastraat
bedoel je?
2 Nee, dat viel erg tegen.
3 Dat is een voordeel.
4 Ja, daar heb je gelijk in.
5 Belachelijk!
6 En nu?
7 Nee, al sla je me dood.

B

12
1 waar; 2 niet waar;
3 niet waar

13
1 Een klein huis
Een bovenwoning dat is
lastig
Een balkon in plaats van
een tuin

2 Een tuin
Een mooie open keuken
Een grote woonkamer
Drie slaapkamers

14
1 licht
2 wandmeubel
3 meter
4 goud
5 douche
6 kast

15
1 b; 2 a; 3 a; 4 c; 5 c;
6 a

16
1 weg
2 reden
3 op en neer
4 terug
5 ver
6 missen
7 familie
8 inrichten

17
1 bij
2 keuken
3 kast
4 bureau
5 trap
6 huur
7 vlak bij, ontzettend
8 woonde

19
1 trouwde
2 gingen
3 hadden / huurden
4 verhuisden
5 werd
6 hadden / huurden
7 was
8 konden
9 moest

20
1 woonde   2 had
3 kreeg, verhuisde 4 was
5 ging   6 moest
7 sprak   8 kwam

21
1 ja; 2 nee; 3 nee; 4 ja;
5 nee; 6 ja; 7 nee

C

26
1 Donatella
2 Craig
3 Jaime
4 Craig
5 Donatella
6 Donatella
7 Jaime

27
1 Jaime
2 Donatella
3 Jaime
4 Craig
5 Craig
6 Donatella
7 Jaime
8 Craig

28
1 In Italië woonde ze in
een huis met een grote tuin
in de bossen. Ze had geen
buren.
In Nederland heeft ze een
balkon en woont ze tussen
snelwegen. Er zijn buren
links, rechts, boven en
beneden.
2 a Nederland is klein. In
Amerika heb je meer ruimte.
   b In Nederland is oud
echt oud.
3 a In Nederland is alles
zo grijs. In Mexico zie je
meer kleuren.
   b Nederlanders zitten
altijd binnen. In Mexico
speelt het leven zich meer
op straat af.
   c In Nederland heb je
bijna overal centrale
verwarming.

29
1 contact
2 begin
3 buren
4 oranje
5 hond
6 bos
7 ruimte

30
1 tante
2 eeuw
3 centrale verwarming
4 koud
5 beneden
6 keuken
7 gebouw
8 noemen

32
1 houten / glazen / plastic /
gouden
2 houten / leren / plastic
3 leren / plastic
4 plastic
5 plastic / papieren
6 houten / plastic
7 papieren
8 leren / plastic / gouden

33
1 roze
2 beroemd
3 koudste
4 marmeren
5 bruine
6 gebakken
7 smalle
8 schitterend
9 houten

D

39
1 b, f
2 b, d, e, f, g

40
b, d, e, a, c

41
1 b, f
2 c, f
3 e, g
4 a, c, f
5 c, f, g
6 e
7 d, e

42
1 dagelijks
2 verlaat, zorgen
3 rookt
4 raam
5 elektrische
6 onmiddellijk
7 stoel

43
1 Een hofje is een groepje
kleine huisjes rond een
grote tuin.
2 Oude vrouwen die alleen
waren.

44
1 streng
2 regels
3 stil
4 klets / kletste
5 waarschuwde
6 brand
7 speciale
8 rijk

45
1 d; 2 f; 3 g; 4 a; 5 c;
6 b; 7 h; 8 e

E

47
1 a; 2 b; 3 c; 4 c

48
1 Nederland
2 Marokko
3 Een land waar Mustafa
hard kan zingen en praten,
waar het niet koud is, waar
ze niet meteen vloeken.

49
1 Studenten en
medewerkers van de
Vrije Universiteit.

14 Van harte beterschap!

A

2
1 a; 2 b; 3 b

3
1 Dat de hoofdpijn niet over gaat.
2 Het is minder erg dan ze dacht.

4
1 a; 2 a; 3 a; 4 b; 5 a; 6 a; 7 b; 8 b

5
1 a, b
2 b, d, e
3 b, e
4 a

6
1 kantoor
2 af en toe
3 gelukkig
4 ernstiger
5 gaan ... over
6 waarschijnlijk
7 dokter
8 verzekeren

7
1 telefonist
2 bril
3 gezondheid
4 gelukkig
5 knie
6 navel

10
1 Goedemorgen, mevrouw Werner.
2 Dag dokter.
3 Wat kan ik voor u doen?
4 Ik heb de laatste tijd zo'n last van hoofdpijn.
5 Ja, iedereen heeft natuurlijk wel eens hoofdpijn, maar dit is wel wat anders, want het gaat maar niet over.
6 Daar maak ik me een beetje zorgen over.
7 Hoe lang heeft u er al last van?
8 Een paar weken.

B

13
1 niet waar
2 niet waar
3 waar

14
1 Ze wil een afspraak maken met dokter Lim / de oogarts.
2 Donderdag 14 april om 15.00 uur.
3 035-5391976

15
1 b; 2 a; 3 b; 4 c; 5 c; 6 a

C

18
1 waar
2 waar
3 niet waar

19
1 Nee
2 Ja. Een paar weken.
3 Ze heeft een ongeluk gehad. Een auto heeft haar aangereden.
4 Misschien volgende week.

20
1 a; 2 c; 3 a; 4 a; 5 b; 6 b

22
1 e; 2 b; 3 h; 4 d; 5 f; 6 g; 7 a; 8 c

23
1 uitkijken
2 ongeluk
3 gebroken
4 fiets
5 thuiskomen
6 ziekenhuis
7 boodschap
8 geval
9 groeten

D

30
1 niet waar
2 waar

31
1 Veel mensen zijn er gestorven aan aids.
2 De rest van haar familie is gestorven.
3 Binnen twee jaar.

32
1 verliezen
2 opa
3 rest
4 hoofd
5 vroeger
6 wens
7 zonder
8 opereren

33
1 b; 2 b; 3 d

34
1 meer dan 20.000
2 anderhalf miljoen
3 500.000
4 5 tot 10 miljoen
5 Omdat aids over enige tijd misschien een algemene ziekte is.

35
1 c; 2 d; 3 e; 4 g; 5 a; 6 h; 7 f; 8 b

36
1 Vanaf
2 ziekte
3 algemeen
4 blijkt
5 bloed
6 ziek
7 gezond
8 opvolgen

37
1 Ze heeft een gebroken been en een wond aan haar hoofd.
2 Ze ligt in het ziekenhuis maar mag morgen naar huis.
3 Je krijgt de ziekte via seks en bloed.
4 Hij heeft spreekuuur op donderdag en vrijdag.
5 Ik kan niet op donderdag maar wel op vrijdag.
6 Het kan over twee of drie weken.
7 Heeft u last van duizeligheid of verkoudheid?
8 Auto's veroorzaken zure regen en verkeersslachtoffers.

38
1 ben ... geweest
2 hebben ... gestopt
3 heb ... gewacht
4 heb ... rondgekeken
5 heeft ... gedronken
6 heeft ... gemaakt
7 ben ... geweest

39
ovt
waren – zijn
bleken – blijken
kregen – krijgen
begonnen – beginnen

voltooid deelwoord
geconstateerd – constateren
gestorven – sterven
besmet – besmetten

E

41
1 Van zaterdag 8.00u tot zondag 8.00u.
2 Zondag om 8.00u.
3 P.C.M. van Kempen.
4 Rembrandt van Rijnsingel 31
5 Om 13.00u.
6 174141

42
1 c; 2 b; 3 b; 4 c, d

15 Moet dat echt?

2
1 niet waar
2 waar

3
1 b
2 a
3 a
4 a, c, d

4
1 Voor mensen die nog helemaal geen Nederlands spreken.
2 Hij spreekt al een beetje Nederlands.
3 Ja.

6
1 Elke dinsdagmiddag van 16.00 - 17.00 uur.
2 Niets. Alleen tijd.
3 Voor iedereen die meer van kunst wil weten.
4 Vooral Hollands koken.
5 Voor vrouwen.
6 020-6404362
7 De cursus 'Koken'.

7
1 b; 2 c; 3 a; 4 b; 5 c

9
1 kunst
2 inschrijven
3 meenemen
4 aan de orde
5 teksten
6 docent
7 hartstikke

10
1 cursus
2 dansen
3 dames
4 basis
5 opgeven
6 vol
7 wachtlijst
8 gezellige

14
1 niet waar
2 waar

15
1 waar
2 niet waar
3 waar

16
1 De Marokkaanse.
2 Twee jaar.
3 In Marokko.
4 Hij moet weten met welke cijfers Abderrahim geslaagd is.
5 23 en 24 juni.

17
1 a; 2 c; 3 a; 4 b; 5 c; 6 c

18
1 examen
2 technisch
3 slaagt
4 cijfer
5 vak
6 geleerd
7 doorgebracht
8 laag
9 best

20
1 ingeschreven (r.1)
2 informatie (r.2)
3 neem (r.5)
4 denk (r.6)
5 toch (r.9)
6 gehad (r.12)
7 willen (r.15)
8 slechte (r.17)
9 heb (r.19)
10 liever (r.21)
11 u (r.22)
12 is (r.23)
13 21 (r.25)
14 Mag (r.27)
15 Okee (r.29)

C
23
1 b; 2 b; 3 b; 4 f

24
1 Harm-Jan
2 Harm-Jan
3 Gilberto
4 Gilberto
5 Gilberto

27
1 vakantie
2 school
3 middelbare
4 brengen ... door
5 onderwijzer
6 reizen
7 redelijk
8 vroeg
9 fout

28
1 Vier.
2 Engels, geschiedenis, Nederlands en wiskunde.
3 Vier.
4 Dertien.
5 Nee.
6 1 keer.
7 Lex van Rooijen.
8 Van 24 maart t/m 31 maart.
9 Een week. / Vijf dagen.
10 Om negen uur.

D
31
1 a; 2 b, c; 3 b

32
1 Tussen 5 en 16 jaar.
2 Tot 12 jaar.
3 In het algemeen voortgezet onderwijs worden leerlingen nog niet voorbereid op een beroep. In het beroepsgericht onderwijs leren de leerlingen een beroep.
4 Het vwo.
5 Tot het hbo.

33
1 niveau
2 dezelfde
3 voorbereid
4 gemakkelijk
5 vorm
6 wetenschappelijke
7 manier
8 universiteit
9 studierichting
10 direct

34
1 g; 2 e; 3 a; 4 d; 5 b; 6 f; 7 c

E
39
1 Dinsdag, donderdag, zaterdag.
2 Eén dag.
3 In Arnhem, Duiven, Westervoort, Diemen, Wageningen, Veenendaal en Ede.
4 Nee.
5 a Ja.
   b Om 19.00 uur.

40
1 Eén keer per week kunnen leerlingen na de 'gewone' les sporten, techniek doen, muziek maken, zich bezighouden met kunst of computeren.
2 Dat betekent dat een kind minder ver is in taal dan andere kinderen van zijn leeftijd.
3 School moet een plaats zijn waar ze graag komen en een plaats waar cijfers belangrijk zijn.

16 Wat voor werk doet u?

2
1 waar
2 waar

3
1 a; 2 b; 3 b; 4 c; 5 a

4
1 Humphrey Tamara
2 student
3 Het maakt niet uit. Het liefst administratief werk.
4 Van juni tot eind juli
5 Ja, schoonmaakwerk
6 Nee
7 Ja

5
1 a, b
2 a, c
3 b
4 b
5 a

8
1 werk
2 periode
3 beschikbaar
4 eerder
5 bedrijf
6 geschikt
7 bevalt
8 diploma's

10
1 ergens
2 iemand
3 niemand
4 iets
5 iets
6 iemand
7 nergens
8 ergens
9 iets
10 nergens
11 niets
12 niets
13 niemand

15
1 waar
2 niet waar

16
1 b
2 b
3 a, c, d
4 a

17
1 Hij komt met veel mensen in contact.
Hij heeft aardige collega's.
Het is een afwisselend beroep.
2 Zeker zijn.
3 Als hij kaartjes probeert te controleren van een groep voetbalsupporters.

18
1 gesolliciteerd
2 voelde
3 tevreden
4 kantoor
5 afwisselend
6 verantwoordelijk
7 onregelmatig
8 salaris
9 lichamelijk
10 collega

23
1 waar
2 niet waar
3 waar
4 waar

24
1 Marijke
2 Cor
3 Harmen
4 Gerard
5 Marijke
6 Harmen

25
1 Gerard
2 Harmen
3 Cor
4 Gerard
5 Gerard
6 Marijke
7 Cor
8 Harmen

26
1 c; 2 b; 3 c; 4 a

29
1 klus
2 zitten
3 ontslag
4 allerlei
5 reiziger

30
1 g; 2 f; 3 e; 4 h; 5 d;
6 c; 7 a; 8 b

31
1 chef
2 geleden
3 kennis
4 diploma's
5 opleiding
6 wil
7 vraag me af
8 trouwens
9 lucht

33
1 Dat is <u>niets</u> voor mij.
2 Nee, het lijkt me <u>niet</u> zo leuk.
3 Nou, het be<u>valt</u> me wel.
4 Dat <u>doet</u> er niet toe.
5 Hij woont <u>hier</u> ergens in de <u>buurt</u>.
6 Er is <u>niemand</u>.
7 Dat is <u>echt</u> iets voor jou!

34

Gerard	Marijke
23 (r.1)	twaalf (r.12)
in (r.2)	hbo (r.13)
De (r.4)	nou (r.14)
een aantal (r.6)	nooit (r.16)
Toch (r.8)	de (r.17)
eigenlijk (r.9)	nogal (r.18)
manier (r.10)	weer (r.20)

36
1 waar
2 niet waar
3 waar
4 waar

38
1 Architectuur en bouwkunde.
2 Hij had een bouwbedrijf in Libië en hij heeft in Amsterdam en Leiden huizen gebouwd en verbouwd.
3 Ontwerpen en (ver)bouwen.
4 Hij heeft een bouwbedrijf. / Ontwerpen en bouwen.
5 Zijn bedrijf is bijzonder, betaalbaar en snel.

39
1 kapper
2 baard, knippen
3 vies
4 meisje
5 scheer me
6 immers
7 opleiding
8 bijzondere
9 leven

40
1 optreden
2 wet
3 minstens
4 spijt
5 bouwen
6 stuk
7 gat

E
43
1 In Veenendaal
2 De kandidaten met een goede spreekvaardigheid in de Engelse en Duitse taal.
3 Zes.
4 Op 1 april.
5 Na zes maanden.

Bronvermelding

ANP Foto, Amsterdam 227*rb*
Hollandse Hoogte, Amsterdam (Michiel Sablerolle *b*, Piet den Blanken *m*, Piet Veel *o*) 13,
(Mark Kohn *lb*, Michiel Wijnbergh *o*) 227
Keesings Blikopener, no.5, jan. 1987, *Zorg voor gezondheid* 251
Harm Kuiper, Amsterdam 12, 46
Kunsthistorisch Museum, Wenen (Pieter Brueghel, *Boerendans*) 73*l*
Jolet Leenhouts, Amsterdam 68, 80, 81, 91, 94, 95, 96, 106, 121, 122, 123, 156, 157, 230, 234
NS Design, Utrecht 118
Mariet Numan, Amsterdam, omslag, 88, 207, 257
Stedelijk Museum, Amsterdam / ILP International Licensing Partners bv, Amsterdam
(Piet Mondriaan, *Compositie met rood, geel en blauw*) 73*r*
de Volkskrant (9-3-1995, bron: InterView), Amsterdam 196
VVV, Amersfoort 116